Lukas Hartmann

Ein Bild von Lydia

ROMAN

Diogenes

Alle Rechte vorbehalten
Copyright © 2018
Diogenes Verlag AG Zürich
www.diogenes.ch
120/18/44/1
ISBN 978 3 257 07012 5

I

Über den Friedhof von Plainpalais flogen Wolken wie Fetzen von versengtem Papier, ein scharfer Wind blies und wirbelte bisweilen ein paar Schneeflocken um Luises Kopf. Sie war hinter den wenigen Trauernden dem Leichenwagen gefolgt. In der Todesanzeige war ein falscher Tag für die Beerdigung angegeben worden, mit Absicht, vermutete Luise, so kannten das richtige Datum nur die Eingeweihten, denn das Ganze sollte möglichst wenig Aufsehen erregen. Sie zog ihren Mantel enger um sich, er war zu dünn für die Jahreszeit. Bald würde sie einen von Frau Lydia tragen können, sie hatte ihr das Testament gezeigt: Ihre ganze Garderobe und tausend Franken wollte sie Luise hinterlassen. In letzter Zeit hatte sie zwar behauptet, das Geld gehe ihr allmählich aus, doch einst galt sie als die reichste Frau der Schweiz. Natürlich hatte sie bei der Scheidung einen großen Teil ihres Vermögens dem Mann überlassen müssen und eine beträchtliche Summe zugunsten ihrer Kunststiftung abgezweigt, im Frauengut blieb gewiss genug für ihre Bedürfnisse übrig. Sie hatte wieder Escher genannt werden wollen wie als Ledige, doch Luise hatte sich nicht umgewöhnen können. In den fünf Jahren ihrer Dienstzeit hatte sie die Hausherrin gnädige Frau oder Frau Welti und in vertraulichen Momenten immer öfter Frau Lydia genannt.

Luise stand am Rand des Begräbnisplatzes, sie hielt einen deutlichen Abstand zur Trauergemeinde ein, deren aufgespannte Schirme im Wind schwankten. Den Sarg hatte man bereits ins offene Grab gesenkt, auf dem Holzkreuz daneben stand, mit eingebrannten Buchstaben: *Lydia Welti-Escher, 1858–1891.* Ein Grabmal aus Marmor, hatte Professor Vogt, Frau Lydias Nachbar, Luise erklärt, werde später aufgestellt, der Auftrag sei bereits erteilt. Er gehörte zu den angesehenen Leuten, die nahe beim Grab standen, während der Pfarrer mit kaum vernehmlicher Stimme ein Gebet sprach. Als die Zeremonie schon im Gang war, hatten sich zwei Männer, ganz in Schwarz, zu den Trauernden gesellt, begleitet von einem dritten in grüner Uniform, der einen Kranz mit Schleife trug. Rote Rosen und weiße Gerbera, das erkannte Luise von weitem, und auf der Schleife entzifferte sie die Inschrift *Le Conseil fédéral.* Sie kannte die beiden Männer, es waren Vater und Sohn Welti, und sie schauten zu, wie der beleibte Bundesratsweibel, der im Belvoir stets im Vorzimmer gewartet hatte, feierlich den Kranz zu den spärlichen Sträußen legte. Die beiden Weltis hatten Luise bestimmt bemerkt, aber es war schon immer so gewesen, dass der Vater bei seinen Besuchen im Belvoir gleichsam durch sie hindurchgeschaut, nur aufs Glas gedeutet hatte, sobald er wünschte, dass sie ihm nachschenke. Mit dem Sohn allerdings, der sie nun auch geflissentlich übersah, hatte sie mehr zu tun gehabt; für ihre Hilfe in schwierigen Situationen hatte er mit schmalem Lächeln gedankt, ein einziges Mal mit Geld. Luise kam nicht davon los, dass diese zwei Männer, zusammen mit dem Maler Stauffer, Frau Lydia in die Verzweiflung getrieben hatten.

Das hätte sie nie laut gesagt, auch dem Weibel nicht, der sich nun neben sie stellte und ihr zunickte. Einmal schaute sich der jüngere Welti doch nach ihr um, da glaubte sie, Tränen in seinem verkniffenen Gesicht zu bemerken, der Vater allerdings stand unbeweglich da wie eine Statue.

Niemand hielt eine Rede, die Trauergemeinde verharrte ein paar Minuten im stummen Gebet, auch Luise faltete die Hände. Dann gingen die Leute auseinander. Man hörte die Zurufe von Kutschern, das Anrollen der Wagen.

Luise begann zu frieren, zum Leichenmahl war sie nicht eingeladen, der Weibel würde wohl draußen auf die Weltis warten und dann mit ihnen zum Bahnhof fahren. Sie kehrte zurück in die Villa Ashbourne oberhalb des Flusses. Der Gasgeruch war ihr vor drei Tagen, als sie der Wäscherin beim Bügeln half, zu spät aufgefallen, aber was nützte es, dieses Versäumnis zu bereuen? Sie band ihr Kopftuch fester und wischte sich, den Wind im Gesicht, die Tränen aus den Augen.

Über Professor Vogt hatte der jüngere Welti ihr am Vortag mitgeteilt, er werde in den nächsten Tagen mit einem Wagen erscheinen und Möbel und Gegenstände, die der Familie gehörten, abtransportieren lassen. So lange solle das Dienstmädchen – *Kammerjungfer* sagte er – im Haus bleiben und fürs Nötige sorgen. Offenbar hatte er es nicht für nötig befunden, Luise dies selbst zu erklären. Bei früheren Gelegenheiten war er froh gewesen, sein Herz vor ihr, die doch weit unter ihm stand, auszuschütten. Der Professor hatte ihr zudem im Namen der Familie Welti ein Monatsgehalt übergeben, ein letztes, richtete er aus. Die Vogts hatten Luise, als Übergangslösung, ein Zimmer in ihrem Haus angeboten, mit der Möglichkeit, danach in ihren Dienst zu treten. Lieber wäre sie gleich bei Henri eingezogen, der als Oberkellner im Café Bout-du-Monde eine Mansarde bewohnte. Die war zwar in dieser Jahreszeit bitter kalt, zu zweit hätte man sich unter der Decke aneinander wärmen können; aber sie waren ja erst verlobt, noch nicht verheiratet.

Der Weg zur Villa schien Luise lang, sie übersah die Pfützen auf dem Friedhofweg, ihre Schuhe wurden schmutzig und ließen Wasser durch. Das Schneegestöber nahm zu, vermischte sich mit dem Regen. Sie verwünschte sich, dass sie keinen Schirm mitgenommen hatte, es gab niemanden mehr, der sie deswegen getadelt hätte.

Sie ging gleich über die vertrauten Stufen in ihr Dachzimmer hinauf, der kleine Ofen war schon fast erkaltet. Da oben gab es kein Gas. Sie schaufelte Kohle durch die Ofentür, sie blies hinein und fachte die Glut an. Dann zog sie sich um, spürte endlich trockene Kleider auf der Haut, auch wenn es bloß ihr altes Unterhemd und der graugemusterte Alltagsrock waren, über dem sie, nach Anweisung von Frau Lydia, stets eine saubere Schürze zu tragen hatte. Auf das Häubchen hatte sie hier in Genf verzichtet, es war auch der Hausherrin lächerlich vorgekommen.

Nun begann Luise doch zu weinen. Die lange und schwierige Geschichte, die sie mit den Weltis verband, ging dem Ende entgegen. Es war ungerecht, aber sie fühlte sich im Stich gelassen. Ihre Mutter hatte Luises Aufstieg in höhere Sphären, wie sie es nannte, ohnehin immer abgelehnt, und ihr Vater war schon lange tot, ertrunken in Bergamo. Zum Glück hatte sie Henri kennengelernt. Es war zu spät, jetzt noch den Weg zu ihm, ins Bout-du-Monde, unter die Füße zu nehmen. Aber morgen würde sie hingehen; morgen würde sie Henri erzählen, wie es gewesen war, das hatte sie ihm versprochen. Sie setzte sich aufs Bett, tastete nach dem Ring an ihrer Hand, dem schmalen Verlobungsring, den Henri ihr vor fast einem Jahr geschenkt hatte. Seither hatten sie nun, der Umstände wegen, auf die Hochzeit gewartet. Kalt war das Metall, das ihr Finger berührte, aber es schimmerte im Kerzenlicht. Nun begann eine andere Zeit, Luise konnte es noch immer nicht fassen. Ein kleiner Strom von Glück vertrieb ihren Kummer. Sie schüttelte den Kopf, als würde jemand sie beschuldigen; die Tote hätte sie verstanden, das wusste sie.

2

Luises Tante kannte die Köchin im Belvoir, Johanna, und als Frau Welti-Escher nach einer neuen Kammerjungfer suchte, bat die Tante diese Johanna, sich bei der Dienstherrin für die fünfzehnjährige Luise einzusetzen. Sie sei willig und höflich, kenne sich aus in Haushaltsdingen und habe vor allem keine Burschen im Kopf, sie sei auch, durch ihren Dienst im Pfarrhaus von Pfäffikon, daran gewöhnt, mit besseren Herrschaften umzugehen.

So kam es, dass Luise sich, frisiert und im hellblauen Sonntagsrock, bei Frau Welti vorstellen konnte. Der Diener, der sie von oben herab musterte, führte sie ins Empfangszimmer, das sie allein durch seine Größe und den spiegelnden Parkettboden einschüchterte. Sie wartete lange, horchte auf das Ticken der Standuhr und versuchte, ihre Aufregung niederzukämpfen. Sie nannte die vornehme Dame, die endlich eintrat, »gnädige Frau«, was diese aber mit einem Lächeln korrigierte: »Sag Frau Welti, mehr braucht es nicht.« Luises Wangen begannen vor Verlegenheit zu glühen, und einige Male stolperte ihre Zunge bei der nun einsetzenden Befragung doch wieder über die gnädige Frau. Im hochgeschlossenen dunkelbraunen Hauskleid saß die Hausherrin da. Sie wirkte weder hochnäsig noch zudringlich, sondern eher sanftmütig und aufgeschlossen, und Luise beneidete sie um die Bordüren an ihrem Kleid, um den schmalen Zopf, der ihr Gesicht einrahmte und von einer Schleife in der Farbe des Kleids festgehalten wurde. Sie übergab Frau Welti den Taufschein, den sie auf Anweisung der Tante mitgebracht hatte.

»Marie-Louise heißt du also mit vollem Namen«, sagte die Frau, nachdem sie das Papier auseinandergefaltet und gelesen hatte.

Das Mädchen nickte. »Ja. Marie-Louise Gaugler. Aber ich werde von allen Luise gerufen. Das mag ich lieber.«

»Dann würde ich es auch so halten.« Die Frau lächelte erneut, mit einer Wärme, die Luises Aufregung milderte. »Kannst du denn lesen und schreiben?«

»Ja. Ich war sechs Jahre in der Schule.«

»Gut so.« Sie schob das Buch, das auf dem Teetisch lag, zu Luise hinüber, und ein Duft nach Rosen erreichte sie plötzlich.

»Schlag es auf und lies ein paar Sätze.«

Luise setzte dort ein, wo ihr Finger auf den ersten Seiten hingeraten war: »… und das Mädchen begann, seine Puppe mit den langen Blättern des Wegekrautes zu bekleiden, so dass sie einen schönen grünen und ausgezackten Rock bekam; eine einsame rote Mohnblume, die da noch blühte, wurde ihr als Haube über den Kopf gezogen und mit einem Grase festgebunden, und nun sah die kleine Person aus wie eine Zauberfrau, besonders, nachdem sie noch ein Halsband und einen Gürtel von kleinen roten Beerchen erhalten. Dann wurde sie hoch in die Stengel der Distel gesetzt und eine Weile mit vereinten Blicken angeschaut, bis der Knabe sie genugsam besehen und mit einem Steine herunterwarf.«

Lydia winkte ab. »Genug. Weißt du, von wem das ist?«
Luise schüttelte den Kopf.

»Ach, das spielt ja auch keine Rolle. Aber es ist wahr: Du liest gut, und hoffentlich schreibst du auch so gut.«

»Ich war die Beste in der Klasse«, antwortete Luise. Doch sie schämte sich nachträglich, dass sie beim Lesen einige Male gestockt hatte.

»Das hat man mir gesagt.«

»Und ich bin Kindermädchen in Pfäffikon, bei den Meyers im Pfarrhaus, da habe ich den zwei jüngsten Kindern das Alphabet beigebracht. Sie wollten das unbedingt.«

Ihre Blicke trafen sich wieder. In Lydias Lächeln war ein wenig Traurigkeit. »Ah ja? Ich sag dir jetzt trotzdem, wie der Mann heißt, der die Sätze schrieb, die du gelesen hast: Gottfried Keller.« Sie sprach den Namen beinahe feierlich aus. »Er ist unser größter Dichter. Und er ist oft bei uns zu Gast.«

Luise hatte den Namen schon gehört, man hatte auch im Pfarrhaus mit Verehrung von ihm gesprochen. Aber sie schwieg und nickte, sie wollte mit ihrem Wissen nicht auftrumpfen.

»Du wirst ihn kennenlernen«, fuhr Frau Lydia fort. »Ich glaube, er wird dich mögen …«

Das klang, als wäre die Wahl schon auf sie gefallen, doch sie war nicht sicher, ob sie es glauben sollte.

Die Frau richtete sich auf und wirkte nun fast einschüchternd. »Sag mir, was weißt du von Haushaltsdingen?«

Luise ihrerseits sank im ungewohnten Sessel ein wenig zusammen. Sie errötete und zögerte, ehe sie aufzuzählen begann. »Ich kann den Herd einfeuern, ich kann das Parkett fegen und wichsen, ich kann das Geschirr waschen, die Betten aufschütteln, Fenster putzen …«

Die Frau fiel ihr ins Wort: »Das genügt. Du wirst zwar hauptsächlich für mich da sein, als Kammerjungfer und als Mädchen für alles, du wirst mir die Kleider bereitlegen, mich frisieren, aber zwischendurch wirst du der Köchin helfen, manchmal auch den Gärtnern. Und anderes mehr, je nach Bedarf. Traust du dir das zu?«

»Ja«, sagte Luise, ohne lange nachzudenken. Sie wollte diese Stelle, sie wollte sich bewähren in diesem prächtigen Haus und die Vertraute von Frau Welti werden. Stockend fragte sie: »Bedeutet das … dass Sie mich nehmen?«

Die Frau schien sie zu überhören. »Noch etwas«, sagte sie. »Du sprichst Italienisch, oder? *Parli italiano?*«

»*Sì, signora, ho vissuto a Bergamo, ma solo i primi anni della mia vita.*«

Jetzt endlich war sie zufrieden, die reiche Frau. »Ich mag diese Sprache, sie ist mir die liebste, klangvoller als Französisch.« Sie überlegte. Dann schien ihr Gesicht aufzuleuchten, und das machte sie hübscher. »Ja, ich nehme dich in meinen Dienst.«

Luise hätte beinahe in die Hände geklatscht vor Freude, doch stattdessen neigte sie den Kopf und sagte sehr leise: »Ich danke Ihnen, gnädige Frau.«

»Die gnädige Frau gewöhne dir ab, ich hab's dir schon gesagt.« Ihre Miene wirkte streng, aber ihre Mundwinkel zuckten, als müsste sie gleich lachen.

»Ich danke Ihnen, Frau Welti«, sagte Luise, sie stand auf und machte einen förmlichen Knicks, wie sie es von der Tante gelernt hatte.

Jetzt lachte die Frau einen Moment lang ganz ungehemmt. »Das musst du noch üben. Für den Fall, dass du mal eine Herzogin bedienen solltest.«

Eine Herzogin? Herzoginnen gab es doch gar nicht in Zürich, das war wohl ein Scherz. In ihr aufschießendes Glück mischte sich ein wenig Bangigkeit. Würde sie diese Frau, die an ein so anderes Leben gewöhnt war, zufriedenstellen können? »Ich werde mir alle Mühe geben, Frau Welti«, erwiderte sie, doch eine Sorge plagte sie, und sie suchte nach Worten. »Ihr Herr Gemahl, wird er auch …«

Die Frau wurde von einem Moment auf den andern wieder ernst. »Einverstanden sein? Ja, das wird er. Du wirst ihn bei Tisch bedienen, wenn er da ist. Seine Schuhe putzen. Ihm bisweilen Mantel und Hut reichen, wenn er weggeht und der Diener anderweitig beschäftigt ist. Mehr hast du kaum mit ihm zu tun.«

Das erleichterte Luise. Eigentlich war sie nicht auf den Mund gefallen, Tante und Mutter hielten es ihr oft vor, bei den Nachbarn galt sie als frech, und in Bergamo sei sie ein Wildfang gewesen, sagte die Mutter. Aber Herren gegenüber, die ihren Stand durch Tonfall und Miene betonten, verschlug es ihr die Sprache.

Frau Lydia stand auf, trat zu Luise, um ihr die Hand zu reichen, das Kleid bauschte sich bei ihrem raschen Schritt und fiel gleich wieder zusammen. Ihre Hand war schmal, gepflegt, ohne Risse, ohne Schmuck, die Ärmelsäume mit ihren Rüschen berührten Luises Finger leicht, beinahe kitzelnd wie Insektenbeine. Die Frau war einen halben Kopf größer als Luise und schaute ihr forschend in die Augen; das Mädchen zwang sich, dem Blick standzuhalten.

»Wir machen es so: Der Verwalter wird ein Papier aufsetzen für deine verwitwete Mutter und deinen Vormund. Das müssen beide unterschreiben und du meinetwegen auch. Du kannst nächste Woche bei uns anfangen, am 1. Juni, und bekommst zunächst fünfzehn Franken im Monat. Einverstanden?«

Der Lohn? Den hatte Luise ganz vergessen, dabei hatte die Mutter ihr eingeschärft, danach zu fragen, unter zehn Franken dürfe es bei so vermögenden Leuten nicht sein.

Aber jetzt fünfzehn Franken! Davon konnte sie einen großen Teil bei den Großeltern abgeben, wo die Mutter und ihre Geschwister seit acht Jahren lebten. Sie errötete wieder, dieses Mal vor Freude, sie sagte ja und wünschte sich, als die Frau ihre Hand losließ, daran riechen zu können. Der Abschied war schnell, Frau Welti ging mit einem letzten flüchtigen Nicken hinaus, ihr bodenlanges Kleid glitt übers Parkett, das unter den Hausschuhen leicht knarrte. Das Kleid hätte die Frau Pfarrer Meyer von Pfäffikon bestimmt gekürzt, denn sie mochte es nicht, wenn teurer Stoff unnötig abgenutzt wurde. Von draußen hörte Luise Stimmen. Sie war unsicher, was sie jetzt tun sollte. Sie drehte sich um, entdeckte das große Bild an der Wand hinter ihrem Rücken: eine mit Gepäck überladene Kutsche im Gebirge, von Schimmeln gezogen, die ein verängstigtes Kalb vor sich hertrieben. Ob das gutgeht?, fragte sich Luise, ob die Kutsche nicht gleich kippt? Und erkannte bei genauerem Hinsehen, dass die Pferde durch eine ganze Kuhherde gefahren waren und dabei eine große, den Hintergrund verschleiernde Staubwolke aufgewirbelt hatten. Das Bild war so lebensecht gemalt, dass Luise beinahe das Muhen des gehetzten Kalbes und das Fluchen des Kutschers zu hören glaubte, der die Zügel mit aller Kraft hielt und zugleich die Peitsche knallen ließ. Wie alt war sie gewesen, als sie damals, bei Einbruch des Winters, über den Splügen gegangen waren? Sechsjährig oder jünger. Kutschen überholten die Familie, ihre Mutter mit den sieben Kindern, auf der verschneiten und schlecht gespurten Straße, und sie mussten sich mit ihrem löchrigen Schuhwerk an den Straßenrand stellen. Wie erlösend, wenn sie beim einen oder anderen Fuhrwagen aufsitzen und, eng zusammengedrängt, eine Strecke mitfahren konnten. Die Erinnerung überfiel Luise, als würden die schnaubenden Pferde sie angreifen und vom Weg drängen, sie drehte sich weg, da kam zum Glück die Köchin herein, um sie abzuholen.

Sie kannte Johanna schon von ihrem Besuch mit der Tante im Pfarrhaus, wo die Köchin das Mädchen und dann die Herrschaften länger ausgefragt hatte als jetzt Frau Welti. Sie war klein und stämmig, trug eine lange weiße Schürze, unter der Haube drängten sich weiße und graue Haare hervor, ihr stupsnasiges Gesicht, in dem die Augen tief eingesunken schienen, war freundlich. »Willkommen im Belvoir.« Ihre Worte hallten im großen Zimmer wider. »Sie nimmt dich also.«

Die laute und rauhe Stimme der Köchin, fast wie die eines Mannes, hatte Luise schon im Pfarrhaus verwundert. »Ja, sie nimmt mich«, sagte sie und bemühte sich, trotz ihrer Freude bescheiden zu wirken.

»Meine Glückwünsche«, trompetete die Köchin und deutete, nah zu Luise tretend, eine Umarmung und einen Wangenkuss an. »Ich glaube, das hast du verdient.« Sie roch nach Ragout, und Luise, die seit dem Morgengrauen nichts mehr gegessen hatte, spürte ihren leeren Magen. Es ging indessen erst gegen elf Uhr, da aß man in solchen Häusern noch lange nicht.

»Komm, ich zeig dir das Haus. Damit du schon mal eine Ahnung hast, wo was ist. Und du siehst dann auch, wo du schlafen wirst.« Sie musterte die einfachen Schnürschuhe des Mädchens, ließ sie als sauber genug durchgehen und zog Luise trotz des freundlichen Tons unsanft und gebieterisch mit sich. Diese passte ihre Schritte den kurzen und eiligen der Köchin an, die in den langen Gängen beinahe zu einem Getrommel wurden. Die Villa war noch weitläufiger, als es von außen den Anschein hatte. Der Speisesaal für die großen Einladungen mit den hohen Fenstern gegen den See hin und die Stuckdecke beeindruckten Luise am meisten. Daneben lag das Esszimmer für den Alltag. Der Salon und kleinere Räume für Gäste, mit Betten und Schränken. Hier werde schon bald der Maler Stauffer eintreffen, um die Hausherrin zu porträtieren, erläuterte die Köchin, das werde – sie räusperte sich – gut und gerne ein paar Wochen dauern. Dann ein Badezimmer mit fließendem Wasser, Klosett und Badewanne. Eine große Garderobe. Im ersten Stock, über eine teppichbelegte Treppe erreichbar, die privaten Zimmer der Herrschaften, in die nur das Personal Einblick haben durfte. So sah Luise das Arbeitszimmer von Herrn Welti, das Schreibzimmer seiner Gattin samt Frisiertisch, zum Schlafzimmer blieb die Tür zu, nicht aber zum Bad mit seinen blauen Kacheln, die, berichtete die Köchin, im vorigen Jahr bei einem kleinen Umbau der Maler Stauffer auf Wunsch der Hausherrin ausgewählt habe. Sie fasste

17

Luise scharf ins Auge. »Vor dem nimm dich in Acht! Du bist hübsch und schon erwachsen genug für einen solchen Frauenhelden.«

Luise spürte, dass sie errötete. »Ich weiß, wie man sich die vom Leib hält.«

Johanna lachte laut auf. »Ah ja?«

Sie gingen die steile Dienstbotentreppe hinunter, danach ins Untergeschoss. Zuerst in die Vorratsräume mit Säcken voller Reis, Mehl, Dörrbohnen. In die Waschküche, wo Bottiche mit eingeweichten Leintüchern standen, aus denen es nach Lauge und Kernseife roch. Die zwei Waschfrauen kämen morgen wieder, erklärte die Köchin, mit feineren Stoffen müsse sich dann wohl Luise beschäftigen. Das gebe schrumpelige Hände, so wie der Abwasch. Sie wies Luise ihre Hände vor, die aber nicht schrumpelig waren, sondern rot und geschwollen. In den Keller mit dem Holz und dem Wein würden sie ein anderes Mal gehen, das Feuerholz hole jeweils der Knecht. Endlich landeten sie in der Küche. Auch sie war groß, weit größer als jede Küche, die Luise je gesehen hatte. Überall und ohne ersichtliche Ordnung standen und hingen Töpfe und Pfannen. Vor dem mächtigen Herd stand ein mageres Mädchen, jünger als Luise, und rührte in einem großen Topf, aus dem eine Dampfwolke mit verlockendem Duft aufstieg.

»Das ist Aloysia«, sagte die Köchin. »Ein seltener Name bei uns. Und katholisch ist sie auch. Sie kommt eben aus dem Vorarlbergischen.« Sie knuffte das Mädchen halb freundschaftlich, halb mahnend in die Seite. Es schaute kaum auf und rührte weiter. Die Köchin wies zum langen Tisch, um den herum ein paar einfache Stühle standen.

»Der ist fürs Gesinde. Zwar ist es noch zu früh fürs Mittagessen, aber du bekommst trotzdem etwas. Setz dich.«

Luise gehorchte, schielte hinüber zum Mädchen am Herd, das seinerseits einen Moment zur Besucherin aufblickte. Die Köchin schöpfte vom Ragout in einen tiefen Teller, löffelte aus einer anderen Pfanne Kartoffelstock dazu, stellte das Essen vor Luise hin, die sich den Magen in kurzer Zeit füllte wie schon lange nicht mehr.

Die Köchin sah ihr zu. »Das schmeckt dir, wie?«

Luise sagte ja mit vollem Mund, das Fleisch war noch zäh, das Gemüse in der Sauce aber weich und gut gewürzt, am Kartoffelstock war sogar Butter.

»Der Herr Welti«, sagte die Köchin, »will das Fleisch so weich wie möglich, aber bis er isst, dauert es noch fast zwei Stunden, er und die Frau essen um halb zwei, wenn er überhaupt da ist, und sie mag vor allem das Gemüse und den Nachtisch. Und er am liebsten frischen Fisch, Felchen aus dem See, gedünstet und mit brauner Butter übergossen.« Sie strich Luise übers Haar. »Schöne Locken hast du. Aber wenn du hier unten aushilfst, wirst du eine Haube brauchen. Der Herr Welti mag keine Haare in der Suppe.«

Das Mädchen am Herd kicherte kaum vernehmlich, und die Köchin brach in ein nahezu wieherndes Gelächter aus, das Luise erschreckte. Wie sollte sie das alles im Kopf behalten? Es war schwül in der Kuche, weit wärmer als draußen, trotz zwei offenen Oberlichtern, und Luise schämte sich, dass sie zu schwitzen begonnen hatte, wischte sich mit der Serviette, die Johanna ihr zugeschoben hatte, über die Stirn und den Mund.

Die Führung war noch nicht zu Ende. Sie gingen über

einen gekiesten Weg hinüber ins Gesindehaus, begegneten dem Gärtner und seinem Gehilfen, die das Rosenbeet jäteten und die verwelkten Blüten wegschnitten. Die beiden musterten Luise, der Ältere schob seinen Strohhut in den Nacken.

»Die Neue?«, fragte er.

»Ihr werdet sie schon noch kennenlernen.« Johanna zog Luise weiter. Der Rosenduft betäubte sie beinahe, und sie hätte sich jetzt, da die Sonne so stark schien, auch einen Hut gewünscht. Sie staunte über die Größe des Parks, die sie beim Herkommen vor Aufregung gar nicht wahrgenommen hatte. Hohe Nadelbäume standen da, Eichen, Blutbuchen, und auf einer kleinen Wiese, neben einem Teich, wuchsen Massen von dunkelblauen Schwertlilien. Irgendwo schnatterten Enten, Wachhunde schien es nicht zu geben. Weiter unten, gegen den See hin, blühte eine ganze Hecke mit Rhododendren. Ein Fest von Farben, vor allem flammendes Rot, auch Rosa und Orange. Den komplizierten Namen kannte Luise von drei Büschen im Pfarrhausgarten, aber so etwas hatte sie noch nie gesehen.

Im zweistöckigen Gesindehaus, wo es schlecht roch, war alles eng und im Vergleich mit der Villa unwirtlich. Im oberen Stock – er war für die weiblichen Dienstboten bestimmt – öffnete die Köchin die Tür zu einer Kammer, das Fenster war klein und trüb. Auf einem Tischchen stand eine Waschschüssel. »Wasser gibt es unten«, sagte Johanna, »der Abtritt ist ganz hinten. Halte ihn sauber.«

»Das Licht?«, fragte Luise. »Ich meine, eine Lampe?«

Die Köchin schüttelte den Kopf. »Ich glaube nicht, dass du die brauchst. Du stehst im Sommer um halb sechs auf, ins Bett kommst du meistens nach zehn, da bist du müde genug.«

»Darf ich?«, fragte Luise und öffnete das Fenster, so dass ein wenig frische Luft hereinkam. Sie hatte hier immerhin mehr Platz als im Pfarrhaus, da schlief sie mit den drei Kindern in einem Raum, sie musste das Husten der Kleinen aushalten und sie mitten in der Nacht trösten, wenn sie zu weinen anfingen. Ganz zu schweigen vom kleinen Haus in Russikon, bei den Großeltern, da lagen sechs Geschwister nebeneinander auf zwei zusammengeschobenen Matratzen, sie meist zwischen Lina und Barbara, oft im Spalt, weil sie sich zu wenig dagegen wehrte. Die drei Buben ganz an der Wand, und nebenan die Großeltern, die abwechselnd schnarchten, und die Mutter, die manchmal laut seufzte.

Die Köchin tätschelte Luises Wange. »Im Winter bekommst du dann eine Wolldecke, jetzt reicht ein Leintuch.« Sie deutete auf das Bett, dort lagen ein Kissen und ein nachlässig zusammengefaltetes Laken. »Einen Schrank stellen dir die Burschen noch hinein. Die sind unten, hörst du. Und haben hier oben sonst nichts zu suchen. Da ist die Frau Welti streng. Sie behandelt uns ja gut, aber wenn es um die Moral geht, lässt sie nicht mit sich spaßen.« Jetzt tätschelte sie Luises Wange nicht mehr, sondern kniff sie leicht, und Luise drehte den Kopf von ihr weg. Die Köchin tat erstaunt. »Sei nicht wehleidig. Und wenn die Männer dich belästigen, dann komm zu mir, und ich sag's der Frau Welti. Die Kutscher schlafen zum Glück über dem Stall, das sind die Schlimmsten.« Sie gab einen missbilligenden Laut von sich. »Und der Gärtnerjunge, der hat seine Hände überall, wenn er dir zu nahe kommt. Also, Abstand halten, verstanden?«

»Ich kenne ihn ja noch gar nicht«, wagte Luise erstmals zu widersprechen und spürte die Hitze auf ihren Wangen. »Es gibt auch Anständige.«

»Aber ich kenne ihn.« Die Köchin schob sie resolut aus der Kammer in den Gang mit seinem rohen Bretterboden hinaus. Draußen trafen sie ihn wieder, den Jungen, er ging mit zwei vollen Gießkannen schwerfällig vor ihnen her, bei jedem zweiten Schritt spritzte ein wenig Wasser aus der Brause und benetzte seine nackten Füße; die Steine auf dem Weg schienen ihm nichts auszumachen.

Am ersten Juni also würde Luise hier anfangen, schon am Vorabend mit ihrem Gepäck ankommen, viel hatte sie nicht. Aber jetzt musste sie zurück nach Pfäffikon ins Pfarrhaus, es war heiß am frühen Nachmittag, und sie ging, möglichst im Schatten der Häuser, zum Bahnhof zurück. Den Weg kannte sie jetzt, er machte ihr keine Angst, trotz der vielen entgegenkommenden Leute. Und auf die Fuhrmänner, die ihr nachpfiffen, achtete sie gar nicht. Sie tastete nach dem Billett, das sie unter den Ärmel geschoben hatte. Es war noch da, aber sie hätte doch gescheiter eine kurzärmlige Bluse angezogen, bloß taugte die einzige, die sie besaß, nicht für einen Besuch im Belvoir.

Am Bahnhof musste sie fast eine Stunde auf ihren Zug warten, sie erkundigte sich drei Mal, auf welchem Gleis er abfahren würde, setzte sich dann auf eine Wartebank, wo sie noch knapp Platz fand, und staunte in die Halle hinauf, die größer und höher war als die Kirchen, die sie kannte.

Dazu schaute sie immer wieder auf den vorrückenden Zeiger der großen Bahnhofsuhr und hörte mit halbem Ohr den Gesprächen der anderen Wartenden zu, die auf die vollen Taschen zwischen ihren Füßen achteten und darüber klagten, wie teuer in der Stadt alles sei. Eine Bäuerin mit Kopftuch zeigte einen schwarzen Schirm mit roten Tupfen: »Den hab ich fast auf die Hälfte heruntergehandelt.« Ein Kommen und Gehen, ein Durcheinander, das Luises Reiselust weckte. Stimmengewirr, das Fauchen der Lokomotiven, die schrillen Töne der Signalpfeifen, Rauchwolken von den Perrons her, die durch die Halle trieben, dazu der starke Geruch nach Kohle. Dann wurde Luises Zug von einem Mann ausgerufen, der mit einer Glocke und einer Kelle am Gleiskopf stand. Luise fand die vollbesetzte dritte Klasse vorne, am Anfang des Zuges, sie stieg ein, musste stehen und sich, Leib an Leib, an einem Ledergriff festhalten.

Beim Pfarrhaus in Pfäffikon nahmen die drei Kinder sie schon am Zauntor in Empfang, bestürmten sie mit Fragen. Sie hatte ihnen nichts mitgebracht, keine Bonbons, ihr weniges Zehrgeld hatte sie für sich behalten, eingeknotet in ihr Taschentuch, und die Pfarrfrau, die auch wissen wollte, wie es gewesen sei, sagte, das sei ja bloß vernünftig, die Kinder dürfe man nicht verwöhnen. Abends am Tisch, im Schein der Petrollampe, betete der Pfarrer für Luise, er empfahl sie dem Schutz des Allmächtigen und bat den lieben Gott, ihr zu helfen, sich am neuen Platz zu bewähren. Ja, schon die Frau Pfarrer hatte gesagt, sie wolle Luise nicht im Weg stehen, ihre Schwester Lina könne sie ersetzen. Das von allen gemurmelte Amen überhörte Luise, denn sie war in

Gedanken wieder im Belvoir. Vom Sauerkraut in ihrem Teller aß sie beinahe nichts, das Wurstrad schob sie zur Seite, nur den dünnen Milchkaffee trank sie aus. Ob ihr nicht gut sei, fragte die Pfarrfrau. Es sei alles ein bisschen viel für sie, antwortete Luise.

Sie half den Kindern beim Auskleiden und beim Zuknöpfen der Nachthemden. Die Gutenachtgeschichte, die sie erzählte, handelte vom Mädchen, das Sterntaler aufsammelte. Regula, die Älteste, wünschte sich dieses Märchen immer wieder und zweifelte jedes Mal daran, ob auch sie selbst den Armen alles weggegeben hätte, bis sie ganz nackig – da kicherte sie – gewesen wäre. Ich schon, rief Karl, der Jüngste der drei, und strampelte übermütig die Decke von sich weg, und Luise musste sie wieder über ihn legen, damit er später nicht fror und sie mit seinem Jammern aufweckte. Das Nachtgebet sprachen sie im Chor, monoton, aber fehlerlos. Und dann schaute noch die Frau Pfarrer herein, als die Kerze schon ausgeblasen war, und gab jedem Kind einen Kuss auf die Stirn.

Luise löschte die Kerze aus, legte sich auf ihre Matratze an der Wand, hörte den unterschiedlichen Schlafgeräuschen der Kinder zu, die ihr doch mehr ans Herz gewachsen waren, als sie geglaubt hatte. Sie dachte an ihr neues Leben, sie würde von hier weggehen und ihre Familie im Nachbardorf, die sie an Sonntagen oft besuchte, kaum noch sehen. Würde sie ihre Geschwister sehr vermissen? Und die Mutter? Sie stand plötzlich vor Luises Augen, aber viel jünger als jetzt, so jung wie damals in Bergamo, in diesem großen steinernen Haus mit den vielen Zimmern, den vielen Familien, einer lärmenden Kinderschar, die im Sommer manchmal bis spätabends herumrannte, Luise mittendrin. Es roch nach Suppe, nach verschüttetem Wein. Lieder klangen durch die Sommernacht. Warum fiel ihr das alles wieder ein? Die Mutter mit einer Haut wie Milch und Honig, hatte einer gesagt, *come latte e miele*. Es stimmte ja gar nicht, es gab schon Falten darin und jetzt, acht Jahre später, Fältchen um die Augen herum, Krähenfüße, hatte die Tante gespottet. Aber das Gesicht des Vaters war verschwommen, kein Bild von ihm, weder ein inneres noch eine Fotografie, zu lange her, dass man ihn nass und reglos vom Fluss gebracht hat. Draußen prasselt der Regen, das Schreien der Mutter hört nicht auf. Nachbarinnen wollen sie trösten, sie stößt sie weg. Die Geschwister drängen sich weinend aneinander, Luise hält sich die Ohren zu, den toten Vater will sie nicht sehen. Warum ist er bloß hinausgegangen ins Unwetter, in Fischerstiefeln durch die Überschwemmung gestapft, zum Fluss? Er habe ein Kind retten wollen, hat die Mutter auch später stets behauptet, kein eigenes, er habe nicht schwimmen können, sei mitgerissen worden. Bald darauf mussten sie alle weg, von einem Tag auf den anderen, zurück in die Schweiz, sie hatten kein Geld mehr, um die Miete zu bezahlen. Die Verwandten des toten Vaters, der Seidenstoffe gewoben hatte, wollten sie nicht aufnehmen, so war ihr Ziel die Ortschaft Russikon, wo die Eltern der Mutter wohnten, dort wurden, neben dem Weben, auch Körbe geflochten, es war wenig Platz im Haus. Das wusste die Sechsjährige nicht, als sie aus Bergamo weggingen. Alles, was sie gekannt hatte, ließ sie hinter sich, sie folgte mit ihren Geschwistern der Mutter, die voranging mit dickem Bauch. Die Freunde, kleine und ein paar Erwachsene, folgten ihnen bis zum Stadtrand und noch ein wenig weiter. Sie trugen wenig mit sich, nur das Nötigste, das größte Bündel die Mutter, die Kinder kleine Säcke, die jemand für sie genäht hatte. Die Mutter verfluchte die Morla, die jetzt friedlich dahinfloss, Luise hätte gerne Steine hineingeworfen, um den Fluss zu strafen, aber sie tat es nicht. Einige Nachbarn aus Bergamo hatten Geld gesammelt für die Familie, es sollte ihnen erlauben, in Herbergen zu übernachten und für eine Strecke die Postkutsche zu bezahlen. Die Heimatgemeinde des toten Vaters hatte sich geweigert, die Reisekosten zu übernehmen. Auch das begriff Luise erst später. Aber die Bilder von der Reise, die ihr endlos schien, stiegen jetzt wieder in ihr auf. Das ständige Frieren, wie sie die Hände aneinanderrieben, die Nachbarn hatten ihnen auch Winterkleider geschenkt, die nützten nachts, in Scheunen und Ställen wenig, die Schuhe ließen bald Wasser durch. Es regnete oft, schneite dazwischen, manchmal konnten sie die Kleider bei mitleidigen Bauern und Wirtsleuten am Kaminfeuer trocknen lassen. Dörfer unter dem düsteren Himmel, abweisende Städte, eine hieß Chiavenna. Die Mutter wollte nicht betteln, sie waren nicht die einzigen Armen, die herumzogen, aber sie fragte Fuhrleute, ob sie aufsitzen dürften. Einer, der Weinfässer und Säcke mit Nüssen geladen hatte, nahm sie mit, bis sie in den Bergen waren und die Straße steiler wurde. Die hohen Felsen machten Angst, auch das Rauschen und Tosen der Wildbäche, aber der große Schnee war zum Glück noch nicht gefallen. Oskar, der Kleinste, war oft am Ende der Kräfte, dann brach plötzlich ein lautes Weinen aus ihm heraus, er wollte zurück nach Bergamo, und die größeren Kinder trugen ihn reihum eine Weile. Das war anstrengend, Luise strauchelte alle paar Schritte unter seinem Gewicht, mochte es aber, dass der Kleine seine Arme um sie schlang und sich mit dem ganzen Körper an sie presste, damit ging ein wenig Wärme von ihm auf sie über. Sie kamen in die Höhe, zum Hospiz, wo man sie unfreundlich empfing und ihnen dann doch ein ungeheiztes Zimmer zuwies, im Saal zwischen Fuhrleuten und Kutschern sogar Suppe für sie ausschenkte. Zwei herrschaftliche Kutschen hatten Rosina und die Kinder unterwegs überholt, von weitem schon hatten sie das »Fuori strada!« gehört. Die Kutschen standen nun vor dem Hospiz, die Herrschaften ließen sich nicht blicken, sie wären wohl gerne weitergefahren, aber die Pferde, vor denen sich Luise fürchtete, mussten gefüttert und abgerieben werden, acht seien es, erzählte Edmund, er war im Stall gewesen. Wenigstens ein paar Decken gab ihnen der Wirt ins kalte Zimmer mit, wo sie sich auf Matratzen verteilten, nahe beieinander, in der Mitte die Mutter, die wegen ihres Bauchs auf dem Rücken lag. Sie erwarte ein Kind, wusste Barbara, die zwischendurch von Hustenanfällen geplagt wurde, da werde der Bauch, in dem das Kind wachse, immer dicker. Aber wie es dort hineingekommen war, wusste Barbara auch nicht, die Mutter wollte es nicht sagen. Die Nacht war lang, die Körperwärme der Familie unter den Decken half, die dunklen Stunden auszuhalten. Sie mussten am nächsten Morgen zu Fuß weitergehen wie der Geschirrhändler, der einen vollen Korb am gebeugten Rücken trug. Die Fuhrleute, die Rosina angesprochen hatte, sagten, sie hätten keinen Platz auf ihren Wagen.

Es ging abwärts jetzt, in leichtem Schneegestöber, die

Flocken schmolzen auf Luises Wangen. Linas einer Schuh war am Zerfallen, sie hatten ihr einen Lappen um den Fuß gewickelt, jetzt hinkte sie. Größere Sorgen machte ihnen Oskar, der ein wenig fiebrig wirkte. Die Straße wurde breiter, auf beiden Seiten Tannen mit ausladenden Ästen, kleine Hütten, die Kutschen überholten sie in voller Fahrt, Hufgetrappel, Peitschenknallen, Luise schaute furchtsam zurück, die Pferde schnaubend, mit geweiteten Nüstern, Atemdampf vor den Mäulern, wie rasch sie näher kamen, aus dem Weg, *fuori strada! fuori strada!* Luise schrie Oskar an, zog ihn mit ins verschneite Feld hinein, da rasselte die Kutsche vorüber, sie glaubte das Lachen des Kutschers zu hören, der die Peitschenschnur über ihre Köpfe tanzen ließ, bleiche Gesichter an den Scheiben wie ein Spuk, die Mutter, außer sich vor Zorn, schrie italienische Schimpfwörter, doch die wilde Jagd entfernte sich im raschen Trab, die Kinder reihten sich wieder ein am Straßenrand, gingen im Gänsemarsch weiter. Lange dauerte es, bis Luise nicht mehr zitterte und ihr Atem sich beruhigte. Der bärtige Mann auf dem Kutschbock hatte sie verspottet und ihnen Angst machen wollen. Die nächste Kutsche war langsamer, hielt Abstand zur Familie, der Kutscher, viel jünger als der vorige, hielt die Zügel straff, lachte die Kinder an, pfiff beim Anblick von Barbara, die schon fünfzehn war, anerkennend durch die Zähne.

Es war weit bis Russikon, sechs Tage noch. In Chur handelte die Mutter bei einem Postkutscher den Preis herunter, gab ihm den Rest ihres Geldes, sie fuhren einen Tag lang mit bis Rapperswil, der dicke Passagier im Innern spreizte die Beine, dass die drei Kinder, die auf seiner Seite saßen, noch enger zusammenrücken mussten. Er starrte die Mutter ihm gegenüber an, sie zog ihr Kopftuch halb übers Gesicht. Die andern, die der Kutscher zu sich auf den Bock beordert hatte, waren besser dran, denn er war ein witziger Kerl, erzählte lustige Geschichten, und ein wenig neidisch hörte Luise, wie laut Lina und Edmund manchmal lachten. Die letzte Strecke bis Russikon dann wieder zu Fuß, im Gänsemarsch, das Wimmern des kranken Oskars im Ohr.

Die Großeltern, die sie noch nie gesehen hatte, zeigten deutlich, dass sie nicht erfreut waren über den Zuwachs im Haus. Aber sie taten, was sie konnten, man musste Oskar und Barbara und die Mutter gesundpflegen, und die Großmutter hatte bald ihre Lieblinge, zu denen Luise nicht gehörte, dafür half sie dem schweigsamen Großvater beim Korbflechten, wie die zwei Brüder auch, die Finger wurden wund davon. Zu essen hatten sie genug, in Bergamo hatte es Pasta gegeben, hier nicht, an Kartoffeln mit Apfelmus und Speck mussten sie sich gewöhnen.

So vieles kehrte, nachts im Pfarrhaus, zurück aus dieser Zeit. Luise hatte die Decke abgeworfen, lag erhitzt im Nachthemd da, während sie doch damals geschlottert hatte. Die Pfarrkinder redeten unverständlich im Schlaf, hielten Luise auch mit Schnarchen wach, das manchmal in ein Ächzen, ein leises Röcheln überging. Sie zählte die Stundenschläge von der Kirche nebenan, schlief dann doch, und da waren sie wieder, die Pferde, blindwütig, mit aufgerissenen Mäulern galoppierten sie auf Luise zu. Sie wollte die Kleineren beschützen, nebenan floss der Fluss, die Morla, das Gelächter des Kutschers entfachte einen Zorn in ihr, der ihr beinahe die Brust sprengte, sie schrie, saß plötzlich wach im Bett, die Pfarrfrau kam von drüben: »Was hast du denn?« Luise rieb sich die Augen, ließ sich aufs Bett zurücksinken. »Nichts, bloß schlecht geträumt.« Die Pfarrfrau legte ihre kühle Hand auf Luises Stirn, das machte sie nur selten. »Schlaf weiter, denk an was Schönes.« Sie ging fast unhörbar hinaus, zog die Tür hinter sich zu. Draußen schien wohl der Mond, im kleinen Zimmer herrschte ein fahles Licht.

Was war das Schöne, an das Luise denken sollte? Ihre Zukunft im vornehmen Belvoir, an der Seite einer reichen Dame? Oder die unbeschwerten Tage in Bergamo, als der Vater noch lebte? Ein Vater ohne Gesicht. Luisa hatten die Kinder in Bergamo sie gerufen, mit klangvollem a. Nun war sie schon fast erwachsen, und niemand konnte ihr sagen, ob das Belvoir ihr Glück bringen würde oder nicht.

3

Die erste Zeit im Belvoir war streng. Zwischendurch sehnte sich Luise zurück ins Pfarrhaus; die Nähe der drei Kinder, die sie oft genug geärgert hatten, vermisste sie nun zu ihrem eigenen Erstaunen. Es gab so vieles, was sie sich merken musste, die Aufteilung und den Zweck all der Haupt- und Nebenräume, wer für was zuständig war, was alles von ihr erwartet wurde. Manchmal geriet sie außer Atem, wenn die Köchin Johanna sie hierhin oder dorthin schickte, dazu in die Hände klatschte und rief: »Aber spute dich, Mädchen!« Eigentlich war sie ja vor allem für die Bedürfnisse von Frau Welti angestellt worden, aber gerade ihretwegen, das schärfte ihr der Verwalter ein, musste sie in allem, was das Haus betraf, Bescheid wissen. Er stand über der Köchin und blieb der Neuen gegenüber hochnäsig, obwohl sie sich anstrengte, ihn zufriedenzustellen. Und Johanna ließ ihr punkto Exaktheit und Sauberkeit gar nichts durchgehen, führte Luise ärger am Gängelband als am Anfang die Frau Pfarrer in Pfäffikon, sie stellte ihr erfahrene Bedienstete zur Seite, die ihr beibrachten, das Parkett auf Hochglanz zu polieren, das Essen richtig aufzutragen, mit vollen Tabletts nicht zu stolpern, die Schürze richtig zu binden, die Kleider der Frau Welti zu bügeln, sie ordentlich zu falten und in den Schrank zu legen. Luise vermied es, dem Gärtnergehilfen Anton über den Weg zu laufen. Wenn er ihr einen neuen Strauß, meist Rosen, für Frau Welti oder für den Esstisch überreichte, machte sie's kurz und ging auf seine flapsigen Sprüche nicht ein. Sie dachte an die Warnung der Köchin, und keinen Moment länger als nötig schaute sie sich die Sommersprossen an, die sein Gesicht übersäten.

In den zwei ersten Wochen sah sie Frau Welti kaum, offenbar hatte sie Anweisung gegeben, dass man Luise zuerst in allem anlernen müsse. Wenn sie ihr unter die Augen trat, saß die Hausherrin meist am Schreibtisch, sie hob kaum den Kopf vom Brief, den sie eben schrieb, oder von den Rechnungen, die sie quittierte, ab und zu roch sie mit gerunzelter Stirn am offenen Fläschchen, das bei den Schreibutensilien stand. Frau Welti, hörte Luise, sei es ja, die den ganzen Haushalt leite, das habe sie schon als Halbwüchsige gemacht, als ihr Vater, der Eisenbahnkönig, bettlägerig gewesen sei. Aber sie gab dem Dienstmädchen doch jedes Mal einen kleinen Auftrag, meist den, ihr ein Kännchen Tee zu holen, richtig starken, mit Milch und Zucker, oder Luise sollte ihr ein frisches Taschentuch aus einer der Schubladen in der großen Kommode heraussuchen, und einmal fragte sie Luise mit distanzierter, beinahe sorgenvoller Freundlichkeit, ob sie glaube, dass es ihr im Belvoir gefallen werde.

»Es gefällt mir schon jetzt«, erwiderte Luise vorschnell; sie wollte einen guten Eindruck machen, und die wahre Antwort wäre komplizierter gewesen. Ja, vieles gefiel ihr, sogar die burschikose Art der Köchin. Und es gefiel ihr, wenn sie zum Einkaufen mitgehen konnte, obwohl sie dann den vollen, schweren Korb zu tragen hatte. Sie fühlte sich geschmeichelt, wenn sie in den Läden mit Achtung behandelt wurde, man wusste bald, dass sie aus dem Belvoir kam. Weniger gefiel ihr der Umgang der Dienstboten untereinander. Noch durchschaute sie nicht, wer da wem Steine in den Weg zu legen versuchte, aber es waren viele Eifersüchteleien im Spiel, und Luise war klar, dass Frau Lydia das meiste nicht mitbekam und nur in schlimmen Fällen zur Schlichtung beigezogen wurde. Mit dem Küchenmädchen Aloysia freundete sie sich rasch an. Sie hatte ihre Kammer direkt neben der von Luise, und manchmal saßen sie trotz ihrer Müdigkeit spätabends noch im Dunkeln zusammen, meist bei Luise, zu zweit auf dem Bett, in der Hitze, die der Sommertag hinterlassen hatte. Die Kerze zündeten sie nicht an, das hätte die Mücken und Nachtfalter angelockt. Sie besprachen vieles, was tagsüber ungesagt geblieben war, erzählten einander halblaut von ihrem bisherigen Leben, von jungen Männern, die ihnen gefielen oder eben gerade nicht. Im Unterschied zu Luise fühlte sich Aloysia fast täglich schikaniert von der Köchin, die ihren Dialekt aus dem Vorarlberg so schlecht verstand, und Luise versprach der Freundin, bei Johanna ein gutes Wort für sie einzulegen, und wagte es dann doch nicht. Die Bilder, die überall im Haus hingen, schaute sie gerne an, doch dem einen im Empfangszimmer mit den galoppierenden Pferden und dem fliehenden Kalb wich sie lieber aus oder senkte, wenn sie dort das Parkett feucht aufwischen musste, den Blick. Sie fürchtete sich davor, dass dieses wilde Gespann sie nachts erneut verfolgen, dass sie, allein in ihrer Kammer, um Hilfe rufend aufwachen würde. Dennoch schlich sich das Bild in ihren Halbschlaf, sie konnte es nicht verhindern und wusste, dass hier niemand tröstend die Hand auf ihre Stirn legen würde. Sie wollte auch nicht, dass der Gärtnerjunge, der unten schlief, sie spöttisch fragte, ob sie Alpträume habe und sich vor dem Alleinsein fürchte. Aber die Männer hielten sich den beiden Mädchen gegenüber zurück und machten keine deutlichen Avancen, sie wussten, dass sie bei unziemlichem Verhalten, das Frau Welti zu Ohren käme, ohne Umstände entlassen würden.

Die erste große Bewährungsprobe kam, als Herr Welti an einem Nachmittag frühzeitig heimkehrte und Luise dem Ehepaar im Salon den Tee servieren musste, samt einem Johannisbeerkuchen, dessen Duft sie den halben Vormittag in der Nase hatte. Sie schob den Teewagen durch den Gang, klopfte an die Tür und fragte, ob es den Herrschaften recht sei, jetzt bedient zu werden. Ein doppeltes »Ja« hörte sie von drinnen. Die Sonne stand so, dass das Licht durch die halbgezogenen goldenen Vorhänge drang und überhelle Vierecke auf das Parkett warf, ein Lichtband lag auch schräg über den zwei Personen und dem runden Tisch, an dem sie saßen. Der Mann hatte eine gefaltete Zeitung neben sich, weiß wie eine Schneedecke, über die kleine Vögel mit winzigen Füßen getrippelt waren. Herr Welti, den Luise bisher kaum gesehen hatte, wandte sich zu ihr um, sein buschiger, über die Mundwinkel hängender Schnauz gab ihm etwas Ärgerliches und Undurchschaubares.

Er winkte sie zu sich heran. »Lass dich anschauen«, sagte er mit einer unangenehm hohen und leicht belegten Stimme.

Sie trat näher und ließ den Teewagen bei der Tür stehen,

jetzt stand auch sie im Licht, sie merkte, dass ein Sonnen-balken über ihrem Haar lag, und ihr wurde plötzlich ganz heiß.

Er musterte sie und kniff dazu die Augen zusammen. »Du heißt Luise, nicht wahr?«

Sie nickte.

»Meine Frau erzählt mir Gutes von dir. Du seist fleißig, gelehrig, könnest lesen und schreiben.«

Luise nickte erneut und tadelte sich selbst, weil man dies ja als Selbstlob deuten konnte.

»Du musst dich bei uns strikte sauber halten, das weißt du.«

Luise errötete und nickte zum dritten Mal.

»Ich möchte übrigens mit Herr Doktor angesprochen werden, merk dir das.«

Ein viertes Nicken.

Frau Lydia schob das Buch, das vor ihr lag, zur Seite. »Jetzt lass sie endlich servieren. Du weißt doch Bescheid über sie, ich habe dir alles Nötige gesagt.«

Der Mann tätschelte ihre Hand, in der sie ein zusam-mengeknülltes Taschentuch hielt. »Richtig, sie ist ja dir un-terstellt.« Er lachte kurz und knurrig.

»Das haben wir so abgemacht.« Frau Lydia bedeutete Luise, mit dem Service zu beginnen. Ihr Mann griff ohne weiteren Kommentar zur Zeitung und begann, darin zu blättern.

Es ging alles gut, sie stellte das Geschirr, das Besteck, die Servietten an die richtigen Stellen, sie goss Tee ein, ohne einen Tropfen zu verschütten, gab Milch nach Wunsch dazu, fragte nach der Menge des Zuckers und ließ die Zuckerstücke, die sie mit der Zange ergriff, sorgsam in den dunkelgoldenen Tee gleiten. Den Teller mit dem Kuchen, den sie vorher in sechs Stücke geschnitten hatte, stellte sie in die Mitte zwischen Herrn und Frau Welti und überließ es ihnen, sich davon zu nehmen, da seien, hatte die Köchin Luise belehrt, beide heikel, wollten, je nachdem, gar nichts davon oder gleich zwei Stücke. Luise hatte in der Küche von den Johannisbeeren und dem gezuckerten Eischnee, der ofengebräunt den Kuchen krönte, probieren dürfen. So etwas Köstliches hatte es im Pfarrhaus nie gegeben.

»Sie macht es gut, nicht wahr?«, wandte sich Frau Lydia an ihren Mann, der jedoch nicht reagierte.

»Ich wünsche Ihnen guten Appetit«, sagte Luise, bevor sie hinausging. Draußen fiel ihr zu ihrer Beschämung ein, dass sie vergessen hatte, den Teewärmer über das halbleere Kännchen zu stülpen, sie kehrte aber deswegen nicht zum Teetisch zurück, sondern wartete auf das Klingeln, mit dem ihre Dienste angefordert wurden. Sie hörte Gemurmel von drinnen. Worüber sprachen sie wohl? Luise schien, Frau Lydias Stimme werde plötzlich lauter, einmal lachten sie beide. Doch nicht über sie, Luise? Sie konnte sich gar nicht vorstellen, dass die zwei miteinander scherzten. Als die Glocke sie in der Tat an den Tisch rief, war das Kännchen leer, sie hatten sich selbst nachgeschenkt, auch den halben Kuchen aufgegessen, der Mann wesentlich mehr als die Frau, davon zeugten die Brosamen um seinen Teller und die rötlichen Schlieren im Eischnee. Er hatte sich die Weste aufgeknöpft, sein Bauch war stattlich, dabei hatte er, wie Luise von der Köchin wusste, die dreißig noch nicht erreicht. Auch Johanna begriff nicht, warum Lydia so hartnackig um diesen Mann gekämpft hatte, der doch ziemlich langweilig wirke. Nun gut, der alte Escher sei zunächst gegen diese Heirat gewesen, das habe wohl Lydia angestachelt, gerade diesen Bewerber zu wählen. Vielleicht, da lachte Johanna in sich hinein, habe sie einen gesucht, der gefügig und formbar sei, anders als der Vater.

Nun schien die Sonne nicht mehr durchs Fenster, im Salon war es dunkler geworden. Luise trug alles ab, hütete sich aber, die Brosamen mit der Handkante vom Tisch zu wischen, das hasse Herr Welti, hatte Johanna ihr eingeschärft. Erst wenn das Paar sich zurückgezogen habe, dürfe Luise dies mit einer Messerkante und einem Schäufelchen, auch dies aus Silber, nachholen. Wie vieles musste man sich in einem solchen Haushalt einprägen! Frau Welti dankte Luise, als sie aufstand, sagte ein paar anerkennende Worte zu ihr; der Mann, die Zeitung zusammengerollt in der Hand, marschierte stumm hinaus. Hatten sich die zwei am Ende gestritten? Das komme vor, hatte Johanna gesagt, man müsse so tun, als habe man gar nichts bemerkt. Aber wenigstens mit Aloysia konnte sie nachts darüber reden, sie wusste ja weit mehr über die beiden als Luise, zum Beispiel, dass Friedrich Emil Welti, der Sohn des Bundesrats, schon zwei Monate nach dem schlimmen Tod des mächtigen Escher dessen Tochter geheiratet habe und gleich ins Belvoir eingezogen sei. Das habe man ihm übelgenommen, nicht einmal die übliche Trauerzeit habe er abgewartet, so eilig sei's ihm gewesen, sich hier einzunisten. Das sei nun vier Jahre her, und Lydia habe Welti, zu seinem Verdruss, noch immer kein Kind geboren. Man höre im Haus, sagte Aloysia in Luises Ohr, die beiden lägen selten zusammen, Frau Lydia ziehe es vor, in ihrem Arbeitszimmer zu schlafen. Und Welti habe den Kommandoton, den er anfangs gegenüber den Dienstboten angenommen habe, mehr oder weniger abgelegt, abgesehen von Wutanfällen, wenn ihm etwas heftig gegen den Strich gehe. Auch sie, gestand Aloysia, möge es nicht, wenn er sie so stechend und herrisch anschaue. Und weil sich beide in schöner Einigkeit fanden, schlief Luise danach rascher ein als sonst und begegnete im Traum auch nicht den schnaubenden Pferden, oder sie hatte es am frühen Morgen schon vergessen, als drunten das Gepolter losging. Das weckte sie regelmäßig, dafür musste der säuerliche Verwalter gar nicht erst die Treppe hochsteigen. Er war unter den Dienstboten der Einzige mit einer Taschenuhr, und der Stolz darüber war ihm jedes Mal anzusehen, wenn er sie aus seiner Westentasche zog, um die Zeit auf die Minute genau abzulesen. Das tat er gewiss auch, bevor dann sein »Aufwachen, aufwachen!« durch den unteren Gang schallte.

4

Die Tage wurden länger, man erntete schon die ersten Kirschen. Da kam eines Tages der Maler Stauffer ins Haus, er war von Berlin gekommen, um Frau Lydia abzumalen. Auch über ihn wussten die Dienstboten vielerlei, vor allem der Kutscher, der immer übel roch, tat sich bei solchen Gerüchten hervor. Mit dem Hausherrn sei Stauffer einst zur Schule gegangen, in Bern, wo ja Welti als Bundesratssohn aufgewachsen sei, er lasse sich seine Bilder von seinem Duzfreund teuer abkaufen, habe nun den Auftrag, die Frau lebensecht auf die Leinwand zu bringen. Der Verwalter hatte ihm das große Gastzimmer im unteren Stock zugeteilt, dort bewahrte er seine Malutensilien auf, mehrere Farbkästen, die große Staffelei, Leinwände, teure Büttenpapiere und Stifte für seine Zeichnungen.

Zu dritt saßen das Ehepaar und der Maler am runden Tisch, als Luise ihn zum ersten Mal sah. Vor zwei Stunden war er eingetroffen, der Kutscher hatte ihn am Bahnhof abgeholt. Wieder servierte sie Tee und Gebäck, dieses Mal mit Puderzucker überstreute Vanillekipferl, Stauffer aber wollte Bier an diesem heißen Tag, schlichtes Bier mit schönem Schaum, dazu ein währschaftes Stück Brot mit etwas Butter und Schinken, und Luise holte, auf Lydias Wink hin, eilig aus der Küche, was er wollte. Das Bierglas war ihm dann zu klein, er trank es dennoch mit Behagen aus, wischte sich den Schaum mit dem Handrücken vom Schnurrbart, der kleiner war als der von Welti, bei ihm sah man die vollen Lippen. Die Serviette, die neben seinem Gedeck lag, beachtete er nicht. Er trug helle pludrige Hosen, ein graues, weitgeschnittenes Hemd mit kurzen Ärmeln, die seine muskulösen Arme sehen ließen, ungewöhnlich für das Belvoir. Er sprach mit beiden am Tisch, jovial und einschmeichelnd, warf immer auch Blicke zu Luise, die mehrmals kam und ging, so hörte sie ihn bruchstückweise über Berlin sprechen, danach über die alten Griechen, von denen auch Pfarrer Meyer geschwärmt hatte. Die Männer redeten durcheinander, Welti, der ehemalige Schulkamerad, verstummte aber immer mehr, während Frau Lydia lebhaft ihrer Bewunderung für griechische Skulpturen und Bauten Ausdruck gab. Stauffer streckte die Beine weit aus, ließ sich tiefer in den Sessel gleiten, er forderte Luise auf, ihm eine Zigarre anzuzünden, die er aus irgendeiner Tasche seiner weiten Kleidung gezogen hatte. Sie erschrak, das hatte sie noch nie gemacht, sie stotterte etwas zur Entschuldigung, näherte sich unsicher Stauffer, dessen Gesichtsausdruck nicht zu deuten war.

»Mein Gott, mach's doch selber«, spottete Welti und schob eine Schachtel mit Streichhölzern zu ihm hinüber.

Als Luise das nächste Mal den Salon betrat, paffte Stauffer, halb hinter Rauchwolken verborgen, an seiner Zigarre, auch Welti sog an einer, verlangte einen Aschenbecher, den sie vom Buffet holte und vor die Männer hinstellte, während Frau Lydia den Rauch von sich wegwedelte und Luise bedeutete, sie solle ein Fenster öffnen. Nach einer Weile betrat Luise, auf das Glockenzeichen hin, erneut den Salon, da rauchte keiner mehr, der Redestrom des Malers, der nun Frau Lydia nicht aus den Augen ließ, war aber noch nicht versiegt, und Luise trug den Aschenbecher hinaus, den Geruch der ausgedrückten Zigarren in der Nase. Eine war noch fast ganz, wahrscheinlich die von Herrn Welti, der, wie ihr schien, Zigarren eigentlich gar nicht mochte und lieber dem Süßwein zusprach, ihn im Glas kreisen und funkeln ließ.

Stauffer blieb wochenlang im Belvoir. Ein seltsamer Mensch, ein Kraftkerl mit sanften Seiten, ganz anders als die jungen Männer, die Luise auf der Kirchweih traf, die wollten bloß mit grober Hand in ihren Ausschnitt schlüpfen, Stauffer hingegen erzeugte eine unbehagliche Anspannung in ihr nur durch seinen Blick, der abschätzend über sie hinging.

Sie sah, als sie einmal zum Aufräumen den Salon betrat, eine Zeichnung auf dem Tisch liegen, ein nacktes Mädchen, schlafend auf einem Laken, den Rücken dem Betrachter zugekehrt, mit wirrem Haar, das ihr in den Nacken hing. Schamlos war es nicht vom Mädchen, sondern vom Maler, dem keine Einzelheit des Körpers entgangen war, so plastisch wirkte er, dass Luise fast glaubte, ihn berühren zu können. Stauffer stand draußen im Hellen, vor der offenen Terrassentür, er rauchte, kam, als er Luise entdeckte, gleich herein, drehte das Blatt vor ihren Augen um, schickte sie barsch, aber doch mit einem besonderen Unterton hinaus.

Auf Anweisung von Frau Lydia putzte sie regelmäßig das Gastzimmer, in dem er logierte, suchte mit dem Staubwedel sorgsam einen Weg zwischen Malkästen, Leinwänden und der Staffelei, auch das Bett musste sie machen, es kam vor, dass Leintücher und Wolldecke in einem Knäuel dalagen, als wäre Stauffer ein kleiner Junge, der alles von sich weggestrampelt hatte. Es roch streng in diesem Zimmer, obwohl die Fenster weit offen standen. Auf einer Leinwand erkannte sie das Gesicht von Frau Lydia mit Hut, flüchtig gemalt, mit wenigen Pinselstrichen.

Eines Tages überraschte er Luise zu ungewohnter Zeit, er kam wohl aus dem Park, in dem er mit Frau Lydia fast täglich auf und ab ging, sie unter dem Sonnenschirm, er mit einem Schlapphut, meist einen halben Schritt hinter ihr und doch auf sie einredend. Luise hatte nie gesehen, dass sie sich berührten. Er stand so in der Tür, dass er ihr den Weg versperrte, schob den Hut auf der schweißnassen Stirn zurück. Ohne Gruß fing er zu sprechen an. »Du musst mir helfen, das Zeug hier ins vordere Gewächshaus zu bringen. Dort ist das Licht am besten, ich will sie dort malen, sie ist einverstanden.« Es war klar, wen er meinte.

»Jetzt gleich?«, fragte Luise mit Überwindung.

Er stutzte, als habe er gar keine Antwort erwartet. »Ja. Oder nein. Das machen wir morgen, ein Knecht wird helfen. Zuerst muss das Glasdach noch mit weißer Farbe übermalt werden, damit die Schatten richtig liegen.« Er unterhielt sich plötzlich mit ihr, als seien sie schon lange miteinander vertraut, und zugleich benahm er sich, als sei sie gar nicht anwesend.

»Wie Sie wünschen«, sagte sie und merkte, dass in ihrer Stimme ein kleines Aufbegehren war. »Jetzt muss ich aber weiter.«

»Hübsch bist du ja«, sagte er in einem Tonfall, der ihr durch und durch ging. »Dich sollte ich malen, nicht sie.« Er lachte in sich hinein.

Sie schüttelte heftig den Kopf und dachte an die Zeichnung, die sie gesehen hatte. »Das geht nicht, ich bin im Dienst.«

»Nicht gleich, meine ich. Später.«

»Ich will es aber gar nicht!« Sie staunte über sich, dass sie es wagte, so deutlich zu sein, und trat auf ihn zu, drängte sich mit dem Staubwedel und -lappen an ihm vorbei. Er bewegte sich ein wenig zur Seite, sie streifte seine Hüfte, seinen Oberarm und hatte das Gefühl, dass dies seine Absicht war. Sommerliche Wärme ging von ihm aus, dieses Mal war es Seife, die sie roch.

Es sei ihr ein wenig unheimlich mit dem Maler, sagte Luise am Nachmittag der Köchin, als sie ihr beim Gemüserüsten zur Hand ging.

»Hat er dich belästigt?«, fragte sie lauernd.

»Nein«, wehrte Luise ab. Warum hatte sie den Maler überhaupt erwähnt?

Johanna tätschelte ihr den Oberarm. »Wenn er's doch tut – du weißt schon, was ich meine –, melde es mir, ich werde ihn zur Rede stellen.« Sie stand breitbeinig vor Luise. »Frau Welti sag ich besser nichts. Stauffer war ja schon letztes Jahr hier zu Gast und hat sich bisweilen rüpelhaft benommen. Aber sie schützt ihn, weiß Gott warum, wie eine Mutter ein verzogenes Kind.«

In Luise wuchs das Unbehagen, das sie schon den ganzen Morgen begleitet hatte. »Es ist ja gar nichts passiert. Ich wollte bloß …« Da wusste sie nicht weiter, und Johanna, die plötzlich beleidigt schien, drehte sich auf ihre resolute Weise von ihr weg.

Stauffers Arbeit im Gewächshaus dauerte, meist bei schönem Wetter, über drei Wochen, bis weit in den Juli hinein. Gegen neun Uhr zog Frau Lydia, nachdem sie mit Stauffer im Salon gefrühstückt hatte, in ihrem Zimmer das weiße, mehrfach geraffte, ins Crèmefarbene spielende Atlaskleid an, das der Maler nach vielem Hin und Her aus Lydias reichem Bestand ausgewählt hatte. Luise half ihr dabei, so gut sie es verstand, schloss am Rücken die Haken, so dass das Oberteil nah an der Brust lag und deren Konturen nachzeichnete, auch die langen Ärmel mussten faltenfrei anliegen, das weit gebauschte Unterteil ein wenig geglättet werden. Dann begleitete sie Frau Lydia, die auch weiße Lederschuhe trug, hinüber ins Gewächshaus, wo der Maler, der mit der Palette in der einen, dem Pinsel in der anderen Hand schon auf der Leinwand herumkorrigierte, ungeduldig auf sie wartete. Ein verstohlener Blick zeigte Luise erst die Umrisse der Figur, das angedeutete Gesicht, noch ohne Augen. Frau Lydia wurde von Stauffer kritisch begutachtet, dann zog sie die weißen Handschuhe an, setzte sich die Tüllhaube auf, deren Bänder ihr Luise unter dem Kinn locker band, sie nahm Platz auf dem hölzernen Stuhl, der sie zu einer aufrechten Haltung zwang, und Stauffer legte ihr den ebenfalls weißen, geschlossenen Sonnenschirm quer über den Schoß, während Spitze und Griff auf beiden Seiten ins Leere wiesen. Stauffer, so hatte Frau Lydia erklärt, wolle eine Studie Weiß in Weiß schaffen, in allen Nuancen der Farbe, die eigentlich gar keine sei, auch der Hintergrund solle weiß sein, aber nicht crème-weiß, sondern eher bläulich-weiß wie auf bestimmten Porträts der frühen italienischen Meister, das Gesicht hingegen solle dann fast zum Greifen echt aus der Leinwand herausragen, mit Augen, die allem Weiß widersprechen würden. Stauffer suche immer wieder neue Herausforderungen; an ein Gemälde in Weiß würde sich kaum ein anderer Zeitgenosse wagen. Die Töpfe mit den Orangenbäumchen waren zur Seite geschoben, die Gärtner hatten die Türen so geöffnet, dass stets ein leichter Luftzug durch den Raum strich. Lydia, die nun unbeweglich dasaß, schien die Wärme nichts auszumachen, im Unterschied zum schwitzenden Maler, der, meist im halbblauten Selbstgespräch, dauernd vor dem Bild hin und her ging. Luise konnte in diesen ersten Minuten der Sitzung vieles beobachten, dann ging sie hinaus und kam erst anderthalb Stunden später wieder, wenn es eine Pause gab und die Glocke erklungen war, mit Kaffee und einer Kleinigkeit für den Süßigkeitenhunger. Lydia wollte ein Häubchen geschlagenen Rahm auf dem Kaffee, Stauffer trank ihn, in seinen eigenen Worten, schwarz wie die Nacht. Von den Berliner Pfannkuchen, die der Bäcker frühmorgens gebracht hatte, nahm er auch nichts, die seien ihm zu klebrig. Lydia, die ohne Handschuhe ein wenig hin und her gegangen war, aß zwei, drei Stücke und wischte sich dann die Hände am Tüchlein ab, das Luise ihr reichte. Schwarz wie die Nacht. Schwarz war auch Stauffers Haar, das ungewöhnlich dicht von seinem Kopf abstand.

Die Arbeit nahm, Tag für Tag, ihren Fortgang, so wie der Sommer seinem Höhepunkt entgegenging. Welti war meist in Geschäften unterwegs, kehrte erst abends ins Belvoir zurück, aber einige Male nahm er sich zwischen wichtigen Sitzungen die Mühe, das Atelier im Gewächshaus aufzusuchen und das entstehende Werk zu kommentieren. Luise, die auf Anweisungen wartete, stand unbemerkt in der Nähe.

»Schwül hier drin«, seufzte Welti und schob den Hut erst in den Nacken, legte ihn dann auf ein Holzgestell.

»Es wird wohl bald ein Gewitter kommen«, erwiderte Stauffer. »Nun, was meinst du?«

Welti kniff die Augen zusammen. »Das Kleid wird fabelhaft.« Er deutete mit dem Spazierstock hierhin und dorthin. »Wie du diese Falten hinkriegst. Täuschend echt. Aber das Gesicht …«

»Das Gesicht ist immer am schwierigsten«, fiel ihm Stauffer ins Wort. »Es soll die Natur abbilden, erkennbar sein, aber darüber hinaus weit mehr ausdrücken als eine Fotografie.«

»Die Augen …«, setzte Welti an.

»Genau, die Augen«, sagte Stauffer hitzig. »Mit denen bin ich noch lange nicht fertig. Sie sollen den Betrachter erforschen und zugleich abweisen.« Er blickte mit einem listigen Lächeln zu Frau Lydia, die einen halben Schritt hinter ihrem Mann stand, während dieser das Bild inspizierte, als hoffe er, ihm ein Geheimnis zu entreißen. Wirkte Frau Lydia bei Stauffers Worten nicht ein wenig verlegen?

»Ich habe Vertrauen in deine Kunst, Carlo«, sagte Welti. »Das wird gut.« Er war wieder auf Lydias Höhe zurückgetreten. »Und wenn es so meisterhaft wird, wie ich annehme, werden wir gewiss dein Honorar erhöhen.« Er fasste seine Frau freundschaftlich am Ellbogen. »Nicht wahr, du Liebe?«

Sie nickte, und Luise sah, dass der Maler und sein Modell einander einen Augenblick fixierten.

»Ich muss«, sagte Welti. »Ich bin wahrscheinlich zum Souper zurück. Bis dann.« Er grüßte, war schon bei der Glastür, als er sich nochmals an Lydia wandte: »Ist es dir eigentlich nicht viel zu anstrengend in diesem Ambiente …?« Er unterbrach sich. »Ich meine, viel zu heiß in diesem Kleid.«

»Ach nein«, sagte sie in ihrer gemessenen Art. »Du weißt doch, dass ich kein Warmblüter bin. Und der Stoff bleibt kühl und schmeichelt meiner Haut.«

Luise trug Welti den Hut hinterher, den er vergessen hatte, sie reichte ihm auch den leichten Umhang, der im offenen Zweispänner vor Staub schützte. Sie hätte ebenso gut ein Luftgeist sein können, so wenig beachtete er sie. Erst als er im hochrädrigen Wagen saß, neigte er sich zu ihr hinunter: »Achte darauf, dass der Maler nicht zu viel trinkt. Einfach nicht immer gleich nachschenken, ja?«

Sie wusste, was Welti meinte. Es war in diesen Tagen schon vorgekommen, dass Stauffer gegen Abend, wenn die Porträtsitzung vorbei war, nach einem kühlen Weißen verlangt und dann die Flasche viel zu schnell geleert hatte. Zum Abendessen erschien er schon leicht schwankend, verhaspelte sich beim Reden, sprach Frau Lydia versehentlich mit Du an, während Welti mit säuerlicher Miene dabeisaß und erst nach dem zweiten Glas seinerseits auftaute. An den Wochenenden saßen die beiden, zum deutlichen Verdruss Lydias, lange beisammen, einmal auch mit dem

Dichter Keller, den sie den Herren, obwohl sie es versuchte, nicht abspenstig machen konnte. Welchen Sprüchen und Anekdoten das Gelächter galt, hörte Luise nur, wenn sie gerufen wurde, es ging um Schulstreiche, die Stauffer und Welti angezettelt hatten, und dann wieder um die Kunst, wovon Luise zu wenig begriff, nur dass Stauffer die Jungen, die neustens draußen Flüsse, Wolken, sogar Heuhaufen malten, nicht mochte und sie beschuldigte, die Kunst zu verraten. Keller, ein alter Mann schon, war, den Kopf auf die Hand gestützt, am runden Tisch eingeschlafen, man durfte ihn nicht erschrecken, sonst fuhr er zusammen und stieß – das war schon passiert – das halbvolle Glas vor sich um. Es wurde spät, ehe Luise abräumen konnte, Frau Lydia hatte sich längst zurückgezogen.

Am nächsten Morgen war Stauffer unnachgiebig auf seine Malerei konzentriert; Luise erkannte den Mann vom Vorabend kaum noch, während Welti, bevor er wegging, über Kopfweh klagte. Wenngleich er der weitaus Vermögendere der beiden Männer war – nicht durch sein Verdienst, wie alle wussten –, so galt er im Haus als der Schwächere, und Luise pflichtete diesem Urteil bei, sprach aber mit niemandem darüber und stellte sich gegenüber den Erkundigungen der Köchin taub oder unwissend. Nur bei Aloysia machte sie bisweilen eine Ausnahme, da konnte sie ihren geheimen Zorn und Widerwillen abladen.

Die Gewitter, die nun jeden zweiten, dritten Tag über die Stadt zogen, freuten Luise, sie wusste gar nicht, warum, wo sich doch so viele andere davor ängstigten. Sie mochte den dunkler werdenden Himmel. Wenn die Blitze niederzuckten und die Donnerschläge in ihren Ohren hallten, wartete sie an einem Fenster, bis die ersten Tropfen fielen. Einmal sah sie Frau Lydia und Stauffer durch den Platzregen vom Gewächshaus zum Hauptgebäude laufen. Sie musste ihr dann trockene Kleider bringen, obwohl sie gar nicht richtig nass geworden war. Stauffer zog sich in seinem Zimmer um, und Luise wäre gerne barfuß und nur im Hemd in den Regen hinausgelaufen und hätte sich um sich selbst gedreht wie als Kind, zusammen mit den Geschwistern, die sich, in Bergamo damals, lachend an den Händen hielten. Doch hinter diesen Bildern stand ein anderes, ein bestürzendes, das sie bannen wollte. So blieb sie drinnen, wie es sich gehörte, sie rieb Frau Lydias Haare trocken und nahm mit einem Scheuerlappen das Wasser auf, das unter der Terrassentür in den Salon gedrungen war und Pfützen auf dem Parkett hinterlassen hatte.

5

Ende Juni behauptete Stauffer, die weiße Lydia, wie er sie selbst nannte, sei fast fertig, und in der Tat wirkte die Figur so lebendig, als würde sie, trotz ihrer ruhigen Haltung und der abgeschnittenen Füße, gleich aufstehen oder den Betrachter ansprechen. Doch es dauerte länger. Eines Morgens, als Luise den Kaffee bringen wollte, sah sie durch die spiegelnde Glastür, dass Stauffer hin und her lief, sie hörte ihn laut reden, ja schreien und verstand nur immer wieder ein gepeinigtes Nein und dann: »So geht das nicht, das sind nicht Sie, das ist eine andere!« Luise wagte nicht einzutreten, hörte nun auch die beruhigende Stimme von Frau Lydia, die von einer großen Kübelpalme verdeckt wurde. Was sie sagte, war nicht klar, doch Stauffer widersprach, und plötzlich nahm er ein Tuch und fuhr damit kreuz und quer, geradezu furios über das gemalte Gesicht. Jetzt schimpfte Frau Lydia, nun auch mit erhobener Stimme, den Maler einen Narren, was er denn wolle. Und er schrie: »Die Wahrheit, mein Gott, in der Kunst geht es um die Wahrheit!« Da entschloss sich Luise, die angelehnte Tür mit dem Fuß aufzustoßen und das Tablett möglichst unauffällig auf eine Holzkiste zu stellen, die an der Glaswand stand. Drinnen roch es nach Pflanzen und ebenso stark nach Farben, auf der Leinwand war dort, wo am Vortag das Gesicht von Frau Lydia die Blicke auf sich gelenkt hatte, nur ein schmieriger hellrosa Fleck übriggeblieben, Stauffer hatte es tatsächlich mit Terpentin ausgewischt. »Ich werde es neu malen«, beteuerte er schwer atmend und schwenkte das ölige Tuch, das voller Farbe war, vor Frau Lydia herum, die nun aufgestanden war, und zum ersten Mal sah Luise, dass ihre Dienstherrin empört und zornig wirken konnte, ohne etwas zu sagen.

»Doch, doch, das werde ich tun. Und besser als vorher! Ich verspreche es!«

Stauffers Stimme brach, er begann zu schluchzen, hörte aber gleich wieder damit auf, und Luise, die sich zurückzog, sah von der Seite, dass er sich mit dem Tuch ein paar Tränen abwischte und sich dabei beschmierte wie ein Clown, denn das blasse Rot von Frau Lydias Lippen färbte die Haut unter seinen Augen. Es war beinahe zum Lachen. Doch da machte Luise ein Geräusch, Stauffer fuhr herum. Mit einem »Schschscht!« verscheuchte er das Mädchen, als wäre es ein Hund. »Weg mit dir, verdammt noch mal, du hast hier nichts zu suchen! Lass uns in Ruhe!«

Luise beschleunigte ihre Schritte und war im Nu draußen. Die kurze Flucht hatte sie ins Keuchen gebracht, aber die Atemnot kam auch vom Schreck.

Das Gesicht entstand von neuem. Frau Lydia, das hatte sie mit Stauffer vereinbart, musste dafür nicht mehr Modell sitzen, er hatte ja schon bei den Vorstudien zahllose Skizzen angefertigt, die um ihn herum ausgebreitet waren. Er werde, ließ er verlauten, die Züge der verehrten Frau Welti vor allem aus der inneren Vorstellung heraus erschaffen. Es klang fast so, als habe er das Recht, sie nach seinem Willen zu formen; etwas daran war Luise zuwider, ein wenig unheimlich sogar.

Es kam nun immer öfter vor, dass Frau Lydia ihre Kammerzofe, wie sie Luise im Scherz manchmal nannte, ins Vertrauen zog, und sei es nur durch eine beiläufige Bemerkung, die sie in einer größeren Gesellschaft unterlassen hätte: »Weißt du, Stauffer kann schon sehr überspannt sein. Aber große Künstler sind so.« Oder: »Man muss ihm seine Marotten lassen, er braucht sie.«

Am Nachmittag besuchte sie Stauffer regelmäßig im Gewächshaus, und meist ordnete sie an, dass Luise sie, zwei Schritte hinter ihr, mit einer Erfrischung begleitete. So konnte sie wenigstens für eine kurze Weile von nahem beobachten, wie das Gesicht erneut ins Bild hinein- und in beinahe greifbarer Lebendigkeit aus ihm herauswuchs.

Es war nie vorauszusehen, in welcher Stimmung sich Stauffer, der Tag für Tag den gleichen Malerkittel trug, befinden würde. Das eine Mal wirkte er verzweifelt oder niedergeschlagen wegen irgendeiner Einzelheit, auf die er anklagend hinwies: Der Bogen der Augenbrauen war nicht genau genug, die Ohrmuschel zu auffällig. Oder er gab sich stolz, lobte sich selbst dafür, dass ihm nun der Ausdruck – eine kleine Keckheit im Blick, die freundliche Zurückhaltung, die doch so anziehend sei – besser gelinge. Ein einziger Tupfer, sagte er, indem er den feinen Pinsel zwischen Daumen und Zeigefinger vorzeigte, könne alles verändern, das sei das Geheimnis seines Handwerks. Lydia hörte ihm zu, widersprach ihm nicht, schaute auf der Leinwand sich selbst – oder die, die er aus ihr machte – misstrauisch an.

Die Ähnlichkeit mit der lebendigen Lydia schien Luise geringer zu sein als zuvor beim verschwundenen Gesicht, das doch schon vollendet gewesen war. Sie war in Wirklichkeit, wollte man ehrlich sein, weniger schön, mit etwas gröberen Zügen, mit einer Haut, die nicht so makellos war wie auf dem Gemälde. Aber nach Luises Meinung wurde nicht gefragt, weder von Frau Lydia noch vom Maler Stauffer und schon gar nicht von Welti, der kaum noch erschien.

Als Stauffer endlich im Großen und Ganzen zufrieden war – ganz zufrieden sei er nie, sagte er –, schlug Lydia vor, eine feierliche Enthüllung im kleinen Kreise zu veranstalten. Stauffer willigte nach anfänglichem Widerstand ein. Die Feier wurde auf einen Tag festgelegt, an dem der Bundesrat Emil Welti, Lydias Schwiegervater, in Zürich weilte, er hatte Interesse gezeigt, bei Stauffer ein Doppelporträt von sich und seiner Frau in Auftrag zu geben, aber, wenn es nach ihm ging, gerne ohne die Qual langer Sitzungen. Vater und Sohn Welti standen also im großen Salon vor der verhüllten Staffelei, Lydia, ein wenig unpässlich, saß auf einem Sessel, aber nicht im weißen, sondern in einem roten Kleid. Stauffer hatte sich für seine Verhältnisse elegant angezogen und verbarg seine Aufregung hinter weltmännisch-jovialem Gehabe. Gekommen waren der gebrechliche Friedrich Gustav Ehrhardt, der jahrelang im Belvoir gewohnt und den Lydia als ihren Erzieher und Mentor betrachtet hatte, Friedrich Bürkli und der Dichter Keller; die drei alten Herren, Lydia sprach scherzhaft von ihrem Kleeblatt, hatten sich in ihrer Jugend um sie gekümmert, als ihr Vater meist außer Haus oder krank gewesen war. Luise ging, wie sie es von der Hausherrin gelernt hatte, herum und bot Champagner in Kelchgläsern und auf einer Silberplatte kleine Fleischkrapfen an. Johanna trat bei solchen Gesellschaften nicht in Erscheinung, der junge Welti wollte es so, die Köchin gebe mit ihrer Figur kein vorteilhaftes Bild ab, und Lydia ließ ihm seinen Willen.

»Du bist einfach ein nettes Persönchen«, flüsterte der Dichter, der sonst sehr schweigsam war, Luise ins Ohr. Man prostete sich zu, war sich erst nicht einig, wer das weiße Tuch von der Leinwand wegziehen solle. Die Wahl fiel schließlich auf den jüngeren Welti, der die Aufgabe mit Schwung übernahm und das Tuch einfach auf den Boden fallen ließ. Ein »Ah« und »Oh« ging durch die Runde, beinahe in Lebensgröße saß Lydia Welti-Escher als *grande dame* vor ihnen, das lebendige Vorbild in Rot ihr gegenüber.

»Ein Meisterwerk!«, rief der ältere Welti, dessen Gesicht mit den schweren Augensäcken von Sorgen gezeichnet war. Er sei schon sehr lange Bundesrat, hatte Luise Frau Lydia sagen hören, er sollte gescheiter zurücktreten und sich um seine kranke Frau kümmern.

Man bewunderte das weiße Kleid auf dem Bild und dann das Gesicht, vor allem das Gesicht. »Lebensecht, sehr lebensecht«, sagte der jüngere Welti, der aber gar nicht genau hingeschaut hatte. »Ein Prosit auf den Maler!« Er erhob sein Glas, stieß mit Stauffer an, die anderen taten es ihm gleich. Lob und Glückwünsche schwirrten durch den Raum. Stauffer, der zwischen Stolz und Verlegenheit neben dem Bild posierte, trank sein Glas in einem Zug aus, ließ sich gleich nachschenken. Man wünschte einen Toast von ihm.

»Weiß in Weiß«, sagte er unter Gelächter. »Das sagt alles. Darin zeigt sich das Wesen der Hausherrin, unserer hochgeschätzten und überaus verehrten Frau Welti-Escher.« Er verbeugte sich ungelenk in ihre Richtung, sie winkte beinahe unwirsch ab, fragte, ohne sich an jemand Bestimmten zu wenden: »Bin ich das wirklich?«

»Du bist es«, sagte ihr Mann, zustimmendes Gemurmel der drei alten Gäste.

»Man möchte ja«, sagte Keller mit deutlicher Ironie, »auch so abgemalt werden. Bloß eignet sich unsereiner nicht so ideal dafür wie die edle Frau Gemahlin in duftigem Weiß.«

»Wie denn?«, rief der ältere Welti. »Unser großer Dichter verdient schon längst ein gültiges Porträt.« Er schaute seinen Sohn auffordernd an. »Einverstanden?«

Welti junior nickte und sagte zu Stauffer, der schon das dritte Glas hinuntergoss: »Es soll dein Schaden nicht sein.«

Der Maler brach in ein unfrohes Gelächter aus: »Klar. Zeichnung, Radierung, Gemälde. Alles, was ihr wollt.«

Keller verzog skeptisch sein Gesicht. Beide Weltis lehnten ab, als Luise auch ihre Gläser auffüllen wollte, aber der Sohn würde später, da war sie sicher, noch genügend bechern. Durch die offenen Fenster strich ein leichter Abendwind, der ihr Gesicht kühlte. Wie Frau Lydia es nur stundenlang in diesem hochgeschlossenen Kleid ausgehalten hatte, ohne ein Zeichen von Müdigkeit oder Überhitzung zu zeigen, konnte sie sich nicht vorstellen, sie selbst wäre davongelaufen oder in Ohnmacht gefallen, hatte sie zu Aloysia gesagt, und beide hatten, nur lose bekleidet, wie sie auf dem Bett lagen, gekichert. Als die Gäste gegangen waren und auch das Ehepaar sich zurückgezogen hatte, räumte Luise im Salon auf. Da stand Stauffer immer noch vor seinem Bild, er schaute es an, atmete kaum, nur in Abständen seufzte er. Luise schlich um ihn herum, bemühte sich, so leise wie möglich zu sein. Plötzlich sprach er, gesitteter als sonst, beinahe höflich: »Nun, gefällt es dir?«

»Das Bild?«, stotterte Luise.

»Was denn sonst?«

Sie überlegte. »Es ist … gut gemalt.«

Er lachte amüsiert. »Ach so. Du meinst die Technik?«

Sie verstand ihn nicht. »Es ist … sehr schön.«

»Erkennst du die Dame darauf?«

Sollte das ein Scherz sein? »Ja. Natürlich.«

»Ich habe sie verschönert, nicht wahr?«

»Das muss man doch.«

Er lachte wieder, ein wenig bitter. »Nicht immer. Es kommt auf die Höhe des Honorars an. Aber ich sage dir: Sie ist eine kluge Frau, das ist anziehender als Schönheit und eine glatte Haut.«

Sie schwieg.

Er trat nah an Luises Seite, er roch besser als auch schon, vielleicht nach Rasierwasser. »Warum sie ausgerechnet heute das weiße Kleid nicht tragen wollte, weiß ich nicht. Weißt du's?«

Luise schüttelte den Kopf, sagte dann doch fast trotzig, als müsse sie Frau Lydia verteidigen: »Es war ihr wohl zu warm unter dem dicken Stoff.«

»Nein. Sie wollte ein Zeichen setzen. Unabhängig will sie sein, die *grande dame*.« Er inspizierte das Bild wieder von nahem. »Da ist doch ein kleines Lächeln um ihren

Mund. Heimlich macht sie sich lustig über das ganze Getue rund um sie. Das hab ich gut getroffen. Findest du nicht?«

Das Gespräch wurde Luise unangenehm. »Ich muss gehen«, sagte sie. »Ich habe zu tun.«

»Gut, gut«, sagte er zerstreut. »Dann geh.« Und leiser: »Ich bleibe noch. Ab heute gehört es nicht mehr mir, mein Bild. Zehntausend Franken geben sie mir dafür. Stell dir vor: zehntausend!« Er schüttelte ungläubig den Kopf, und Luise tat so, als habe sie die Zahl überhört.

Sie stellte die leeren Gläser und Flaschen, den Tellerstapel mit einem letzten angebissenen Krapfen auf den Servierwagen und rollte ihn hinaus. Stauffer, der ihr nachgeschaut hatte, holte sie mit ein paar langen Schritten ein, griff verschwörerisch grinsend nach dem Krapfen und steckte ihn sich in den Mund.

6

Stauffer blieb noch einige Zeit im Belvoir. Lydia hatte Keller davon überzeugt, dass er dem Maler tatsächlich Modell saß, also seinen alten Schädel hinhalte, wie er sagte, und zwischendurch, wenn es erlaubt sei, auf dem bequemen Sessel ein Nickerchen mache. Es war derselbe, auf dem Lydia gesessen hatte, und die Sitzungen fanden ebenfalls im Gewächshaus statt, dort stehe ja alles parat, sagte Stauffer. Und schon die Skizzen, die Luise in den ersten Tagen sah, waren von verblüffender Ähnlichkeit. Keine Schmeichelei, sondern das Bild eines in Würde gealterten Mannes, der seine Müdigkeit und den resignativen Zug um seinen Mund ebenso wenig verbarg, wie der Maler es tat. Der war hellwach, tief konzentriert, ganz anders, als ihn Luise, die auch die beiden Männer bediente, bei Frau Lydia gesehen hatte. Wenn es dunkel wurde, ging Keller mit seinen leicht tappenden Schritten zur Kutsche und ließ sich nach Hause fahren.

Stauffer verbrachte die meisten Abende mit den Weltis, hielt ausufernde Vorträge über die unerreichte Kunst der Alten, die Frau Lydia fesselten und ihren Mann zu langweilen schienen. Dann reiste er, Ende August, wieder nach Berlin ab, wo er, sagte er augenzwinkernd, vieles zu erledigen habe. Wann er wiederkomme, wisse er nicht, vielleicht erst im nächsten Jahr. Luise vermisste ihn nicht, unberechenbar war er, seine körperliche Nähe stieß sie ab und zog sie doch auf rätselhafte Weise an.

Frau Lydia schlief schlecht nach seiner Abreise, manchmal lag sie stundenlang wach. Sie klagte darüber, wenn Luise ihr den Morgentee ans Bett brachte. Dass sie das durfte, war, wie Johanna betonte, ein deutlicher Vertrauensbeweis. Luise gab sich die größte Mühe, zu der frühen Morgenstunde leise zu sein, gedämpft zu reden, denn Frau Lydia verabscheute jede Art von Lärm, und manchmal musste Luise in ihrem Namen den Gärtner und seinen Gehilfen, die gerade unter lauten Zurufen einen Baumstamm zersägten oder mit der Hacke Wurzeln ausgruben, draußen zurechtweisen. In solchen Momenten kam ihr Frau Lydia vor wie eine Kranke. Aber bis zum Mittag kehrte ihre Tatkraft meist zurück, sie ging im Haus herum, gab Anweisungen, machte auf Versäumtes und Liegengebliebenes aufmerksam. Lieber aber, das war Luise bald klar, saß sie in ihrem Zimmer am Fenster, selbst bei schönstem Wetter, las und schrieb, oder sie empfing nachmittags im Salon eine Verwandte oder Bekannte zu einer Plauderstunde, war dabei die souveräne Gastgeberin. Den einen oder anderen Brief, der an Karl Stauffer, Maler, Berlin, adressiert war, brachte Luise ins Postbüro und fragte sich, was darin stehen mochte, sie war versucht, den dünnen Umschlag gegen das Licht zu halten, um das eine oder andere Wort erraten zu können. Das verbot sie sich aber. Die Köchin glaubte zu wissen, das Ehepaar plane, den Winter in Italien zu verbringen, und es wolle Stauffer einladen mitzukommen. Vielleicht stand etwas davon in den Briefen.

Gegen den Herbst hin fiel Luise auf, dass Frau Lydia tatsächlich keine gesunde Farbe mehr hatte, sie war sehr bleich, ging langsamer als sonst, und eines Morgens gestand sie Luise, sie fürchte, dass die nervösen Störungen, die sie in einer Phase ihres Lebens schon einmal durchgestanden habe, zurückgekehrt seien, deshalb die Schlaflosigkeit, die ja immer schlimmer werde. Nein, in diesem Zustand könne sie nicht nach Italien reisen; ihre Ärzte rieten davon ab, stattdessen werde sie eine Zeitlang zur Kur fahren, entweder nach Baden oder ins Hotel Gießbach am Brienzersee. Johanna erzählte Luise später, dass Frau Lydia kurz nach dem Tod ihres Vaters und einen Monat vor ihrer Heirat, im nassen Dezember, aus dem Fenster gesprungen sei, in die aufgeweichte Erde, die habe das Schlimmste verhindert, sie habe sich nur leicht verletzt, aber dreckig sei sie gewesen, mein Gott! Dem Bräutigam sei diese Tat verschwiegen worden. Niemand habe die Gründe dafür wirklich verstanden, auch da habe der Arzt nachträglich von nervösen Störungen gesprochen.

Luise konnte es kaum glauben. War es denkbar, dass diese Frau, die meist so selbstsicher wirkte, sich hatte umbringen wollen? Hatte der Tod des Vaters sie außer sich gebracht? Hatte sie vielleicht bereut, der Heirat mit Welti zugestimmt zu haben? Dabei hatte sie doch offenbar unter den vielen, deren Hand sie ausgeschlagen hatte, diesen einen, Friedrich Emil Welti, Bundesratssohn, selber gewählt. Eine strahlende Braut, sagte Johanna, die das Hochzeitsessen im Belvoir gekocht hatte, sei Lydia nicht gewesen, eher eine ernste, aber doch eine überzeugte und sogar halbwegs glückliche. Aber ob die beiden wirklich zusam-

Sie sind nicht online.

menpassten, habe wohl noch niemand herausgefunden. Dabei verzog sie den Mund und kniff Luise scherzhaft in die Wange: »Du suchst dir einen, mit dem du glücklich wirst, ja?«

»Das hat ja noch Zeit«, antwortete Luise verlegen und wich vor der Köchin zurück; manchmal ertrug sie den durchdringenden Zwiebelgeruch, der so oft von ihr ausging, schlecht. Das Bild der Frau im Nachtgewand, die aus dem Fenster sprang und draußen im Regen lag und um Hilfe rief, quälte Luise vor dem Einschlafen, sie strengte sich an, es zu vertreiben, eine schmutzige tote Lydia mochte sie ebenso wenig vor sich sehen wie den durchnässten toten Vater, der dahinter erschien.

Am nächsten Morgen eröffnete ihr Frau Lydia, sie habe sich für den Gießbach entschieden, und sie wolle, dass Luise sie begleite. Sonst brauche sie niemanden aus dem Belvoir bei sich, im Hotel Gießbach gebe es genügend Personal.

Luise wusste nicht, ob sie sich darüber freuen oder von der Aussicht auf so viel Nähe eingeengt fühlen sollte. Aber es blieb ihr ja keine Wahl, und es tat ihr gut, dass Aloysia sie beneidete.

Zwei Tage verbrachte sie, teils unter der Anleitung von Frau Lydia, mit Packen. Drei große Überseekoffer füllte sie mit penibel gefalteten Unterkleidern, Roben und Röcken, mit Schuhen und Stiefeln, mit Hüten, Kappen, mit einer Menge Utensilien für Körper- und Haarpflege und einer Schmuckschatulle, auch ein Mantel musste mit, dazu eine Anzahl Bücher. Luise selbst stand ein kleiner Koffer zu, den ihre wenigen Kleider knapp füllten.

Von Welti verabschiedete sich die Ehefrau so sachlich, als habe sie bloß rasch in der Stadt zu tun, dabei rechnete sie mit einer Abwesenheit von mindestens drei Wochen. Luise stand daneben, Lippen und Haut schienen sich bei den Wangenküssen nicht einmal zu berühren. Immerhin winkte Welti der Kutsche nach, als sie zum Bahnhof fuhren.

Im Zug waren nur wenig Passagiere, Frau Lydia erlaubte ihrer Kammerjungfer, sich mit ihr in ein Abteil erster Klasse zu setzen, wo das Polster so weich war, dass Luise tief darin einsank. Als sie über die Eisenbahnbrücke von Bern fuhren und die grüne Kuppel des Bundeshauses in Sicht kam, sagte Lydia halb im Scherz, dass dort, hinter einem der vielen Fenster, bestimmt ihr Schwiegervater gerade über seinen Akten brüte. Er sei ein gründlicher Mann, sitze seit mehr als zwanzig Jahren im Bundesrat; ihr eigener Vater hätte all die Beschränkungen dieses Amtes nicht ausgehalten, er habe Neues gründen wollen, nicht Bestehendes bewahren, sei, anders als ihr Schwiegervater, ungestüm gewesen, fordernd und wagemutig.

In Interlaken wechselten sie aufs Schiff. Frau Lydia blieb im geschlossenen Raum, an dessen Fenstern der Sprühnebel vom Schaufelrad hinunterlief. Luise hingegen ging aufs Oberdeck. Es war ein milder Tag im frühen Herbst, das Licht von seltener Klarheit. Sie setzte sich, mit dem Rücken zur Fahrtrichtung, auf eine leere Holzbank, spürte den leichten Wind im Nacken. Das Schiff furchte den See, und die kleinen Wellen, auf denen ein wenig Schaum tanzte, strömten nach beiden Seiten weg. Von intensivem Blau das Wasser in Ufernähe, fast unheimlich blau. Das Rauschen der Gießbachfälle begann das Stampfen der Kolben zu übertönen und kündigte die Anlegestelle an. Laute Zurufe der wartenden Gepäckträger. Frau Lydia, von Luise angesprochen, schreckte auf wie aus tiefem Schlaf, sie lächelte ein wenig verloren, glättete mit beiden Händen ihren Rock, bevor sie aufstand und einem Schiffsknecht Anweisungen gab. Der steil aufsteigende Wald stand vor ihnen wie eine dunkelgrüne, fast schwarze Mauer, die Sonne schien noch überhell am anderen Ufer. Endlich das Tuten, der niederfallende Steg mit seinem Kettenrasseln. Frau Lydia schwankte ein wenig, als sie darüberging, Luise musste sie stützen. Während ihre Koffer an Land getragen und den Trägern am Ufer übergeben wurden, verabschiedete sich der Kapitän wortreich von Madame Welti. Vermutlich erwartete er ein Trinkgeld, Frau Lydia gab ihm keines. Mit ihnen verließen auch andere Passagiere das Schiff, einige mit weit mehr Gepäck. Man stieg in die wartende Standseilbahn um, in deren hinteren Teil Koffer und Taschen verladen wurden. Es war, begleitet von immer lauterem Rauschen, ein seltsames Hinaufgleiten, beinahe ein zauberisches Schweben zum Hauptgebäude, das in der Mitte der großen, zu einer Terrasse verwandelten Lichtung stand; man kam durch Tannendämmerung ins Offene, sah Wiesengrün, Blumenbeete, Kieswege, die Türme, die aus dem Hotel ein Schloss machen wollten. Es ging alles wie von selbst, Luise stand, neben Frau Lydia, in der Eingangshalle des Hotels. Kristalllüster, leuchtend schon am Nachmittag, hingen von der Decke, Orientteppiche dämpften den Schall. Hinter dem Empfangspult lächelten Männer in betressten Livreen. Halblaute Gespräche unter den neu eingetroffenen Gästen, in der Loggia wurde Tee serviert. Und immer das Rauschen des Bachs im Ohr. Man kam sich wichtig vor hier drin, sogar als Dienstmädchen. Aber Luise bekam kein Zimmer direkt neben Frau Lydia, wie sie gehofft hatte, sie musste sich mit einer Kammer im neu errichteten Gebäude für die Dienstboten der Gäste begnügen, es stand am Rand der Lichtung, gegen den Hang hin und näher bei den Kaskaden. Die Fassade sah nicht weniger vornehm aus als jene des Hotels, innen aber war auf jeden Prunk verzichtet worden, keine Teppiche, Bretterböden statt Parkett, auf jedem Stock bloß eine Toilette mit Spülkasten, den man mit Wasser von einem der Brunnen nachfüllen musste. Es gehörte sich auch nicht, dass die Dienstboten bei den Herrschaften speisten, für sie gab es einen engen Nebensaal mit langen Tischen, an denen es lauter zu- und herging als im gediegenen Speisesaal. Nicht nur dieser Umstand erinnerte Luise ans Belvoir, es schien ihr überhaupt, die Lebensweise dort habe sich hier gleichsam vervielfältigt und auseinandergefaltet. Sich außerhalb der Dienstzeiten unter ihresgleichen zu bewegen, grobe Scherze mit Ähnlichem zu vergelten, war ihr zuwider, auf Annäherungsversuche ging sie nicht ein. Englisch, das hier häufig gesprochen wurde, verstand sie ohnehin nicht, das Italienische, das sie nicht vergessen hatte, hörte sie nur wenig.

Frau Lydia benahm sich ihr gegenüber gleichmäßig freundlich. Doch die Vertraulichkeit zwischen ihnen war in diesem öffentlichen Rahmen verschwunden. Einen Teil des Vormittags verbrachte die Erholungssuchende in der Wasserheilanstalt in einem Nebengebäude hinter dem Tennisplatz. Sie nahm, auf Anraten des Hotelarztes, abwechselnd Moor- und Mineralbäder, erschien dann mit schrumpeliger

Haut an den Fingern und noch immer bleich zum Mittagessen, wohin Luise sie zu begleiten hatte, bis zum reservierten Tisch, an dem ein geschwätziges Paar aus Winterthur saß. Danach zog sich Frau Lydia in ihr Zimmer zurück, dort las sie, versuchte sich, eher missmutig, an der einen oder anderen Stickerei. Nachmittags unternahmen sie meist einen Spaziergang, der im Zickzack den Wasserfällen entlang in die Höhe und wieder hinunter führte. Zweimal überquerte der Weg auf schmaler, aber solider Holzbrücke den gischtenden Bach, der an einer Stelle sogar über sie hinwegstürzte, so dass die Welt, in all dem Tosen, nur noch verschwommen hinter einem Wasservorhang zu sehen war. Luise suchte Halt am Geländer, während Frau Lydia scheinbar unerschütterlich auf den nassen Planken voranschritt. An besonderen Tagen blieb sie mitten auf der Brücke stehen, schaute lange in diese Unbeständigkeit hinaus oder durch sie hindurch. Luise hätte gerne gewusst, was in ihr vorging. Das stete Brausen verschmolz mit dem Eindruck des herabstürzenden Wassers zu einer Einförmigkeit, in der auch Luise die Zeit vergaß, sie hätte, obwohl sie im Sprühnebel zu frieren begann, noch lange auf der Brücke ausharren mögen. Wer dann als Erste weiterging, sie oder Frau Lydia, hätte sie hinterher nicht sagen können.

Dieses Rauschen, immerzu das Rauschen. »Ich kann mich nicht daran gewöhnen«, sagte Frau Lydia, »vor allem nicht in der Nacht, da erwache ich davon, muss zuhören, ob ich will oder nicht.«

»Es ist doch eigentlich immer das gleiche Geräusch«, sagte Luise, als sie anderntags weit genug vom Bach, der ungestüm über die Felsstufen stürzte, entfernt waren.

»Nein«, widersprach Lydia, sie blieb abrupt stehen und zog ihre enganliegenden Handschuhe aus. »Immer das Gleiche? Das wäre ja zu ertragen. Aber da bekämpfen sich mehrere Stimmen, höhere und tiefere. Sie orgeln, sie brausen, sie wimmern, sie fauchen. Ein schreckliches Durcheinander, wenn man genau hinhört.« Sie schlug sich mit einem Handschuh aufs Handgelenk. »Wie soll man da schlafen!«

»Sie müssten sich vielleicht Watte in die Ohren stopfen«, schlug Luise vor. »Oder ein Stücklein feines Tuch. Das hat meine Mutter auch gemacht, wenn sie einmal krank war und wir anderen zu laut.«

»Das geht nicht!«, rief Lydia. »Das ist mir zu künstlich. Und mit der Zeit schmerzt ein solcher Pfropfen im Ohr.« Sie lachte ein wenig über sich selbst. »Jaja, denk du nur, wie kompliziert ich bin.« Sie ging weiter über die dicke Schicht von Tannennadeln, die hier die Schritte abfederten.

Die Tage am Gießbach blieben schön, die Temperatur war angenehm mild, am Mittag noch beinahe sommerlich. Ab und zu waren die Berghänge auf der anderen Seeseite von Wolken verhüllt, sie stiegen, senkten sich, lösten sich auf, sie gewährten Durchblicke auf Wald und Weiden, verdichteten und verdüsterten sich wieder, ein dauernder Wechsel, dem Luise, solange Frau Lydia im Bad lag, von einer der Parkbänke aus träumerisch zuschaute. Kein Regentropfen in den ersten beiden Wochen, nur Tau am Morgen. Und das Rauschen, das nie aufhörte, die Ohren füllte und manchmal doch vergessen ging. Eines Nachts, als in Luise eine starke Unruhe war, stand sie auf, ging hinaus ins Freie, wo die Kühle sie umfing wie eine Umarmung. Der Mond schien.

Er war fast voll, ein bleiches und schiefes Gesicht, der See lag reglos da, in einer unbestimmten Farbe, nicht grau, nicht silbern. Nur bei der Mündung des Gießbachs gab es Wirbel, Wellenkreise, aber auch sie wirkten wie festgefroren und schienen sich dem andauernden Rauschen, dem Lebendigsten in der Nacht, zu widersetzen. Kein Mensch zu sehen, kein Tier zu hören. Alles war aufgehoben im Rauschen. Luise stand barfuß da in ihrem Nachtgewand, spürte an den Füßen die Nässe des Grases. Was würde aus ihr werden? War ihr Schicksal nun untrennbar verknüpft mit dem von Frau Lydia? Das wollte sie nicht und vielleicht doch, denn zwischen ihnen gab es ein Band, das sich von Tag zu Tag verstärkte. Sie sprachen nicht darüber, doch es zeigte sich in kleinen Gesten, manchmal einer Berührung, einem Lächeln. Luise erschauerte, sie musste zurück in die Kammer, die Füße abtrocknen, sich unter der Decke aufwärmen. Seltsam, wie wenig Heimweh sie verspürte, wie wenig sie an die Geschwister dachte.

Luise erschrak, als Frau Lydia, mit einem Telegramm auf dem Schoß, in der dritten Woche ihres Kuraufenthalts ankündigte, der Maler Stauffer werde bald hier sein, morgen oder übermorgen schon, sie hätten einiges zu besprechen. Er sei auf dem Weg von Berlin nach Biel, er wolle seine Mutter besuchen, eine starke Frau, der es aber nicht sonderlich gutgehe. Er habe zwei Nächte im Belvoir logiert, ausgiebig mit ihrem Mann diskutiert, und nun werde er einen Umweg machen, um auch sie zu treffen. Die Aussicht auf seinen Besuch schien sie zu beleben, Röte war in ihr Gesicht gestiegen, sie gestikulierte beim Sprechen. Dann sah sie Luise an, die mit gesenktem Kopf zugehört hatte. »Freust du dich denn gar nicht?«, fragte sie. »Stauffer ist doch ein so interessanter Mensch!« Sie ließ ein kleines, beinahe mädchenhaftes Lachen hören.

Luise nickte, sagte aber nichts.

Frau Lydias Miene wurde wieder ernsthaft, sie musterte Luise leicht besorgt. »Macht er dir Angst?«

Luise schüttelte den Kopf. »Er ist nur ... ich weiß bloß keine Antwort auf seine Neckereien.«

»Ach so? Das darfst du nicht ernst nehmen. Das ist seine Natur. Er meint es gewiss nicht böse.« Sie hob das Telegramm mit der blauen Schrift in die Höhe, als ob Luise es von weitem lesen könne. »Wie auch immer, er bleibt ohnehin nur einen Tag.«

Das milderte Luises Unbehagen, verscheuchte es aber nicht. An seinen breiten Brustkasten erinnerte sie sich, für den das offene Hemd, das ihm über den Gürtel hing, zu klein schien, an die muskulösen Arme, an seine Blicke, die sie nicht deuten konnte.

Sie musste ihn am Schiffssteg abholen, es hatte keinen Sinn, sich zu widersetzen. »Du führst ihn ohne langes Hin und Her zu mir, an meinen Tisch, ja?« Wenn Frau Lydia die Stimme erhob, war es ein Befehl. Für eine Dame wie sie, schob sie nach, gehöre es sich in einem solchen Fall nicht, Empfangskomitee zu spielen, dafür sei die Dienerschaft da. Er habe ja wohl nur leichtes Gepäck dabei, das könne er selbst tragen.

Natürlich war Luise viel zu früh am Steg, zusammen mit drei Portiers vom Hotel. Das Schiff näherte sich dem Ufer wie ein schwerfälliges Reptil, mit rauchendem Schlot und lautem Tuten, dessen Echo vom Gegenhang herüberwehte. Nach dem umständlichen Landemanöver kam etwa ein Dutzend Passagiere über den Steg, mitten unter ihnen Stauffer, eine Ledertasche tragend, mit breitkrempigem Hut und halbhohen Stiefeln, ein fescher Mann, hätte Luises Mutter trotz seiner nachlässigen Kleidung wohl gesagt. Sie mochte, im Unterschied zur Tochter, diesen Typus Mann, der irgendwie eine italienische Art an sich hatte. Er übersah Luise zunächst, doch sie trat ihm in den Weg: »Grüß Gott, Herr Stauffer.«

»Ach du?« Er tippte an die Hutkrempe und deutete, nur halb im Ernst, eine Verbeugung an. »Ich habe gedacht, dass … Wo ist sie denn, die gnädige Frau?«

»Sie wartet oben im Hotel auf Sie«, antwortete Luise mit aller Würde, die sie aufzubringen vermochte. »Ich soll Sie hinführen.«

»Gut, ich folge dir.« Er überspielte seine Enttäuschung mit einem abrupten Lachen, das er gleich wieder verschluckte.

Sie ging ihm voran, hangaufwärts, auf die Idee, die Seilbahn zu nehmen, war er gar nicht gekommen, und sie ging mit Absicht so rasch, dass er hinter ihr ins Keuchen kam. Erst oben, auf dem Vorplatz, drehte sie sich zu ihm um.

»Du hast es eilig, wie?«, sagte er gereizt.

Luise deutete auf die verglaste Eingangstür. »Dort hinein geht es.«

»Als ob ich das nicht selbst gemerkt hätte.« Er wischte sich mit dem Ärmel ein paar Schweißtropfen von der Stirn.

Frau Lydia wartete an ihrem Tisch, neben einer Kübelpalme, die Luise plötzlich ans Gewächshaus im Belvoir erinnerte; Stauffer im Zimmer zu empfangen, hätte sich nicht geziemt. Sie reichte ihm, ohne aufzustehen, die Hand, er beugte sich mit einem theatralischen Ächzen zu ihr nieder und küsste sie, was er noch nie getan hatte. Die Gäste an den anderen Tischen schauten neugierig auf die Begrüßungsszene. Frau Lydia trug ein hellblaues Kleid, ein etwas dunkleres Seidentuch war kunstvoll um ihren Hals geschlungen, ihr Gesicht schien weicher als sonst, die Frisur – da hatte Luise mitgeholfen – sorgsam gebürstet, die Stirnfransen geglättet wie auf Stauffers Bild. Während er, seine Verlegenheit überspielend, stehen blieb, tauschten sie ein paar Belanglosigkeiten aus. Dann lud sie ihn ein, Platz zu nehmen, Stauffer nahm sich einen Stuhl und rückte ihn näher zu Frau Lydia, so nahe, dass sie bedrängt schien und unmerklich vor ihm zurückrutschte. Luise wurde ausgeschickt, um in der Küche, wie Stauffer es wünschte, einen Krug mit frischer Milch zu bestellen, sie brachte ihn gleich selbst mit, samt zwei Gläsern, füllte sie auf, bis der Schaum fast über die Ränder trat, sah zu, wie beide tranken, Frau Lydia sehr ordentlich, mit kleinen Schlucken, Stauffer unbekümmert, mit langen Zügen.

»Frisch gemolken!«, sagte er und wischte sich mit dem Handrücken über den weißverschmierten Mund. »Etwas Gesünderes gibt es nicht!«

Luise wusste nicht, ob sie noch gebraucht wurde, und weil Frau Lydia ihr keine weiteren Anweisungen gab, zog sie sich hinter die mannshohe Palme zurück und belauschte, eigentlich wider Willen, das einsetzende Gespräch; die Sicht allerdings war ihr von den Palmenwedeln halb verdeckt.

»Generös ist er, Ihr Herr Gemahl«, sagte Stauffer. »Er will mich nach Rom schicken, zum Studium, und alles bezahlen.«

»Wir wären ja gerne mitgefahren, Emil und ich. Aber meine Gesundheit geht vor.«

»Erholen Sie sich so schnell wie möglich, Verehrteste. Kommen Sie nächstes Jahr. Ich will mich inspirieren lassen von Tempeln und Skulpturen.« Er machte eine ausladende Bewegung, stieß beinahe das leere Glas um. »Und mich, was ich schon lange wünsche, der Bildhauerei widmen.«

»Sie haben bestimmt Talent dafür. So plastisch, wie Ihre Zeichnungen angelegt sind.«

»Ja, ich habe den Drang, wieder von vorne zu beginnen. Ein Meister wird man nur, wenn man sich getraut, stets von neuem Schüler zu sein. Das Malen und Zeichnen werde ich aber nicht aufgeben. Und natürlich werde ich die Werke, die in Italien entstehen, meinen Mäzenen überlassen, als kleines Entgelt für ihre Großzügigkeit.«

»Ach, das sehen wir dann.«

Stauffer geriet ins Dozieren, seine Stimme stieg dabei in die Höhe, wurde lauter, so dass die Gäste an den Nebentischen aufhorchten. Man müsse in Rom die Ruinen besichtigen, das Kolosseum, die Hadriansvilla außerhalb der Stadt, ihre Proportionen begreifen. Er kenne dies alles bisher nur von Stichen, ein paar Fotografien. Es sei ihm ein Anliegen, etwas von der Größe dieser Zeit zurückzuholen, sie der Gegenwart gleichsam einzuverleiben. Die Menschen seien ja nicht dümmer geworden, sie müssten sich bloß zutrauen, diesen Werken nachzueifern, sie vielleicht gar zu übertreffen.

»Und?«, fragte Lydia. »Trauen Sie es sich zu?«

Er stutzte, lachte dann schallend. »Sie wollen mich provozieren, ja?« Er war aufgesprungen, ging mit großen Schritten hin und her, als wolle er vor Lydia paradieren, redete sich in immer größere Begeisterung. »Ich sage Ihnen eines: Man darf nicht nachlassen in den eigenen Anstrengungen. Die meisten, die heutzutage Künstler sein wollen, sind verzärtelt und selbstzufrieden. Man muss sich fordern, gegen eigene Schwächen ankämpfen. Das ist der Schlüssel. Auf Vollkommenheit dürfen wir nicht hoffen. Aber weiß Gott auf Fortschritte.«

Sein Redeschwall erregte Aufsehen, am hinteren Ende des Saals waren ein paar Leute aufgestanden, um den hitzigen Redner besser zu sehen. Lydia, die sich offenbar zu schämen begann, versuchte ihn mit Gebärden zu beschwichtigen, stand dann ebenfalls auf und sagte ungewöhnlich laut in seine Sätze hinein: »Kommen Sie, wir gehen draußen ein paar Schritte, das tut uns gut.«

Stauffer verstummte auf einen Schlag, lachte wiederum, unglücklich dieses Mal. »Verzeihen Sie, Allergnädigste, ich mache Ihnen Ungelegenheiten. Ja, gehen wir ins Freie.«

Sie ging hinauf in ihr Zimmer, um etwas anderes anzuziehen, und ließ ihn stehen, wo er war. Er wirkte verloren, setzte sich wieder, die Blicke der Gäste ließen von ihm ab, seine schweiften herum, bis er Luise entdeckte, die immer noch hinter der Palme stand. Er winkte sie zu sich heran, sie gehorchte zögernd.

»Warum versteckst du dich denn?«, fragte er belustigt.

»Ich verstecke mich nicht«, sagte sie. »Ich habe bloß gedacht, dass Frau Welti mich noch brauchen würde.«

Er wies auf den benachbarten Stuhl. »Dann setz dich doch.«

Sie schüttelte den Kopf, wusste nicht, ob sie weggehen oder bleiben sollte. Aber da kam Frau Lydia schon wieder zurück, sie war lediglich in einen dünnen Mantel geschlüpft und hatte sich einen Strohhut aufgesetzt.

»Soll ich …?«, fragte Luise.

Frau Lydia erriet, was sie fragen wollte. »Nein, du bleibst hier. Sorge dafür, dass mir ein schöner Blumenstrauß ins Zimmer gestellt wird. Lupinen vielleicht. Oder Rittersporn. Der blüht gerade. Es gibt kein schöneres Blau.« Den letzten Satz richtete sie an Stauffer, und der murmelte: »Ich interessiere mich mehr für die Physiognomie von Menschen als für Blumen.«

»Man kann sich für das eine wie das andere interessieren«, erwiderte Frau Lydia. Sie verließen nebeneinander das Hotel, gefolgt von Luise. Als die beiden den Weg zu den Kaskaden nahmen, zweigte sie zur Gärtnerei ab. Lydia wandte sich noch einmal um, bevor sie im Wald verschwanden, und rief Luise zu: »Lass das Bouquet auf die Rechnung setzen.« Der Abstand zwischen ihr und Stauffer war deutlich, und Luise wunderte sich, dass er ihr nicht höflichkeitshalber den Arm reichte, wie es sonst unter ihresgleichen üblich war.

Der Strauß stand längst im Zimmer, als das Paar nach zwei Stunden, gerade zur Mittagessenszeit, zurückkam. Luise hatte die Zeit genutzt, um einen Teil von Frau Lydias Garderobe zu bürsten und auszuklopfen. Dafür gab es eigentlich die Hotelangestellten, aber Frau Lydia war es lieber, dass Luise solche Pflichten übernahm.

Sie seien weit in die Höhe gestiegen, schwärmte sie von ihrem langen Spaziergang. Zuletzt seien sie einem Saumpfad gefolgt, zwischen ganzen Feldern von Alpenrosen, eine hatte sie ins Knopfloch gesteckt. Sie wirkte erhitzt, fast ein wenig aufgekratzt. Stauffer war unten geblieben. Luise half ihr aus den halbhohen staubigen Schuhen, putzte sie sogleich mit einer weichen Bürste und einem Lederlappen, während Frau Lydia in die bequemeren Hausschuhe schlüpfte und sich über ein paar Druckstellen an der Ferse beklagte.

»Ach, dieser Stauffer«, fuhr sie fort. »Er ist ein Phantast. Stell dir vor, mit meinem Geld möchte er einen Tempel bauen, als Museum sozusagen, mit großartigen Statuen, ein Anziehungspunkt für Kunstfreunde aus aller Welt. Da wird mein Mann den Kopf schütteln.« Sie senkte verschwörerisch die Stimme. »Außer wenn es mir gelingt, ihn umzustimmen.«

Luise nickte; dass dieser Mann Frau Lydia immer wieder beeindruckte, war offensichtlich. Sie ließ sich von ihm regelrecht beschwatzen, und Luise fragte sich, ob er ihr eigentlich schöne Augen machte oder sie ihm und was das bedeuten mochte.

Stauffer blieb bis zum Abend, sie saßen am runden Vierertisch, Luise bestellte für die beiden eine Meringue. Ihre Anwesenheit war danach nicht erwünscht, aber sie hörte, da sie in der Nähe blieb, dass das Gespräch zwischen den beiden nicht abbrach, sondern fortfloss im Strom seiner ausufernden Gedanken. Als die Dämmerung einsetzte, nahm er Abschied und wollte nicht, dass Luise ihn erneut zum Landesteg begleitete. Doch er vergaß seine Reisetasche. Frau Lydia rief Luise herbei und wies sie an, ihm die Tasche eilig nachzutragen. Sie war schwerer, als sie gedacht hatte. Was bewahrte er wohl darin auf? Bücher? Malutensilien? Sie holte Stauffer ein, als das Abendschiff, schon im Lichterglanz, eben ankam. Er nahm die Tasche, die sie ihm stumm überreichte, ohne Dank an sich, sagte dann aber, bevor er den Steg betrat: »Ich nehme an, wir werden uns bald wiedersehen, meine Liebe.« Es klang wie eine Drohung, die Lichter vom Schiff tanzten über ihn hinweg, einen Moment lang glich er einem Kobold.

An diesem Abend lud Frau Lydia ihr Dienstmädchen zu einem Schlummertee auf ihr Zimmer ein. Das war noch nie geschehen. Oder ob Luise lieber Milch mit Honig wolle, fragte sie, verneinte dann aber gleich selber, weil um diese Zeit Kuhmilch blähend wirken könne. So holte Luise aus der Küche ein Kännchen Goldmelissentee, den sie sorgsam in die Porzellantassen goss. Sie saßen nebeneinander, das Tischchen mit dem Tee zwischen sich, vor dem Panoramafenster, in dem noch knapp der gegenüberliegende Bergzug im Dämmerlicht zu sehen war. Darüber der verblassende, von rötlichen Wolken durchzogene Himmel, der von Minute zu Minute dunkler wurde.

Frau Lydia sagte lange nichts, rührte mit ihrem Löffelchen in der Tasse, in der sie mit der silbernen Zange ein Stück Zucker versenkt hatte, ein leises Klingen entstand dabei, wie von einem Glockenspiel. Luise trank den Tee ohne Zucker.

Nach einer Weile zündete Frau Lydia eine Kerze an. Ihr Flackern verscheuchte drinnen die Dunkelheit, draußen, vor dem Fenster, schien sie umso tiefer.

»Weißt du«, ergriff sie unversehens das Wort, »an wen ich jetzt denke?«

Luise schüttelte den Kopf, stellte sich aber vor, dass es bestimmt der Maler Stauffer war.

»An meinen Vater«, sagte sie sehr leise, fast wie zu sich selbst. »Ich weiß auch nicht, warum. Er war ein solcher Machtmensch, hatte einen so großen Einfluss. Und doch hat er in seinen letzten Tagen furchtbar gelitten.« Sie stockte. »Ich wollte ihm beistehen, seine Schmerzen irgendwie lindern, ich wollte keinen Moment mit ihm versäumen, solange er noch lebte. Er war ja mein Vater, und ich verdanke ihm so vieles. Kannst du das verstehen?«

»Ja«, murmelte Luise.

»Er hatte eine schreckliche Geschwulst im Gesicht, die ihn entstellte, sein Rücken war voller Furunkel, er schrie vor Schmerzen, bäumte sich immer wieder auf, wurde halb ohnmächtig, und wenn er bei vollem Bewusstsein war, machte er sich die größten Sorgen um mich und meine Zukunft. Alle vom Haus waren da, dazu zwei Ärzte, um ihm zu helfen. Nichts mehr nützte.« Sie suchte nach Worten, und Luise hätte gerne ihre Hand genommen, aber das gehörte sich nicht. »Am schlimmsten war«, fuhr sie fort, »dass er auch mich am Ende nicht mehr erkannte.« Sie hielt, Luise hörte es, ihre Tränen zurück. »Ich war auf einmal eine Fremde für ihn … und doch so lange seine nächste Vertraute gewesen. Und in diesem Moment, am Morgen früh, als er zu atmen aufhörte, da wurde mir schwarz vor Augen.«

Wieder eine lange Pause, einander überlagernde Atemzüge, beinahe nicht hörbar die von Luise, schnüffelnd und unregelmäßig die von Frau Lydia, dahinter das Rauschen der Kaskaden, das durch die Scheiben drang.

Luise zögerte, ob sie etwas sagen sollte. »Ich habe«, begann sie dann mit Vorsicht, »meinen Vater auch verloren. Früh, viel früher als Sie. Ich war erst sechs.«

»Oh.« Frau Lydias Antwort klang erschrocken, zugleich mitleidig. »Das habe ich nicht gewusst.«

»Er ist ertrunken«, sagte Luise. »Man hat ihn tot ins Haus gebracht. Damals, in Bergamo. Er hat ein Kind gerettet und wurde fortgeschwemmt.« Nun war auch sie den Tränen nahe und bereute sogleich, dass sie so viel von sich verraten hatte. Da spürte sie, dass die Hand von Frau Lydia sich zu ihr hinübergetastet hatte und ihre erst berührte, dann umschloss, sie kurz drückte und wieder losließ. Auf eine solche Geste war Luise nicht gefasst gewesen, sie rührte sie so stark, dass sie am liebsten den Kopf an Frau Lydias Schulter gelehnt hätte. Aber sie blieb aufrecht sitzen, während der Kerzenschein über sie hinweggeisterte und das Fenster nun ganz undurchdringlich schien.

»Trink deinen Tee aus, Luise«, sagte Frau Lydia, die nur mit Mühe sprechen konnte.

Luise leerte gehorsam die Tasse. Der Tee war schon lau geworden, Luise mochte zwar die Farbe, aber nicht den Geschmack, er erinnerte sie an ein stehendes Gewässer, an etwas Sumpfiges, leicht Fauliges. Sie vermied es, die gequollenen Melissenblüten in den Mund zu bekommen, setzte die Tasse ab. »Kann ich noch etwas für Sie tun?«

»Nein, du kannst gehen.« Das war wieder die beherrschte Stimme der Dienstherrin, und Luise wusste nicht, ob sie enttäuscht oder erleichtert sein sollte.

7

Der Kuraufenthalt an den Gießbachfällen hatte Frau Lydia so gekräftigt, dass sie entschlossen war, den Haushalt im Belvoir wieder mit frischer Energie und fester Hand zu führen. Das sagte sie auch ihrem Ehemann, der allerdings an ihrer Genesung zweifelte. Luise platzte in eine Auseinandersetzung zwischen den beiden hinein, ihr Klopfen war überhört worden, und Welti schickte sie schroff hinaus. Wie immer, wenn er versuchte, seinen Zorn zu bezähmen, klang seine Stimme hoch und gepresst, beinahe jungenhaft. Zugegeben, es war auch Neugier gewesen, die sie getrieben hatte, nach mehrmaligem Klopfen einfach einzutreten, um das Geschirr abzuräumen, sie wollte zu gerne wissen, was sich zwischen dem Ehepaar, das sich sonst so gesittet gab, abspielte. Sie fand nicht alles heraus.

Frau Lydia bereitete das Personal Sorgen. Besonders die Köchin und der Kutscher lagen im Streit, beschuldigten sich gegenseitig, in die eigene Tasche zu wirtschaften oder auf der faulen Haut zu liegen, und beide versuchten, andere auf ihre Seite zu ziehen. »Warum können die mich nicht einfach in Frieden lassen mit ihrem kindischen Zwist?«, fragte sie ungewöhnlich laut. Luise ergriff innerlich Partei für die rauhbeinige Johanna, die oft kein Blatt vor den Mund nahm, sagte aber, sie könne darüber nicht urteilen. Nach wenigen

Wochen schon hatte sie den Eindruck, dass Frau Lydia erneut Anzeichen von Erschöpfung und wachsendem Missmut zeigte. Was sie am meisten zu beleben schien, war die Post aus Berlin, die Luise ihr alle zwei, drei Tage brachte. Stauffers Briefe wurden immer dicker, einige sprengten beinahe das Couvert, zehn, zwanzig Seiten lang waren sie, schätzte Luise. Mit ihnen zog sich Frau Lydia ins Arbeitszimmer zurück, und wenn Luise ihr nachmittags den Tee brachte, lagen die Blätter verstreut auf dem Schreibtisch, und sie selbst beugte sich tief über einen Antwortbrief. Die Feder glitt eilig übers Papier mit dem verschlungenen Briefkopf, manchmal kratzte sie, und dann gab Frau Lydia einen unwilligen Laut von sich, ohne auf Luise zu achten, die darauf wartete, die Tasse vollschenken zu können. Was schrieb sie wohl? Was erzählte sie dem Maler in Berlin? Beinahe jeden Morgen klagte Lydia über ihre Schlaflosigkeit; sie werfe sich die ganze Zeit hin und her, es sei schrecklich, allen Geräuschen im Haus – und die seien nachts überlaut – misstraue sie. Eine solche Bettnachbarin könne sie ihrem Mann nicht zumuten, deshalb schlafe sie jetzt allein im Arbeitszimmer, aber es nütze nichts, die Geister der Vergangenheit hielten sie wach, manchmal glaube sie sogar, ihren Vater im Haus herumtappen zu hören. Während sie dies bruchstückhaft erzählte, sah sie so übernächtigt aus, dass Luise sich um ihre Gesundheit ernsthaft Sorgen machte. Die hohen Dosen des Schlafmittels, das ihr verschrieben worden sei, nützten kaum noch, fuhr Lydia fort. Emil empfehle ihr mehr Bewegung, das sei leicht gesagt, ihre Pflichten bänden sie ans Haus, das Personal brauche eine strenge Aufsicht. Aber gerade das zermürbe sie.

Die Ärzte empfahlen dieses Mal eine Kur mit ausschließlich heißen Bädern. So verbrachte Luise mit der Dienstherrin zwei Wochen im Städtchen Baden an der Limmat. Die Bäder halfen wenig, und weiterhin gingen umfangreiche Briefe zwischen Berlin und dem Kurort hin und her. Dann aber, wenige Wochen nach den Festtagen, die Frau Lydia noch mehr erschöpft hatten, kam die Nachricht, dass Stauffer sich tatsächlich für längere Zeit in Rom niederlassen wolle. Er kündigte an, auf der Reise von Berlin nach Italien einen kurzen Abstecher bei seinen Mäzenen im Belvoir zu machen.

»Eine Abschiedsvorstellung will er uns also geben«, sagte Welti leicht herablassend bei Tisch.

»Er ist dein Freund«, erwiderte Lydia. »Dass er sich verabschieden will, betrachte ich als Freundschaftszeichen.«

»Unser Freund«, verbesserte sie Welti.

Luise stand in der Nähe und hörte zu. Frau Lydia reckte trotzig den Kopf: Stauffer sei lädiert, habe er geschrieben, beim Packen in seinem Atelier sei ihm von einem Schrank herab eine Gipsbüste auf den Kopf gefallen. Er sei vom Stuhl gestürzt, habe am Kopf geblutet, den Ellbogen verletzt, trage nun den Arm in der Schlinge, den rechten.

»Ach Gott, der Arme«, sagte Welti in einem Tonfall zwischen Spott und Anteilnahme. »Schlimm?«

Frau Lydia senkte den Kopf und sprach leiser. »Das hoffe ich nicht, er wird aber sicherlich ein paar Tage nicht arbeiten können.«

»Wie lange will er bleiben?«, fragte Welti und nahm einen langen Schluck von seinem Burgunder.

»Nur die Nacht über und einen Tag. Er fährt dann weiter nach Biel, er will sich auch von der Mutter verabschieden.«

»Gut so. Ein braver Sohn.« Sein kurzes Lachen widerlegte, was er eben gesagt hatte.

Luise schenkte dem Hausherrn nach, der die Flasche fast allein ausgetrunken hatte, und trat gleich wieder zwei Schritte aus dem Kreisrund des Lampenscheins hinaus. Manchmal kam es ihr vor, als sei sie gar nicht anwesend, so wenig achteten die beiden am Tisch auf sie.

Stauffer traf Anfang Februar gegen Abend ein, mit einem kleinen Koffer, das große Gepäck, mit dem er reiste, hatte er am Bahnhof deponiert. Er sah übel zugerichtet aus, als käme er direkt aus dem Lazarett. Den Arm trug er im Gips, Schürfungen verunstalteten sein Gesicht, um den Kopf war ein Verband gewickelt. Zudem hinkte er, aber wer weiß, ob er die Unfallfolgen nicht übertrieb, denn Luise sah, dass er auf ebener Fläche ein paar Schritte ganz normal ging. Sie hätte ihn mit diesem Aussehen fast nicht erkannt. Und doch war es Stauffer mit seinen Späßen, seiner Großspurigkeit und den bohrenden Blicken, die zu erfassen schienen, worüber niemand sprach. Er lachte laut über das Mitleid, das Lydia ihm entgegenbrachte, umarmte Emil, den Schulfreund, so gut es ging.

»Alles halb so schlimm«, rief er, so dass es durchs ganze Entrée hallte. »Das wird in Rom rascher heilen als in der hiesigen Kälte. Dort blühen ja schon bald die Mimosen.«

Luise nahm ihm Mantel und Hut – einen verwegen wirkenden schwarzen Schlapphut – ab, und er zwinkerte ihr verstohlen zu, tat sonst aber so, als erkenne er sie nicht wieder.

Die Herrschaften zogen sich ins Esszimmer zurück, von wo die drei Stimmen unentwirrbar durch die geschlossene Tür drangen, bis Luise und Aloysia gerufen wurden, um zu servieren. Zwar wollte ihm Lydia höchstpersönlich die Forelle blau zerlegen. Aber Stauffer wies den Fisch zurück, weil er zu viele Gräten habe und er sich – dies mit einem bellenden Lachen – nicht auch noch den Gaumen verletzen wolle. Als Luise den Teller mit diesem Bescheid in die Küche zurückbrachte, schnauzte Johanna sie an, als ob sie selbst die Kostverächterin wäre: »Mein Gott, das Pfarrersöhnlein benimmt sich gerade so, als ob es hier den Ton angäbe.« Und dann ahmte sie, die Ostschweizerin, sein breites Berndeutsch nach, das ja auch Welti, ein wenig geschmeidiger, sprach. Dann machte sie aber doch eine zweite Forelle bereit und entgrätete sie sorgsam mit gemurmelten Flüchen.

Das Bett für Stauffer hatte Luise im Gastzimmer hergerichtet, es schien ihr, sein Geruch hänge immer noch darin, obwohl er letztmals vor fast einem Jahr hier genächtigt hatte. Es war kalt draußen und drinnen kühl, trotz all der Öfen, und Luise bekam den Auftrag, eine Bettflasche zwischen Leintuch und Decke zu legen. »An die richtige Stelle«, hatte Stauffer ihr nachgerufen, und sie war errötet und wusste gar nicht, warum. So schob sie die von einem gestrickten Überzug geschützte Flasche ganz ans Fußende und ja nicht weiter nach oben und machte sich aus dem Staub, ehe Stauffer hereinkam.

Am anderen Tag hatte Welti geschäftlich im Verwaltungsrat einer der Banken zu tun, in denen er, dank Lydias Millionenerbe, ein wichtiger Mann geworden war.

Es hatte in der Nacht geschneit, der Boden war gefroren, trotzdem gingen der Gast und Frau Lydia den halben Tag kreuz und quer im Park herum. Sie hatte einen neuen Obergärtner angestellt, den sie für fleißiger und ideenreicher hielt als den alten, und der begleitete sie nun, meist im Abstand von ein paar Schritten, auf ihren Gängen. Luise beobachtete sie sporadisch von einem Fenster aus, sah sie miteinander verhandeln, wobei Stauffer durch ausladendes Gestikulieren auffiel, während der frierende Gärtner in ein blaues Heft Notizen machte. Zwei-, dreimal wurde Luise von Stauffer herbeigerufen und musste Lodenmäntel hinausbringen, Ohrenmützen, einen wärmenden Punsch, den Johanna in aller Eile zubereitet hatte. Die Gläser balancierte sie sorgsam auf einem Tablett. Eine Weile stand sie bei den Trinkenden, wartete darauf, dass sie die Gläser zurückstellten, und kam nun auch ins Frieren, vor allem Hände und Nasenspitze taten weh vor Kälte. Unvermittelt erinnerte sie sich an den Weg über den Splügen, als sie ein kleines Kind war, das mühsame Gehen durch knöcheltiefen Schnee. Nie wieder hatte sie so gefroren. Durch die Erinnerung drang Stauffers Stimme, der darlegte, wie der Belvoirpark bei richtiger Planung in zwei, drei Jahren aussehen könnte. Er achtete kaum auf Lydias Einwände oder Fragen. Man müsse ein Kunstwerk daraus machen, rief er, ein kleines Sanssouci, das in Potsdam ja auch am Hang liege, mit Teichen, Alleen, verschlungenen Wegen, einem Irrgarten und seltenen Bäumen.

Frau Lydia gelang es erst, das Wort zu ergreifen, als

Stauffer den Faden verlor. »Etwas Seltenes gibt es hier auch«, sagte sie mit einem Lächeln und deutete auf einen hohen Baum, nicht weit von ihnen, mit bogenförmig herunterhängenden Nadelästen. »Kennen Sie ihn? Das ist ein Mammutbaum.«

Stauffer starrte sie verblüfft an.

»Mein Vater«, fuhr sie fort, »hat ihn zu meiner Geburt pflanzen lassen. Er soll noch viel höher werden, bis zu hundert Metern, heißt es.«

Der Gärtner bestätigte es, und Stauffer fand die Sprache wieder: »Gut, dass Sie selbst nicht auch noch so unmäßig wachsen.« Er spielte wohl auf seine Größe an, er war nämlich ein wenig kleiner als Lydia. Als er zu Luise trat und sein leeres Glas aufs Tablett stellte, schaute er sie nicht an, nicht einen Augenblick. Frau Lydia hingegen nickte ihr freundlich zu.

Sie ging, nach einem kleinen Knicks, mit dem Tablett ins Haus zurück, in die Wärme. Zumindest hatte auch Stauffer eine rote, fast blaue Nasenspitze gehabt, das freute sie beinahe.

Gegen Abend verabschiedete er sich. Sie trug seine Tasche zur Kutsche, während der Herr Verwalter den Koffer herbeibrachte, den Stauffer womöglich gar nicht geöffnet hatte, denn seine Kleider waren dieselben wie am Vorabend, und sie rochen nach Essen und Tabak. Frau Lydia und er wechselten einige Sätze, bevor er einstieg, sie sah mit ihrem dunklen Kopftuch wie eine Nonne aus.

»Ich werde schreiben«, sagte er, durch die offene Tür, schon im Sitzen.

Sie nickte, sie wirkte steif, schien kaum zu atmen, nur

von ihrem Mund gingen kleine Wolken aus, die sich sogleich verflüchtigten. Die Kutsche fuhr ab, sie winkte ihr nach, obwohl Stauffer sie wohl gar nicht mehr sah. Luise fiel nachträglich ein, dass sich die beiden erneut nicht berührt hatten. Wäre denn beim Abschied nicht wenigstens ein Händedruck, vielleicht ein Handkuss angemessen gewesen?

Niemals, so sagte später Frau Lydia, hätte sie gedacht, dass sie Stauffer erst nach mehr als einem Jahr wiedersehen würde. Ihre Schlaflosigkeit wurde schlimmer, nachdem er abgereist war. Da nützten die längsten und überschwenglichsten Briefe nichts. Sie las Luise, meist im Bett, Abschnitte daraus vor: wie gut ihm Rom tue, wie groß die Arbeitslust, nach einer langen Dürreperiode, wieder geworden sei, wie hartnäckig er sich mit seiner ersten großen Skulptur beschäftige, dem Tonmodell zunächst, wobei der römische Lehm leider brüchig sei und er mit Armierungseisen für den Halt sorgen müsse. Und Lydia ermutigte ihn, an dieser neuen Aufgabe zu wachsen, in ihm stecke ganz gewiss ein Bildhauer von größtem Talent. Wenn sie Luise ihre eigenen Sätze vorlas, strahlten ihre Augen.

Stauffer schrieb nun auch an seinen Schulfreund Welti, bat verklausuliert um Zuschüsse für seine Garderobe, für Einladungen von Freunden, für Reisen in die Umgebung, um antike Baudenkmäler zu besuchen. Luise hörte Welti sagen, er wolle gar nicht wissen, wofür der Maler sein Geld sonst noch verschwende, worauf Frau Lydia verlegen vor sich niederblickte und sich dann doch dafür einsetzte, ihm die Bitte zu erfüllen, denn im Gegenzug erhielten die Weltis regelmäßig gut verschnürte Pakete, in denen ihnen Stauffer Skizzenbücher und Aquarelle schickte. Dazu gehörten ein paar Frauenakte, die zwar virtuos hingepinselt waren, aber im Belvoir unter Verschluss gehalten wurden. In die Skizzenbücher eingeheftet waren auch Zeichnungen von römischen Altertümern, die Frau Lydia und manchmal ihren Mann staunen ließen. »Da siehst du doch, was er kann«, sagte sie zu Welti. Entzückt war sie auch von den alten Teppichen aus dem Orient, um die Stauffer in römischen Antiquariaten gefeilscht hatte, sie kamen als kompakte Rollen an, und Luise half, sie aus den vielen Packpapierschichten auszuwickeln. Auf solche Weise, sagte Frau Lydia, stottere Stauffer Monat um Monat seine Schulden ab, wenn man denn von solchen reden wolle. Und Welti, der durchaus ein Auge für Kostbares und Schönes hatte, stimmte ihr mit gemurmelten Bemerkungen zu.

Im Lauf des Sommers 1888 gewöhnte sich Luise ans Alltagsleben im Belvoir und wurde in gleichem Maße immer stärker von Frau Lydia ins Vertrauen gezogen. Sie lernte, sich unter der zerstrittenen Dienerschaft durchzusetzen, sie wusste, was sie zu tun hatte, um das Ehepaar zufriedenzustellen. Bei Lydias oft rätselhaften Krankheitsanfällen gab es zusätzliche Arbeit, sie wollte durchs Haus begleitet werden, man musste sie stützen, ihr an trüben Tagen in die Kleider helfen, ihr den Rücken waschen, man musste Stärkungstropfen und Pülverchen nach den Vorgaben der Ärzte mischen, ihr das Essen in geeigneten Portionen und der richtigen Temperatur bringen. Luise trug zudem nach Frau Lydias Diktat die Zahlen für die Ausgaben in die

Haushaltsbücher ein und lernte einiges dabei. Die Briefe an Stauffer allerdings schrieb Frau Lydia selbst, oft im Bett und mit krakeliger Schrift, und die durfte Luise, im Unterschied zur anderen Post, nicht durchlesen. Abends kam Welti jeweils kurz zu seiner Gattin, und lag sie im Bett, rückte er auf einem Stuhl nahe zu ihr, strich ihr, wie Luise verstohlen beobachtete, über die Stirn oder nahm ihre Hand mit dem knochig-schmalen Gelenk, das aus dem Hausmantel hervorschaute, zwischen seine Hände, dann senkten sie die Stimmen. Luise verstand nur Fragmente und wurde meist hinausgeschickt.

Sie war in solchen Krankheitsphasen – es handle sich um nervöse Erschöpfung, diagnostizierte der Hausarzt – auch die Botin zwischen den verfeindeten Parteien im Haus, brachte deren Klagen, auf Frau Lydias Geheiß, beim Verwalter vor: dass die Gärtner die Wege viel zu selten rechen würden, dass die Köchin ihre Mägde gegen die Kutscher aufhetze. Der mürrische Verwalter, der noch unter Escher gedient hatte, leitete dies seinerseits mit Mahnungen und Drohungen an die richtigen Adressaten weiter. Aber das änderte wenig an der gereizten Atmosphäre im Haus.

Die Pflichten vermehrten sich für Luise derart, dass sie kaum nachkam, und Welti überredete Frau Lydia, eine zweite Kammerjungfer anzustellen, die Luise bestimmte Arbeiten abnehmen sollte, zum Beispiel die Seidenwäsche, die man nicht der Lohnwäscherin überlassen konnte. Ihre Zimmer und das dazugehörige Bad nach Lydias Ansprüchen zu putzen sollte ebenfalls Aufgabe der Neuen sein. Das Ordnen der Papiere hingegen würde die Hausherrin nach wie vor nur Luise überlassen, die sich darin immer besser auskannte, ebenso wie mit dem morgendlichen Frisieren. Aus einer Reihe von Bewerberinnen wählte Frau Lydia eine Fünfzehnjährige aus Horgen aus, die Tochter eines Fischers, die einen robusten und freundlichen Eindruck machte. Sie hieß Anna Schlatter. Auch Luise durfte bei der Anstellung ein Wort mitreden, denn Frau Lydia fand, die beiden Hausmädchen müssten doch gut miteinander auskommen, besser jedenfalls als die übrigen Dienstboten, die so oft im Streit miteinander lagen. Luise war nun beinahe siebzehn, sie kam sich gegenüber der jüngeren Anna erfahren und erwachsen vor und neigte am Anfang dazu, das Mädchen in allen Dingen ausgiebig zu belehren. Anna war schüchtern, aber gelehrig, einen halben Kopf kleiner als die Kollegin, von stämmigem Wuchs, die Kleider, die sie mitbrachte, waren geflickt, und Luise musste mit ihr in der Stadt einen gutgeschnittenen Rock samt Schürze aussuchen gehen, möglichst in Grau oder Blau, denn Anna sollte bei größeren Gesellschaften auch servieren helfen; dafür eignete sich Aloysia, die mit Eifersucht auf die Konkurrentin reagierte, nach Lydias Einschätzung weniger gut. Aus Mangel an Wohnraum im Nebengebäude brachte der Verwalter die Neue in Luises Kammer unter. Es hatte keinen Sinn, sich dagegen zu sträuben, der Verwalter setzte auf seine frostige Weise durch, was er wollte, und Frau Lydia legte ihm keine Steine in den Weg. Das zweite Bett hatte kaum Platz in der Kammer, und wenn auch noch Aloysia aus alter Gewohnheit spätnachts manchmal zu Luise hereinschaute, kam es darin zu einem Gedränge und bisweilen zum Streit zwischen ihr und Anna.

Luise hatte mit der Neuen lange Nachtgespräche, in denen sie sich allmählich näherkamen. Sie mochte es bloß nicht, wenn Annas Kleider nach einem zweitägigen Urlaub bei den Eltern am See nach Fisch rochen, oft so stark, dass es Luise ekelte. Dann fuhr sie Anna manchmal wegen einer Nichtigkeit mitten in der Nacht an: »Jetzt hör auf zu schnarchen! Bring das Bett nicht derart zum Knarren!«

Luise ging nicht mehr oft nach Russikon, und wenn sie sich doch dort aufhielt und mit den Geschwistern zusammensaß, merkte sie, wie sehr sie inzwischen ihrer Familie entfremdet war. Die neuen Lebensgewohnheiten hatten auf sie abgefärbt, sie ertrug die Unordnung zu Hause schlecht, ebenso die Rülpserei am Tisch, die einfältigen Neckereien, die rauhen Reden. Die Mutter spürte sehr wohl, dass Luise sich innerlich zurückzog, und warnte sie davor, hoffärtig zu werden oder gar zu meinen, sie gehöre nun zu den Vornehmen im Land. »Die können dir im Belvoir«, sagte der Großvater, »von einem Tag auf den anderen den Schuh geben, das ist dir ja wohl klar, und dann bist du wieder hier, sitzt am Webstuhl und bekommst wunde Finger.« Er lachte schallend, obwohl er müde und alt aussah, und wischte sich mit dem Ärmel den Bierschaum von den Lippen.

Nein, dachte Luise, ich werde nicht wieder hier sein, nie mehr.

Ob die Tage und Monate rasch oder langsam vergingen, konnte sie gar nicht sagen. Es war meist ein zäher Fluss mit vielen Pflichten und wenig Höhepunkten. Weltis kühles Verhältnis zu ihr verbesserte sich kaum. Und wenn sein Vater, der Bundesrat, zu Besuch kam, wusste Luise gar nicht, wie sie sich benehmen sollte, er hatte stets einen mürrischen oder leidenden Zug um den Mund. Seine Gattin, vertraute ihr Frau Lydia an, sei schon lange an einem Gemütsleiden erkrankt, dazu sitze er in seinem Amt nicht mehr fest im Sattel, er habe viele Feinde, besonders all jene, die eine Verstaatlichung der Gotthardbahn nicht zulassen wollten. Er sei inzwischen über zwanzig Jahre im Bundesrat, einige Male Bundespräsident gewesen, wie lange er das noch aushalte, sei eine offene Frage.

Bei Tisch, wenn Luise ihm seinen Teller hinstellte, tätschelte Vater Welti hin und wieder geistesabwesend ihre Hand, während er in einem endlosen Redestrom über seine politischen Geschäfte dozierte und der Sohn ihn mit kurzen Einwürfen zu Gegenreden herausforderte. Luise war nicht sicher, ob der Bundesrat wusste, welche Hand er da berührte. Vielleicht meinte er ja, es sei die der Schwiegertochter, die so oft krank war und gewiss väterlichen Trost benötigte. Mit ihrem Vater, dem reichen Escher, dem Eisenbahnkönig, war er lange befreundet gewesen, dann verkracht und zuletzt wieder versöhnt, und es war wohl ihm zu verdanken, dass der große Mann endlich, schon fast auf dem Totenbett, von Geschwüren entstellt, nach langem Zögern der Heirat der Tochter mit dem Bundesratssohn zugestimmt hatte. Wobei sie Friedrich Emil, so hatte sie Luise gesagt, auch ohne väterlichen Segen genommen hätte, ihm sei es als einzigem der vielen Bewerber nicht ums Geld gegangen, sondern um sie, um ihren Verstand und ihre Kenntnisse. Auch wenn ihre Liebe nach fünf Jahren keine überaus zärtliche mehr war, gab es doch eine spürbare Verbundenheit zwischen ihnen. Weshalb sie bisher keine Kinder hatten, wagte Luise nicht zu fragen. Und auch Johanna, bei der sie sich einmal in dieses Gebiet vorgetastet hatte, wollte nichts darüber sagen – außer einem ungehobelten Satz, als gäbe sie Auskunft über Zuchttiere: Vermutlich sei er oder sie halt unfruchtbar. Oder sie will gar keine Kinder, dachte Luise, gerade weil alle darauf warten; die trotzige Seite an Frau Lydia, die sich gerne gegen vorschnelle Erwartungen wandte, kannte sie inzwischen. Aber konnte man eine Schwangerschaft so ohne weiteres verhindern? Darüber wusste sie zu wenig, und weder Anna noch Aloysia konnten die Zusammenhänge erhellen, sie kicherten bloß verlegen.

Bei diesem Thema dachte Luise, ohne dass sie es aussprach, an Anton, den Gärtnergehilfen. Er hatte sich von ihrer abweisenden Art nicht entmutigen lassen und sie in den letzten Monaten an mehreren Samstagen zum Tanz eingeladen. Sie wollte aber nicht mit, obwohl er ihr einen Lebkuchen versprach, und fertigte ihn so schroff ab, dass er sie hochmütig schimpfte. Dabei gefiel er ihr mit seinen Sommersprossen eigentlich ganz gut, und als er einmal flüchtig mit seiner warmen und rauhen Hand ihren nackten Unterarm umschloss, war das ganz anders als beim Herrn Bundesrat, dessen Hände gepflegt, aber irgendwie vertrocknet waren. Luise wollte sich indessen nicht auf eine Liebschaft einlassen, sie wartete auf den Richtigen, und der würde sich, daran glaubte sie felsenfest, zur richtigen Zeit zeigen. Ja, so vieles war in diesem Spätsommer undenkbar. Vielleicht wäre sie geflohen, weit weg, übers Meer, hätte sie alles gewusst, was noch geschehen würde. Ihre Schwester Barbara, die sich mit einem Schlosser verlobt hatte, plante die Auswanderung nach Argentinien, und verheiratete Schulfreundinnen, das hatte sie vernommen, wollten nach Amerika. Auch Anna wurde manchmal an Wochenenden von Fernweh ergriffen, auch sie hatte gehört, man könne so der Armut entrinnen, und sie zeigte Luise Bilder, die sie aus alten Zeitschriften ausgeschnitten hatte, schon vergilbte Fotografien mit Hafenszenen aus China, aus Hamburg oder mit Indianern in vollem Kriegsschmuck. Luise ließ sich von diesem Fieber nicht anstecken; sie lernte dafür von Frau Lydia vielerlei über Mode, Bücher, Musik, was weder Anna noch Anton sonderlich interessierte. Auch wenn sie in untergeordneter Stellung war, genoss sie ein paar Sonderrechte im Haus, auf die sie nicht verzichten mochte. Sie durfte zum Beispiel dabeisitzen, wenn Frau Lydia am späten Morgen Klavier spielte. Seit kurzem hatte sie diese Gewohnheit wiederaufgenommen. Nach dem Tod des Vaters hatte sie den Stutzflügel aus dem Salon in den ersten Stock tragen lassen, wo er unter einer weißen Hülle, die vor Staub schützte, einige Jahre geblieben war. Am Mittwochnachmittag kam neuerdings ein Klavierlehrer ins Haus, ein alter Mann, der zu allem, was die reiche Frau sagte oder wollte, geduldig nickte. Was Frau Lydia dazu veranlasst hatte, wieder mit Üben zu beginnen, konnte Luise bloß erraten. Es hing vielleicht mit Stauffer zusammen, er war, trotz seiner körperlichen Abwesenheit, auf seltsame Weise anwesend. Der Strom seiner Briefe aus Rom versiegte nicht, und je umfangreicher sie waren, desto länger saß Frau Lydia am Klavier, auf dem einbeinigen Drehstuhl, auf den sich auch Luise bisweilen setzte, wenn das

Paar außer Haus war. Dann drehte sie sich mit kindlicher Freude um sich selbst, bis ihr schwindlig wurde und alles ringsum für eine Weile vor ihren Augen verschwamm. Sie hätte gerne ausprobiert, was ihre Finger mit den Tasten zustande brachten, aber sie wagte außer beim vorsichtigen Abstauben nicht, sie zu berühren.

Frau Lydia spielte vor allem die frühen Sonaten von Mozart, die seien nicht zu schwierig und enthielten schöne Melodien, die man mitsummen könne. In der Tat erkannte Luise von Mal zu Mal einzelne Stücke wieder wie gute Bekannte. Und sie hörte sehr genau, dass Frau Lydia sie ganz unterschiedlich spielte, langsam oder rasch, stockend oder fließend, manchmal tadelte sie sich selbst, wenn ihre Finger über schwierige Passagen stolperten, oder sie sagte ihrer Zuhörerin, es sei ein Elend, dass sie sich nicht besser konzentrieren könne.

Luise begleitete Frau Lydia an heiteren Tagen auch hinaus in den Garten, um frische Blumensträuße zu pflücken; die verwelkten brachte Anton auf den Kompost. Er hielt sich, während die beiden Frauen miteinander Art und Größe des Buketts besprachen, dienstfertig in ihrer Nähe auf, er schnitt verschiedenfarbige Rosen nach Lydias Anweisung, ergänzte sie mit Astern, Chrysanthemen, Gräsern, er überreichte den fertigen Strauß Luise und suchte dabei, wie sie genau merkte, die Berührung von Hand zu Hand, streifte sogar, wenn er sich bückte und erhob, ihren Rock, ihre Hüfte. Es nützte nichts, ihm ausweichen zu wollen, er versuchte geschickt, diesen Kontakt als Folge seiner Handgriffe zu tarnen. Luise war dann froh – und vielleicht doch nicht ganz –, ihn auf dem Weg ins Haus loszuwerden, und es beschämte sie, als Frau Lydia sein Spiel einmal doch durchschaute und Luise zuzwinkerte, bevor sie Anton wegwies. Aber die Sträuße im Haus machten sich gut, und ihr oft fast betäubender Geruch, in dem sich Süßes und Herbes vermischten, erinnerte Luise an vergangene Zeiten. Hatte es nicht manchmal in Bergamo auf dem Blumenmarkt so geduftet? Wenn dann aber der Hausherr, wie gewöhnlich erst nach sieben Uhr, heimkehrte, ließ er die Vasen in ein Nebenzimmer stellen, dieser Geruch, behauptete er, verursache ihm Kopfweh und verderbe ihm den Essgenuss. Frau Lydia hatte nichts dagegen, aber am nächsten Morgen, wenn er weg war, ließ sie die Sträuße zurückholen.

Nachdem es Anfang November zum ersten Mal geschneit hatte, gingen sie, diesmal ohne den Gärtnergehilfen, in die noch erstaunlich warmen Gewächshäuser, wo in Kübeln der Oleander und der Hibiskus blühten. Auch damit ließen sich schöne Sträuße zusammenstellen; sie verblühten aber bald, viel rascher als der Sommerflor. Und den paar Blüten, die Luise mit in ihre Kammer nehmen konnte, erging es gleich, trotz täglichen Wasserwechsels und der Beigabe von Eierschalen, wozu der alte Gärtner geraten hatte.

Es ließ sich nicht vermeiden, dass im vordersten Gewächshaus Erinnerungen an die Porträtsitzungen mit Lydia und Stauffer aufstiegen, ob es gute oder unwillkommene waren, konnte Luise nicht entscheiden, sie erinnerte sich an seine abschätzenden Blicke, an ihre Weigerung, sich von ihm malen zu lassen. Möglicherweise erging es Frau Lydia nicht viel anders, denn im Gewächshaus erwähnte sie seinen Namen nie, erst im Arbeitszimmer kam sie bisweilen auf ihn zu sprechen. Sie zeigte Luise Fotografien, die er zu seinen Briefen gelegt hatte, Lichtbilder von sich selbst neben der Skulptur eines Jünglings mit ausgebreiteten Armen, eines sogenannten Adoranten, an der er offenbar seit Wochen fast rund um die Uhr arbeitete. Alles andere, das Zeichnen und Malen, habe er in den Hintergrund geschoben, berichtete Lydia, und in ihrer Stimme klang Bewunderung mit. »Er hat sich jetzt ganz diesem Werk und der Bildhauerei verschrieben.«

Luise schien es, Stauffer habe stark zugenommen, unter dem Malerkittel wölbte sich ein Bäuchlein, und die Skulptur fand sie nichts Besonderes, wollte aber Frau Lydia nicht erzürnen und lobte, was sie sah, in wohlgesetzten Worten, so wie sie es bei anderen Gelegenheiten von seiner Bewunderin gelernt hatte. Was sie Stauffer zurückschrieb, hätte Luise gerne erfahren, doch das verriet Frau Lydia nicht, sie legte sich hinterher, wenn ihr Brief zugeklebt und weggeschickt worden war, für eine Weile mitten am Tag ins Bett. Es war aber nicht ein neuer Krankheitsschub, sondern bloß ein Erholungsschlummer. Die dauernde Schreiberei zehre an ihr, mahnte Welti. Im Übrigen legte ihm die Ehefrau die Briefe von Stauffer und manchmal auch ihre eigenen vor, das hatte Luise beobachtet, und sie wusste nicht, ob Welti dies verlangte oder Frau Lydia es aus eigenem Antrieb tat. Welti riet ihr dringend, sich, ihrer Gesundheit zuliebe, kürzerzufassen; nachts so lange zu schreiben schade den Nerven und verderbe die Augen. Nein, widersprach Frau Lydia auf ihre sanft-beharrliche Weise, diese Art der Konzentration tue ihr gut, Stauffer sei ihr ein wichtiger Seelengefährte. Darauf hatte Welti, der oft übermüdet und blass aussah, keine Antwort mehr, obwohl es in ihm heftig arbeitete, und er zog sich zurück, weil er selbst noch Geschäftskorrespondenz zu erledigen hatte.

8

An zwei Wochenenden fuhr Luise nach Russikon, um den Geschwistern, die noch zu Hause waren, beim Aufsammeln der Haselnüsse zu helfen. Sie waren für den Winter eine wichtige Ergänzung zu Kartoffeln, Kohl und Lauch, während im Belvoir jetzt beinahe jeden Tag Südfrüchte auf den Tisch kamen, die es in Kolonialwarengeschäften zu kaufen gab. Auch der Schweizer Gesandte in Rom, am Königshof, Simon Bavier, der vorher Bundesrat gewesen und mit dem Hause Welti-Escher befreundet war, hatte eine Kiste Orangen ins Belvoir senden lassen. Einen Leinensack voll brachte Luise mit, das hatte Frau Lydia erlaubt, und die beiden Jüngsten, Oskar und Paul, der für seine acht Jahre viel zu dünn und viel zu klein war, machten sich gleich darüber her. Sie waren es nicht gewohnt, Orangen zu schälen, und verletzten mit spitzen Nägeln das Fruchtfleisch, wenn sie versuchten, die faserigen weißen Häute abzuziehen. Beim Essen tropfte ihnen Saft aus dem Mund, dazu bewarfen sie sich mit den Schalen, so dass die Mutter, die ihr Lachen verbeißen musste, sie heftig tadelte. Für Momente sah sich Luise nach Bergamo versetzt, in die Küche mit der Feuerstelle und ihrem intensiven Rauchgeruch. Dort hatten Nachbarinnen oft geschimpft und gelacht, und die Kinder waren herumgewimmelt, als sei das ganze Mietshaus eine einzige große Wohnung. Lina, ein Jahr jünger als Luise und ihre Nachfolgerin im Pfarrhaus, benahm sich jetzt gesitteter. Anna-Sophia hatte schon geheiratet, lebte auf einem kleinen Hof in der Umgebung, mit Kindern, die Luise nur selten sah. Die älteste Schwester, Barbara, war mit einem Schlosser nach Amerika gesegelt. Die Mutter schien allerdings gerade Barbara am meisten zu vermissen, sie redete viel von ihr, stellte kühne Vermutungen an, dass sie vielleicht bald als reiche Frau zurückkehren würde. Ach, die Mutter, sie hatte aufgeschwemmte Beine, ging deswegen nicht mehr gern längere Strecken. Und sie klagte wortreich über ihre Beschwerden, machte sich aber gleichzeitig lustig über Nachbarinnen, die ebenfalls zu klagen hatten. Immer wieder kanzelte sie Luise wegen eines ungewohnten Wortes oder einer unbedachten Frage ab: Sie solle nicht so vornehm tun, sie werde noch schlimm enden, wenn sie glaube, ihre Herkunft verleugnen zu können. Luise schwieg dazu; die gebrechliche Großmutter indessen saß auf dem einzigen Lehnstuhl im Haus mitten in der Gesellschaft, sie lächelte, sagte kein Wort und schien zufrieden zu sein.

Nach dem Verzehr der Orangen gingen die Geschwister mit kleinen Körben hinaus zu den Haselnusshecken am Waldrand, es war zum Glück ein trockener Herbst, sie konnten sich hinkauern und die Nüsse aus dem Laub und dem taunassen Gras klauben. Sie lachten und schwatzten ununterbrochen wie in alten Zeiten, die Körbe füllten sich, aber Luise dachte an die Trauben, die prallen weißgelben und blauen, in die sie damals in Bergamo gebissen hatten. Sie sagte, während sie ein paar Haselnüsse in der hohlen

Hand behielt, den Geschwistern nichts davon, sie selbst hatte ja, anders als sie, im Belvoir den süßsauren Traubengeschmack wiederentdeckt. Mit den vollen Körben gingen sie zurück zum Haus, an Kaninchenställen und Hühnerhöfen vorbei, durch niedergetretenes Gras, über ihnen ein Himmel, in dem eilige Wolken südwärts flogen, sich dabei verfransten und manchmal gleich verschwanden wie bloße Rauchzeichen. Im kleinen Obstgarten vor dem Haus der Großeltern stellten sie die Körbe für eine Weile ab und spielten Fangen zwischen den Zwetschgenbäumen, an denen die letzten reifen Früchte hingen. Es war ein fröhliches Hin und Her, ein Hüpfen, ein Sich-Wegducken vor dem Fänger, Flucht und Neckerei. Lachen klang durch die Luft, der Hund der Nachbarn schoss hinein ins Getümmel. Luise fühlte sich plötzlich um Jahre zurückversetzt, sie geriet in Atemnot, fast so wie der kleine Paul, der sich an ihrer Seite hielt, sie rutschte aus im feuchten Gras, erhob sich wieder, stolperte über einen Korb, aus dem beim Umkippen die Nüsse kollerten. Alle halfen unter Scherzen und Rippenstößen beim Zusammensammeln. Sie pflückten sich Früchte von tiefhängenden Ästen, steckten sie in den Mund, setzten sich hin, wo sie waren, nahe beieinander, kauten mit glücklichen Mienen. Paul war bleich, die Lippen verschmiert vom Zwetschgensaft, schon als Strampelkind war er rasch müde geworden und oft krank gewesen, hatte gehustet, gefiebert, war erschreckend mager geblieben. Kein Wunder eigentlich, dachte Luise, die Mutter war ja mit ihm schwanger gewesen, als sie über den verschneiten Pass gegangen waren. Sie hätten damals erfrieren können, alle sieben, schlecht geschützt und ohne Hilfe, das war ihr erst heute klar, und niemand wusste, wie sich solche Strapazen auf ein ungeborenes Kind auswirkten, auch nicht die Mutter, die sich in solchen Dingen doch auskannte. Was wohl aus ihm werden würde? Luise schaute den kränklichen Bruder mit neuen Augen an, die zärtlichen Regungen hielt sie aber zurück, obwohl er sich scheu an sie lehnte.

Abends aßen sie Kartoffeln und Speck zur Feier des Tages. Zwei Mal hatte Luise bei ihren Besuchen Würste aus der Belvoirküche mitgebracht, die zu unansehnlich für die Herrschaften geworden waren, sie schillerten an einigen Stellen blaugrün, aber man musste sie bloß gründlich braten, dann schadeten sie niemandem. Einmal in drei Jahren durfte Luise, mit Erlaubnis von Frau Lydia, zu Weihnachten sogar einen kleinen Schinken als Geschenk mitbringen. Paul und Oskar waren vor Freude an ihr hochgesprungen, und Luise hatte Paul, wie früher, an den Händen gepackt und um sich herumgeschwungen, bis beiden schwindlig war. Aber diese Nacht jetzt war unruhig, man lag eng gedrängt beieinander, die stickige Luft und die vielen Geräusche war Luise nicht mehr gewohnt. Sie hatte nach schlechten Träumen am Morgen Kopfweh, der Kaffee war lau und schwach, das Brot hart. Luise ging ohne Kummer weg. Es war ihr nicht recht, dass die drei jüngeren Kinder sie noch eine Weile begleiteten und mit ihr, auf sie einplappernd, in Pfäffikon warteten, bis der Zug endlich eintraf, und sie hatte dann doch nasse Augen, als sie durchs Fenster sah, wie die drei neben dem langsam anfahrenden Zug herliefen und ihr beharrlich nachwinkten.

Vom Schweizer Gesandten in Rom kam eine zweite Kiste Orangen, zur Freude auch von Luise, die bloß bedauerte, dass der kleine Paul nicht davon kosten konnte. Es waren dieses Mal besonders schmackhafte Blutorangen, jede einzeln in ein bedrucktes Seidenpapier gehüllt, es gab, fand Luise, keine bessere und saftigere Frucht, und Frau Lydia überließ ihr ein halbes Dutzend, die sie mit den beiden anderen Mädchen, Anna und Aloysia, teilen sollte. Minister Bavier, der offenbar beim italienischen König eine Vorzugsstellung genoss, schickte zudem Grüße von Lydias Schwiegervater und von Stauffer mit, und von diesem kam ein Brief, in dem er die Ankunft des Bundesrats meldete. Der war, wie Frau Lydia erklärte, nach Rom gereist, um zur gleichen Zeit dort zu sein wie der eben gekrönte deutsche Kaiser Wilhelm II., dieser überheblich wirkende junge Mann mit dem geschrumpften linken Arm, den alle sahen und niemand erwähnte. Bundesrat Welti wollte bei seinem Empfang durch den Papst auf dem Petersplatz anwesend sein, und ihr protestantischer Schwiegervater, verkündete Frau Lydia mit leisem Spott, werde bestimmt eine Audienz beim Papst erlangen, ebenso wie bei König Umberto. Es handle sich aber um eine private Reise, er werde hauptsächlich mit Stauffer und dem Gesandten unterwegs sein, um sich unter kundiger Führung die Sehenswürdigkeiten Roms anzusehen. Sehr zuvorkommend sei es von Stauffer, dass er für Welti senior, den Vater seines Freundes, den Cicerone spiele.

»Ach, weißt du«, sagte sie zu Luise, »ich wäre ja so gerne mitgefahren. Vor Jahren waren wir einmal eine Woche dort. Aber ich bin noch zu schwach dafür, und mein Mann hat zu viel zu tun mit seinen ewigen Sitzungen.« Sie schlug die Bettjacke enger um sich, hustete, trank vom Kräutertee, der überall für sie bereitstehen musste, und Luise hörte ihr zu und bürstete, wie jeden Morgen, mit sorgsamen Strichen ihre Haare. »Überhaupt«, fuhr Frau Lydia fort, »mag Emil keine langen Reisen. Er geht ganz in seinen Geschäften auf. Ich müsste ihn richtig zwingen, mit mir länger als ein paar Tage wegzufahren. Nach Paris, ja, da käme er wohl mit. Und ich denke, du dürftest uns begleiten, Luise. Das würde dir doch gefallen, oder nicht?«

Trotz ihrer Morgenmüdigkei geriet sie oft ins Reden, eher in eine Art Räsonieren, und Luise wusste inzwischen, dass es am klügsten war, der Dienstherrin beizupflichten. Das tat sie auch jetzt. Aber Frau Lydias Pläne, die sie am Anfang fast euphorisch vorbrachte, verblassten schon nach wenigen Tagen wieder, neue tauchten auf; manchmal spielte Luise eine Rolle darin, manchmal nicht. Eigentlich hatte sie keine Ahnung, wie wichtig sie für Frau Lydia und ihr Wohlbefinden war und ob sie sie auf Auslandsreisen tatsächlich begleiten würde. Aber wenn sie sich vorstellte, mit beiden, mit dem oft geistesabwesenden Ehemann und seiner Frau, längere Zeit zusammen zu sein, fühlte sie ein Unbehagen.

In rascher Folge trafen im Laufe des Oktobers nun Briefe aus Rom ein, von Stauffer für Frau Welti-Escher ebenso wie von Bundesrat Welti für seinen Sohn Emil, dazwischen Telegramme des Gesandten, der für die Bundeskanzlei das jeweilige Tagesprogramm des Bundesrats zusammenfasste, das dann in Kopie auch die Familie erreichte.

Das Wetter war schön und warm in diesem Herbst und verleitete Frau Lydia, trotz ihrer Schwäche, zu Spaziergängen im Park, bei denen sie Luise begleitete. Sie schoben mit den Schuhen gefallene Blätter von sich weg, kamen an den Beeten mit Gladiolen vorbei, die Frau Lydia zu steif waren, aber auch an den künstlich angelegten Böschungen voller violetter Astern, den Rabatten mit Tagetes, die, zum Unwillen der Gärtner, von weit herum die Schnecken anlockten. Frau Lydia stützte sich auf Luise, sie kam auch bei langsamem Gehen ins Keuchen und musste immer wieder anhalten. Seit Stauffers Abreise war sie eigentlich meist unpässlich gewesen, ohne Energie. Manchmal rasteten sie auf einer der Bänke, die Lydia nach dem Tode ihres Vaters aufzustellen befohlen hatte. Am liebsten verweilten sie beim Mammutbaum oder am kleinen Seerosenteich. Sie hatte stets die neusten Briefe aus Rom bei sich und las Luise Stellen daraus vor, Stauffers schwärmerische Schilderungen vom Pantheon, vom Pincio, dem Platz oberhalb der Spanischen Treppe, der einen Weitblick bis hin zum Petersdom gewähre. Er beschrieb wortreich, wie sehr ihr Schwiegervater diese Exkursionen genieße, die schon um acht Uhr auf der Piazza Colonna begännen. Minutiös zählte er auf, was für Schönheiten die Villa Adriana biete, zu der sie mit der Kutsche gefahren seien – und dass man den Herrn Bundesrat fast nicht aus der Sixtinischen Kapelle weggebracht habe. Die meisten Namen waren Luise unbekannt, aber sie wollte sie sich merken. Wenn sie gegen vier Uhr wieder im Haus waren, brannte im Salon ein Kaminfeuer, der Teetisch war gedeckt. Luise durfte sich zu Frau Lydia setzen, und sie zeigte ihr in einem großformatigen Band mit Stichen aus

Rom, wovon in Stauffers Briefen und auch in denen des Bundesrats die Rede gewesen war. Es freute Lydia, wie ihre Gesellschafterin – denn dazu war Luise in vielen Belangen geworden – über die Kuppel des Petersdoms staunte, über den Moses von Michelangelo, über die Tiberbrücken, das Markttreiben auf dem Campo dei Fiori, wo, wie Luise gleich auch erfuhr, der angebliche Ketzer Giordano Bruno verbrannt worden war.

Lydia beugte sich in ihrem Sessel vor. »Dort möchtest du bestimmt einmal hin. Ja?«

Luise zögerte und freute sich doch. »Aber das ist eine weite Reise«, sagte sie. Viel weiter, dachte sie, als damals von Bergamo zurück in die Schweiz.

»Wer weiß schon, liebe Luise, was noch auf dich wartet. Du bist hübsch, du bist klug. Den Antrag eines reichen und heißblütigen Römers würdest du wohl kaum ablehnen.« Sie lachte so hell auf wie schon lange nicht mehr.

In Luise erwachte der Trotz. Es ärgerte sie, wenn die Dienstherrin die gesellschaftlichen Schranken mit Absicht verkannte. »Wo sollte ich einen reichen Römer kennenlernen? Hier etwa? Beim Servieren? Und er müsste mir ja erst noch gefallen. Sonst nehme ich ihn nicht.«

Lydia wurde wieder ernst. »Da hast du recht. Verzeih, manchmal geht die Phantasie mit mir durch.« Sie klappte das Buch zu, schaute auf den Deckel mit den eingestanzten goldenen Buchstaben: RÖMISCHE MONUMENTE. Ein wenig schien sie zu zittern, trotz des Feuers und trotz der Decke, die Luise ihr gebracht hatte.

9

Im Frühling des neuen Jahrs reiste das Ehepaar tatsächlich nach Paris, aber ohne Luise, die deswegen enttäuschter war, als sie gedacht hatte. Welti hielt die Anwesenheit einer Kammerjungfer für überflüssig, es gebe ja in den Pariser Hotels und auch überall sonst genug Personal. Vielleicht wollte er doch einmal die Zweisamkeit genießen, vielleicht dachte er an ein Kind, das sich auf einer solchen Reise, in einem ganz anderen Umfeld, zeugen ließe. Es war Anna, die das Thema, über das im ganzen Haus getuschelt wurde, in ihrem Nachtgespräch, Bett an Bett, ansprach. Sie unterdrückte ein nervöses Kichern und verstummte gleich wieder, weil Luise dazu schwieg.

Zwei Wochen blieben die Weltis weg, zwei Postkarten bekam Luise in dieser Zeit. Sie zeigten die Kathedrale Notre-Dame und einen belebten Boulevard. Und was Frau Lydia in ihrer steilen, aber engen Schrift schrieb, klang ungewohnt enthusiastisch: Die Luft rieche nach Fortschritt, die Auswahl in den Kleidergeschäften sei überwältigend, und der Turm des Ingenieurs Eiffel für die Weltausstellung, die im Mai eröffnet werde, sei schon fast fertig, ein Monstrum aus Eisen eigentlich, aber imposant, so etwas bringe man wohl nur in Paris zustande. Die beiden, das wusste Luise, waren auch dort, um für die Firma Maggi zu werben, die Suppenextrakte herstellte; Welti hatte Anteile an ihr erworben und wollte für sie einen Stand in der Ausstellung finanzieren. Nicht sehr poetisch, hatte Frau Lydia kommentiert, aber nützlich, auch den Suppenextrakten gehöre die Zukunft. Luise zeigte die Karten abends bei Kerzenschein Aloysia und Anna, die beide neidisch waren, dass Luise von der Hausherrin derart bevorzugt wurde. Nach Paris, behauptete Luise, ziehe es sie nicht besonders, Rom – sie dachte an die Stiche und mit gemischten Gefühlen an Stauffer – würde ihr besser gefallen.

Während der Abwesenheit des Ehepaars ging es im Belvoir drunter und drüber. Die Animositäten zwischen der Küche und den Kutschern, in die sich nun auch das Stallpersonal und die Gärtner mischten, arteten beinahe zum offenen Krieg aus. Der Verwalter wollte schlichten, wurde aber von allen Seiten bezichtigt, selbst Partei zu sein.

Als herauskam, dass Anton, der Gärtnergehilfe, einen Keller des Hauptgebäudes mit leeren Blumentöpfen vollgestellt hatte, behauptete die Köchin, der Lauch im Vorratskeller sei wegen der Zweckentfremdung verfault. Der Obergärtner verteidigte seinen Gehilfen und weigerte sich, die Töpfe wegzuschaffen. Die Köchin war so erzürnt – das kam Luise erst später zu Ohren –, dass sie auf ihn losging. Die beiden konnten von den alarmierten Pferdeknechten nur mit Mühe getrennt werden. Der Verwalter zeigte sich hilflos, und die Köchin suchte Beistand beim alten Herrn Ehrhardt, der, einst ein politischer Flüchtling aus Preußen, einer der besten Freunde von Alfred Escher gewesen war. Er hatte während der langen Abwesenheiten von Lydias Vater im Belvoir gewohnt und beim Personal für Ordnung gesorgt. Auch jetzt war er rasch zur Stelle, maßregelte unterschiedslos alle am Streit Beteiligten und drohte ihnen mit Lohnkürzungen oder gar der Kündigung. Sie senkten die Köpfe und wagten nicht mehr aufzubegehren, bis auf Anton, der seine Unschuld beteuerte, da er bloß einen Befehl ausgeführt habe. Luise, die im Nieselregen stumm dabeistand, neigte dazu, ihm recht zu geben. Aber sie war froh, dass sich auch Anton dem strikten Friedensgebot Ehrhardts fügte.

Der brüchige Frieden hielt, bis das Ehepaar zurück war, und noch eine Weile länger, dann flammte der Kleinkrieg wieder auf.

Frau Lydia hatte nach der Reise wie verwandelt gewirkt, erfrischt und lebhaft, sie hatte Luise beinahe übersprudelnd von den großartigen Gemälden und den Statuen im Louvre erzählt, aber die prekäre Situation unter den Dienstboten holte sie rasch wieder ein. Auch Ehrhardt, der einige Male zu Besprechungen kam, konnte nur noch wenig ausrichten, und es blieb nichts anderes übrig, als den Obergärtner zu entlassen. Er war gewitzt genug, eine beachtliche Abfindung für sich herauszuholen. Zugleich wurde Lydia zugetragen, dass Handtücher, sogar Pferdedecken verschwunden seien, im Küchenvorrat volle Konfitürengläser und halbe Zuckerstöcke fehlten. Der Verdacht quälte sie, dass die Bediensteten durch den Verkauf von gestohlenen Dingen einträgliche Geschäfte machten; aber es ließ sich nichts eindeutig nachweisen, die Schuldigen deckten sich untereinander. Und möglicherweise gehörte auch der so korrekt wirkende Verwalter zu den Profiteuren. Welti, stets in Geschäften unterwegs, hielt sich aus allem heraus, er räumte seiner Ehefrau das Recht ein, über Entlassungen und Anstellungen zu verfügen, willigte in alles ein, was sie nach langem Hin und Her, in das sie manchmal auch Luise einbezog, entschieden hatte. Sie litt selbst unter ihrem Zögern, der mangelnden Entschlusskraft.

»Du kannst dir nicht vorstellen«, sagte sie einmal zu Luise beim Morgentee, »wie sehr es mir manchmal verleidet, dem Belvoir vorzustehen, so wie Emil es wünscht. Ich bin doch nicht eine Herzogin, die mit eiserner Hand regiert.« Sie schöpfte Atem nach einem Schluck Melissentee, und Luise fürchtete schon, sie würde plötzlich, wie schon andere Male, asthmatisch zu keuchen beginnen. »Ich bemühe mich ja«, fuhr sie fort, »das Hauswesen zu führen, wie es sich gehört. Ich habe das schon als Halbwüchsige gemacht. Und zwar nicht schlecht. Mein Vater hat mich oft gerühmt. Obwohl er mit Lob geizig war.« Gleich klang ihre Stimme wieder verdrießlich. »Emil hingegen ist nichts gut genug, was ich vorkehre. Aber besser kann er es ja auch nicht.« Plötzlich verzerrten sich ihre Züge zu einer zornigen Grimasse. »Eine Qual ist das! Wie soll ich das noch länger aushalten!« Sie griff nach Luises Hand, drückte, ja quetschte sie so fest, dass es weh tat, und in ihren Augen war eine Wildheit, die Luise erschreckte. Gleich aber ließ sie die Hand los, sank zurück im Sessel, massierte sich beide Schläfen, und nun klang ihre Stimme gepresst, beinahe krächzend: »Verzeih. Es ist wieder die Migräne. Sie macht mich so unbeherrscht ...«

Ob Frau Lydia ein Kopfwehpulver wolle, fragte Luise.

»Das nützt ja doch nichts!« Sie begann, ihre Knie zu

kneten, und wiegte dazu den Oberkörper hin und her; ihre Hände ließen die braunrote Seide knistern, und es schien fast, als wolle sie sich durch all die Stoffe hindurch, die ihre Beine verbargen, mit Kneifen und Drücken einen Schmerz zufügen.

»Du kannst gehen«, fuhr sie Luise an, und als die nicht gleich reagierte, schrie sie: »Ja, geh, geh endlich!« Da stand Luise auf und verließ, ohne Teegeschirr, wortlos das Zimmer, blieb aber vor der Tür stehen. Minuten später klingelte Frau Lydia sie wieder herein, sie hatte sich ins Bett gelegt und entschuldigte sich bei Luise mit brüchiger Stimme für ihren Anfall, wie sie ihr Verhalten nannte. Luise nickte gutwillig, konnte jedoch ihren Groll nicht ganz weglächeln.

Frau Lydia hatte am Vortag nach wochenlanger Wartezeit einen Brief von Stauffer bekommen, er habe, verriet sie, ihre Einladung, sie endlich wieder einmal zu besuchen, ausgeschlagen, er sei mit seinen Skulpturen beschäftigt, die müssten ihm gelingen, um jeden Preis, davon könne er sich nicht losreißen, es wäre eine Sünde wider die Kunst.

»So sind sie eben, die Künstler«, hatte Frau Lydia gesagt. »Es bleibt einem nichts anderes übrig, als ihren Launen zu gehorchen.«

Schon vorher hatte Frau Lydia den Maler, der jetzt ein Bildhauer sein wollte, weit seltener erwähnt als in der ersten Zeit seines Rom-Aufenthalts. Sie schrieb ihm nach wie vor häufig, aber seine Briefe trafen in größeren Abständen ein; und sie handelten offenbar vor allem von seinen Ansichten über Kunst und Architektur. Luise spürte deutlich, dass Lydia, die er mit »verehrte, gnädigste Frau« anredete, mehr wollte: Bewunderung, Schmeicheleien wie in früheren Briefen, ein wenig Sehnsucht zumindest nach dem Belvoir. War sie verliebt in ihn? Nein, das durfte nicht sein, das verbot sie sich gewiss, so wie auch Luise solche Gedanken sofort verscheuchte. Sie hätte sich ja selbst fragen können, ob ihr Anton mit seiner Unbeschwertheit nicht doch mehr bedeutete, als sie sich eingestand. Aber Verliebtheiten hatten im Belvoir keinen Platz. Oder dann nur heimliche.

In dieser Zeit wirkte auch Welti immer bedrückter. Frau Lydia hatte durchblicken lassen, der Gemütszustand seiner Mutter in Bern habe sich verschlimmert, das bereite dem Bundesrat, den auch anderes plage, und ihrem Sohn große Sorgen. Bei Tisch, wo Luise abends bediente, saß das Ehepaar stumm da. Kein Wort hörte man, auch nicht wie sonst den zähen Fluss von Weltis Monologen über die Gewinnaussichten der Gotthardbahn und der Banken, in deren Verwaltungsräten er dank seiner Heirat saß. Fürs Nichtstun strich er, wie einmal Anton gespottet hatte, eine Menge Geld ein. Luise hatte den Eindruck, dass die beiden in ihrer separaten Welt versunken waren und dort verharrten, bis sie sich erlaubten, nach dem Kaffee endlich aufzustehen und sich im ersten Stock in gewohnter Weise zu trennen. Eines Nachmittags aber kam Welti frühzeitig nach Hause, er war in Aufruhr, warf seinen Mantel irgendwohin, stürmte schwer atmend ins Esszimmer, ließ sich auf einen Stuhl fallen, so dass er beinahe mit ihm umkippte, rief nach Lydia, die oben Klavier spielte. Luise holte sie, die beiden schlossen die Tür hinter sich, ein Auf und Ab der Stimmen war nun zu hören, sich überstürzende Sätze von Welti, dann wieder Schweigen. Und unter den Bediensteten – man wusste nicht, woher – verbreitete sich das Gerücht, man habe Weltis Mutter ins Irrenhaus einliefern müssen. Wenig später trat Lydia aus dem Esszimmer, sie forderte, da der Herr Verwalter seinen freien Abend hatte, Luise und Anna auf, ihren Mann zu stützen und in sein Zimmer zu begleiten. Welti war in der Tat sehr schwach, seine Augen standen voller Tränen, er ließ sich von den zwei jungen Frauen beim Aufstehen helfen, er hatte kaum Kraft zu gehen, schlurfte bloß, halb gezogen von ihnen, übers Parkett, hielt sich am Treppengeländer fest. Oben kam auch Lydia dazu und zog Welti, der wie ein kleiner Junge auf dem Bett saß, die Schuhe aus. Sie musste dazu knien, man sah ihr an, dass sie das aus Pflichtgefühl tat. Welti schaute vor sich nieder, wehrte sich, als Lydia ihn dazu bringen wollte, sich auf die Tagesdecke zu legen, die ihm die Mutter seinerzeit geschenkt hatte. »Ich bin nicht krank«, murmelte er, »bloß niedergeschlagen, aber für Papa ist es schrecklich … Sie ist in der psychiatrischen Anstalt, in der Waldau, am Rand von Bern … Sein Kanzleichef hat mir telegraphiert. Ich fahre noch heute hin. Ich will sie besuchen, sie aufmuntern, auch den Papa trösten …« Er murmelte weiter, ohne aufzublicken, scheinbar ohne auf Luise und Anna zu achten, die in gebührendem Abstand alles mithörten.

»Das sehen wir dann«, erwiderte Lydia, »fass dich jetzt.«

Aber Welti blieb in unveränderter Lage sitzen, während Tränen über seine Wangen liefen und er sie mit dem Hemdsärmel wegwischte, bevor sie auf seine Hosen tropften.

»Und du glaubst wirklich, dass sie Wahnideen hat?«, fragte Lydia, die immer noch am Boden kniete.

»Ja, sie glaubt an eine Verschwörung gegen Papa … Und heute ist sie mit einem Messer auf einen Dienstboten losgegangen. Stell dir das vor, mit einem Messer!« Diese letzten Worte brachen, überlaut, mit einem empörten Aufschluchzen ab. »Aber ich muss zu ihnen. Jetzt noch.« Er erhob sich, schwankte, griff nach hinten, um Halt zu finden, fiel aufs Bett, und Lydia, die aufgesprungen war, hinderte ihn daran, erneut aufzustehen. Er stemmte sich gegen sie. »Das darf doch nicht sein in unserer Familie, verstehst du. Wir müssen den Skandal vermeiden, *à tout prix* …« Erst jetzt reagierte er auf die zwei Hausmädchen im Zimmer, er machte eine fortscheuchende Bewegung: »Was glotzt ihr so?« Wie gelähmt standen sie da, zogen sich, als Frau Lydia mit böser Miene zur Tür wies, rückwärts zurück, vorbei an Stauffers Porträts von Herrn und Frau Bundesrat. Schon seit sie da hingen, eher Ölskizzen als Gemälde, hatte Luise ihren Blick nicht gemocht und noch weniger den verkniffenen Mund des Bundesrats unter seinem struppigen Schnurrbart. Aber Welti-Sohn hatte behauptet, sein Vater wirke darauf weich und gütig, und so wolle er ihn zwischendurch vor sich haben. Weltis gemütskranke Mutter hatte Luise erst zwei Mal gesehen, sie mied, im Gegensatz zum Bundesrat, das Belvoir, ihr sei es nicht wohl in dieser herrschaftlichen Atmosphäre, in diesen Zimmerfluchten, hatte der Sohn Lydia anvertraut.

Luise und Anna standen draußen, zum Haus gehörig und doch nur halb, und Anna sagte: »Wer hätte das gedacht?«

»Behalten wir's besser für uns.« Luise entfernte sich von der Tür, hinter der man nun laute Worte hörte, die Weltis hatten zweifellos Streit. Auch da waren sie besser nicht

Zeugen. Sie räumten unten den gedeckten Tisch ab, es war kaum denkbar, dass sich das Ehepaar in dieser Verfassung zum Essen hinsetzen würde. Sie blieben im Vorraum und warteten auf allfällige Anordnungen.

Kurz darauf kam Welti die Treppe herunter, allein, mit unsicheren Schritten. Er ließ keine Hilfe zu, hob den Mantel auf, der am Boden lag, zog ihn mit komplizierten Verrenkungen und einer unterdrückten Verwünschung an. »Ich fahre«, sagte er, den Kutscher hatte er angewiesen, den Wagen bereitzuhalten. Und weg war er, verschwunden im Dunkeln. Er hatte die Tür offen gelassen, der Herbstwind blies herein, Luise schloss sie mit Nachdruck und drehte den Schlüssel.

Frau Lydia ließ sich nicht blicken und verlangte an diesem Abend keine besonderen Dienste mehr. Sie hatte nicht gegessen, bloß nach einem Schwarztee verlangt. Weder einen Schlaftrunk wollte sie noch ihre dreißig Baldriantropfen, die Luise jeweils abzuzählen hatte, weder nach einem Gespräch verlangte es sie noch nach Trost. Und schon gar nicht, dass Luise sich zu ihr ans Bett setzte und, beim Lampenschein, ein paar Seiten aus Kellers Seldwyler Novellen vorlas. In letzter Zeit hatte sie *Romeo und Julia auf dem Dorfe* vorgezogen, besonders die traurigen letzten Seiten, von denen sie nicht genug bekam. Keller war inzwischen so krank und gebrechlich, dass er nicht mehr ins Belvoir kommen konnte. Frau Lydia hatte ihn hin und wieder am Zeltweg besucht, dann, als das Rheuma ihn immer stärker plagte, verschwand er, und sie erfuhr erst nach einer Weile, dass er sich in Seelisberg am Vierwaldstättersee von der

Öffentlichkeit absonderte. Festivitäten wie die zu seinem siebzigsten Geburtstag waren ihm tief zuwider, in diesem Punkt schien ihn Frau Lydia gut zu verstehen. Beim letzten Mal, da Luise ihn im Belvoir bedient hatte, war er ein wenig betrunken gewesen, hatte vom Stuhl aus zu ihr hochgeschaut und ihr, als sie sich zu ihm hinunterbeugte, ins Ohr gesagt: »Ich muss dir etwas gestehen, liebes Mädchen, ich war einmal in eine Luise sehr verliebt.« Er tätschelte ihren Unterarm, und sie nahm, seinen Vatergeruch in der Nase, ein wenig Abstand, aber es war eine traurig-schöne Erinnerung. Beim Abschied deutete er ins Weite, ins Unbestimmte: »Ich denke, dass ich bald verreise, liebe Luise.« Nun strich er ihr sogar übers Haar und fügte hinzu: »Von wannen keiner wiederkehrt und keine Botschaft man erfährt.« Er lächelte auf seine verschmitzte Weise.

In ihrer Kammer unterhielt sich Luise noch eine Weile mit der Gefährtin. »Jetzt sind beide unglücklich«, sagte Anna, bevor sie einschlief. »Dabei fehlt es ihnen doch an nichts.«

Ja, woran genau fehlte es Frau Lydia und ihrem Mann? Vielleicht an der Kraft, einen Schicksalsschlag zu ertragen? Der junge Welti war nun wohl in der Waldau bei der verwirrten Mutter, vielleicht Seite an Seite mit dem Vater, dem Herrn Bundesrat.

Aloysia, die oft bei ihren Nachtgesprächen dabei gewesen war, hätte dazu geschwiegen, wie immer bei schwierigen Fragen. Sie war unterdessen in ihre Heimat, ins Vorarlbergische zurückgekehrt, man brauchte sie dringend zu Hause.

Luise und Anna waren zu zweit, und der Mond schien

in ihre Kammer, manchmal nahezu flackernd zwischen fliegenden Wolken. Sie hatten, noch mit Aloysias Hilfe, aus alten Stoffen Vorhänge genäht, aber trotzdem hielt das hereindringende fahle Licht Luise lange wach. Sie träumte seltsamerweise vom Maler Stauffer – nicht zum ersten Mal –, er lag, als sie das Gastzimmer mit dem Besen betrat, reglos unter dem Bett, nicht tot, aber ohnmächtig. Sie hatte Angst, er würde wie ein Springteufel hervorschnellen und sie würgen oder küssen wollen. Mit einem Schreckenslaut fuhr sie in die Höhe und stellte fest, dass der Mond inzwischen weg war, vielleicht im See versunken. Schwarz der Himmel, bleichfleckig nur hier und dort, man könnte, dachte Luise, an Gespenster glauben.

Am nächsten Tag kehrte Welti erst gegen Abend aus Bern zurück, er hatte alle Verpflichtungen abgesagt, um bei der Mutter zu sein, sogar die Sitzung der unlängst gegründeten Rückversicherungsgesellschaft, eine Verpflichtung, die ihm sonst, wie Lydia später bemerkte, geradezu heilig war. Er ging, unmerklich schwankend, an den drei Bediensteten vorbei, die ihn empfingen, schien sie gar nicht wahrzunehmen, machte bloß abwehrende Bewegungen, als sie das Übliche zu tun versuchten. Den Hut wollte er aufbehalten, vielleicht fror er, es war draußen wieder kälter geworden. Erst Lydia, die von Luise herbeigerufen worden war, durfte ihn ihrem Mann abnehmen und aufhängen, während Welti sich auf sie stützte. »Es geht ihr miserabel«, hörte Luise ihn auf seine undeutliche Art murmeln, die er meist annahm, sobald er sein angestammtes Gebiet, Finanzpolitik und Versicherungsfragen, verlassen musste. Sie gingen zusammen in den oberen Stock. Frau Lydia ließ sich das Abendessen – ausnahmsweise, sagte sie – in sein Arbeitszimmer bringen. Als Luise hereinkam, um den runden Tisch zu decken, saß Welti, tief gebeugt, den Kopf in die Hände gestützt, auf einem Stuhl, während Frau Lydia in ihrem eigenen Zimmer nebenan, bei offener Tür, noch einen Brief zu Ende schrieb. Einfach so dagesessen hatte Welti noch nie, und Luise staunte, als er, was kaum je geschah, das Wort an sie richtete. Er suchte zwar nicht ihren Blick, aber er meinte auf jeden Fall sie, da außer ihnen beiden niemand im Zimmer war. »Sie wird sich wieder fassen«, sagte er. »Ich glaube, sie erträgt es nicht, dass meinem Vater ein so harter Wind entgegenbläst. Sie glaubt, ihn verteidigen zu müssen, sie findet Schuldige am falschen Ort, im Haushalt, bei den Nachbarn …« Er stockte, schaute Luise nun doch, beinahe flehend, an. »Das geht natürlich nicht. Die Ärzte werden sie wieder ins Lot bringen, sie können ja vieles heute … Aber vielleicht wird sie ein paar Wochen in der Anstalt bleiben müssen.« Er zwang sich zu einem schrägen Lächeln. »Nun ja, sie wird herauskommen, früher oder später. Wir haben um äußerste Diskretion gebeten. Das verstehst du sicher …«

Luise stimmte freundlich zu, er war zufrieden damit, schloss die Augen. Er wollte nichts außer einer Bouillon und ein wenig Brot mit Butter. Sie holte das Gewünschte in der Küche, zum Unwillen Johannas, die eigens etwas Leichtes gekocht hatte, Kalbsschnitzelchen an einer Zitronensauce, dazu Reis. Lydia saß nun wieder bei ihrem Mann. Sie wollte nicht, dass Luise die Suppe schöpfte, sie tat es selbst, ungewöhnlich liebevoll. Weltis Zustand schien sie zu erschrecken und aufzuweichen. Ein wenig Rotwein nahmen sie, bald wurde Luise hinausgeschickt. Erst eine Stunde später rief Frau Lydia sie zum Abräumen, sie werde früh schlafen gehen, sagte sie, es sei alles im Moment sehr schwierig. Und Luise hatte, obwohl sie sich dagegen wehrte, plötzlich starkes Mitleid mit den beiden.

In den nächsten Tagen verließ Welti das Haus nicht, er blieb in seinem Zimmer, Luise traf ihn immer in der gleichen zusammengesunkenen Haltung an. Er hatte Geschäftspapiere auf dem Schreibtisch ausgebreitet, juristische Bücher, er war ja Doktor der Jurisprudenz, hin und wieder spitzte er einen Bleistift, oder er übte auf einem leeren Papier in fast kindlicher Weise seine Unterschrift mit Feder und Tinte. Aber er war, das sagte auch Frau Lydia, völlig unfähig, etwas Zusammenhängendes zu tun. Er weigerte sich, ein weiteres Mal nach Bern zu fahren und die Mutter – »die arme, arme Mutter« – in der Waldau zu besuchen. »Ich kann ihr ja doch nicht helfen«, fügte er hinzu, »ich nicht.« Und nach einer langen Pause: »Wie konnte es nur so weit kommen mit ihr?« Es klang wie eine Selbstanklage. Dann verstummte er wieder für Stunden, zwischendurch entrang sich ihm ein Seufzen, ein kurzer Schluchzer. Der Hausarzt wollte ihm ein Stärkungsmittel verabreichen, redete ihm gut zu.

»Gehen Sie zu meiner Mutter«, entgegnete Welti. »Sie braucht Hilfe, nicht ich. Vielleicht auch der Vater, mein starker Vater. Wer weiß das schon.«

Je matter er wurde, je mehr seine Hände beim Halten der Teetasse zitterten, desto energischer zeigte sich Frau Lydia, zumindest nach außen. Sie hielt den Schriftverkehr mit dem

Schwiegervater aufrecht, ließ sich Bericht erstatten über den Gesundheitszustand der Schwiegermutter. Es gehe ihr deutlich besser, teilte sie ihrem Mann mit, seine Mutter spreche wieder klar, sei ruhiger auch ohne Schlafkur. Vielleicht, dachte Luise, übertrieb sie ja die Fortschritte, damit Weltis Zittern endlich aufhörte.

Am dritten Morgen rief Frau Lydia sie zu sich in das Zimmer, in dem sie arbeitete und schlief. Auch in dieser schlimmen Zeit entschloss sie sich nicht, nachts bei ihrem Mann zu bleiben. Sie ging, als Luise eintrat, in erregtem Zustand auf und ab, blieb bisweilen kurz vor einem Fenster stehen, mit ihren Schritten schien sie nach einem bestimmten Takt zu suchen.

»Jetzt muss er kommen!«, sagte sie ungewöhnlich entschlossen zu Luise. »Jetzt gibt es keine Ausrede mehr! Keine!« Und dazu stampfte sie mit dem Fuß auf. »Er ist ja sein Freund, oder etwa nicht? Es ist seine Pflicht, ihm auf die Beine zu helfen.«

Luise wusste auf Anhieb, um wen es ging: um den Mann in Rom, um Stauffer, und diese Erkenntnis war einen Augenblick lang wie ein blendendes Licht, bestürzend und keineswegs erfreulich. Glaubte Frau Lydia, von ihm verlangen zu können, dass er eigens von Rom herreiste, weil er doch vom Geld der Weltis abhing? Aber sie fragte nicht nach Luises Meinung, sie gab ihr ein schon aufgesetztes und zusammengefaltetes Telegramm, sie solle es so schnell wie möglich im Amt aufgeben, es müsse den Empfänger noch heute erreichen. »Beeil dich!« Dabei hob sie drohend den Finger, wie zum Scherz, doch gleichzeitig klang es so dringlich, als ginge es um Leben und Tod.

Luise beeilte sich in der Tat. Sie nahm nicht die Kutsche, obwohl die kleinere frei gewesen wäre; Welti hatte den Bediensteten strikt verboten, dieses Privileg in Anspruch zu nehmen. So legte sie, mit dem Zettel in ihrer Handtasche und dem nötigen Kleingeld, die Strecke zur Hauptpost im Eilschritt zurück. Sie folgte schnell atmend dem Seeufer, der scharfe Herbstwind, der kleine Wellen vor sich hertrieb, blies ihr entgegen, aber nur die Haufen von nassen Blättern, auf denen sie auszurutschen drohte, ließen ihren Schritt stocken. Sie überholte Passanten, Kindermädchen mit Wagen, Ausläufer mit vollen Rückenkörben. Ein Bäckerjunge rief ihr spöttisch nach: »Wohin so eilig, Fräulein?« Einer auf einem schwankenden Velo – sie hatte noch nicht viele gesehen – wich ihr im letzten Moment aus. Das Hauptpostgebäude stand in der Nähe des Fraumünsters, fast am Ufer der Limmat, dort, wo sie bei der Einmündung in den See immer breiter wurde. Sie wusste, wo das Telegraphenbureau war, stellte sich in die Schlange vor einem der drei Schalter. Die Wartenden schwatzten miteinander, einige erzählten sich unverhohlen, wohin ihr Telegramm gehen sollte, nach Nizza, nach Bremen, nach Kopenhagen, zur Cousine mütterlicherseits, die sich einen Professor geangelt hatte, zum Großonkel, der ins Baltikum ausgewandert war. Die Schlange rückte nur langsam voran, und Luise konnte ihre Neugier nicht bezähmen, holte das Telegramm aus ihrer Handtasche und überflog Frau Lydias Zeilen; sie waren leserlicher abgefasst als sonst. *Sofortiges Kommen dringend erwünscht,* stand da, *Emil in schlechtem Zustand wegen gemütskranker Mutter / benötigt Aufheiterung von bestem Freund. / Ganz die Ihre, Lydia Welti-Escher.* Also doch, sie wollte, dass Stauffer unverzüglich anreiste, tausend Kilometer im Nachtzug. Seinetwegen? Ihretwegen? Mit schlechtem Gewissen faltete sie das Blatt wieder zusammen, überreichte es, als sie endlich an der Reihe war, dem Fräulein vom Amt mit den gelockten Haaren. Luise sollte den Text nicht diktieren, wie andere es taten, sondern ihn, das hatte ihr Frau Lydia befohlen, zum Abschreiben übergeben, auch wenn dies mehr kostete als die Grundgebühr. Sie wäre enttäuscht, sogar zornig gewesen, hätte sie gewusst, dass Luise die Nachricht gelesen hatte. Aber es stand ja nichts Unehrenhaftes oder Schimpfliches darin, und kein Wort würde Luise weitersagen, auch Anna nicht.

10

Das Telegramm, das Stauffer zurückschickte, bekam Luise nicht zu Gesicht, es war klar, dass Frau Lydia verschweigen wollte, was darin stand. Aber zwei Tage später war er da, beinahe triumphierend zog er im Belvoir ein, mit geschwellter Brust, nach wie vor schien dieser Brustkasten sein Veston – ein ziemlich schmutziges – zu sprengen. Wieder hatte er wenig Gepäck bei sich, er wusste ja, dass Lydia für alles sorgen würde, was er benötigte. Fast sah es aus, als wolle er sie umarmen, aber sie wich, vor den Augen des halben Dienstpersonals, einen Schritt zurück. Welti seinerseits mühte sich zur Begrüßung die Treppe hinunter. Luise verstand nun, dass der Besuch eine Überraschung sein sollte, denn der Patient, wie Stauffer ihn nannte, konnte sich kaum davon erholen, dass sein Freund so plötzlich aufgetaucht war. »Wie aus dem Nichts!«, sagte Welti, er schüttelte den Kopf und lachte sogar ein wenig, und die beiden lehnten nun doch einen Moment ihre Wangen brüderlich aneinander. Die von Stauffer war nach der Reise stoppelig, die von Welti frisch rasiert, Frau Lydia bestand darauf, dass er sich nicht gehenließ. Aber sie hatte ihn beim Rasieren überwacht, damit ihm bei seiner gegenwärtigen Schwäche die Klinge nicht ausglitt. Selbst wollte sie es nicht tun, obwohl er sie darum gebeten hatte.

Stauffer erfüllte das Entrée mit Lärm und seiner dröhnenden Stimme; er setzte den Koffer mehrfach ab, schob ihn herum, übergab ihn schließlich Luise, die er nun doch wiedererkannte: »Ins Gastzimmer. Du weißt schon, welches.« Die Bediensteten befolgten seine Anordnungen, und weder Lydia noch Emil hatten etwas dagegen einzuwenden. Anna brachte auf einem Tablett drei Gläser mit Portwein, noch stehend stießen sie miteinander an. Man hatte den Eindruck, es sei wieder Leben im Haus, auch das Personal, das nur noch gedämpft geredet hatte, getraute sich plötzlich wieder, vernehmlicher zu sprechen. Frau Lydia atmete rasch, sie trug ein violettes Kleid mit schwarzen Samtbordüren, und Luise hatte, als sie ihr hineinhalf, beteuern müssen, dass es ihr vortrefflich stehe und, ja, auch ihre Figur zur Geltung bringe. Die kleine Gesellschaft wechselte, angeführt von Lydia, in den Salon hinüber, wo Knabbereien in mehreren Schalen auf dem Tisch standen. Eine mühsame Fahrt sei's gewesen, beklagte sich Stauffer, lachte aber dazu, er habe das Coupé mit einer korpulenten Engländerin und ihrem Zaunstecken von Mann geteilt, ihr Hündchen, irgendeine winzige Promenadenmischung, habe sich erst unter der Bank hervorgewagt, als er, Stauffer, ein Schinkenbrot ausgepackt habe, das Hündchen habe winselnd um einen Bissen gebettelt, ihm dann aber das ganze Brot weggeschnappt. Da lachte auch Welti; Stauffers Ankunft schien ihn verwandelt zu haben, von seiner verwirrten Mutter sagte er kein Wort, und Stauffer fragte auch nicht danach. Er stürzte ein Glas Portwein nach dem anderen herunter, er hatte einen gebräunten, beinahe gegerbten Teint, er schwärmte vom Klima in Rom, wo es immer noch warm sei wie hierzulande im Sommer, schoss Blicke hinüber zu Frau Lydia, die an seinen Lippen hing. Sie wollte, dass er ihr übers Kapitol und die römischen Tempel alles erzähle, und er antwortete mit grandseigneuraler Geste, das habe doch Zeit. »Nicht alles auf einmal, verehrteste Frau Welti, jetzt müssen wir uns erst mal wieder aneinander gewöhnen. Ich bleibe ja ein paar Tage.« Wieder brach sein überlautes Lachen hervor. Luise stand in der Nähe, abrufbereit, betrachtete zum ersten Mal seit langem wieder die *Gotthardpost*, die ihr gegenüber hing, dachte daran, wie sie damals vor den offenen Pferdemäulern zurückgeschreckt war. Und als sie zum Tisch schaute, schien ihr, dass unsichtbare und straff gespannte Zügel den Gast und das Ehepaar zusammenhielten. Aber wer sie führte, war nicht klar.

Welti hörte seinem Schulfreund zunächst schweigend zu. Dann erzählte er doch, leise und stockend, wie schlimm es für ihn gewesen sei, die Mutter in der psychiatrischen Anstalt derart verändert vorzufinden, mit verkrampften Gliedern, verzerrter Miene, etwas Dämonisches habe er in solchen Symptomen gesehen, etwas Archaisches. Er schloss die Augen, griff sich an den Kopf, und Stauffer, der ernst geworden war, sagte: »Lass das jetzt, Emil. Man sorgt ja gut für sie. Wir können morgen oder übermorgen weiter darüber reden.«

Weltis Miene hellte sich auf: »Du bleibst so lange, Karl?«

Stauffer hob drei Finger wie zum Schwur. »Ich werde dich aufheitern, Emil. Und daneben die Pläne besprechen, wie wir den Garten umgestalten können. Das lenkt dich ab, und Ablenkung brauchst du, da hat deine Frau hundertmal recht. Und weißt du was? Ich habe Hunger!« Damit kehrte sein Lachen, dunkler grundiert jetzt, zurück.

Welti gab Order, das Dîner aufzutragen, und Luise musste unten in der Küche zusammen mit Anna den ersten Gang, eine große Kalbspastete, bereitmachen und den Servierwagen zur Salontür schieben. Die Tischgesellschaft war inzwischen ruhiger geworden, Luise, die mit geübten Handgriffen aufdeckte, wusste nicht, warum. Hatte jemand etwas Unerwartetes oder Kränkendes gesagt? Kaum hatte sie die noch warme Pastete aufgeschnitten und serviert, schickte Welti sie, kurz angebunden wie in der Zeit vor seinem lähmenden Kummer, wieder hinaus; sie wartete unten in der Küche, dem Gekicher von Johannas Gehilfinnen ausgesetzt, aufs Klingelzeichen, mit dem der nächste Gang herbeibefohlen wurde. Es kam lange nicht, die drei dort oben verloren sich offenbar in endlosen Gesprächen, oder das Ehepaar hörte Stauffers Monologen zu, und Welti wollte möglicherweise verhindern, dass Luise an der Türe horchte.

Stauffer blieb weit länger, als er ursprünglich geplant hatte, fünf Wochen im Ganzen, bis tief in den strahlenden Oktober hinein. Welti ging es zwar besser, er reiste nun mindestens einmal wöchentlich nach Bern, zur Mutter, die langsam, wie er sich ausdrückte, wieder zu sich kam. Das entlastete auch ihren Mann, den Bundesrat, der ja sonst schon genug Sorgen hatte. Trotzdem blieb Welti fast allen seinen Geschäften fern; er schreibe, hörte Luise ihn mehrmals sagen, an einer juristischen Abhandlung über komplizierte Versicherungsfragen, die nun in der prosperierenden

Schweiz immer wichtiger würden, und dabei zeigte seine Miene einen ungewohnten Stolz. Erstaunlich war, dass Stauffer, was die Gestaltung von Haus und Garten betraf, die Herrschaft über das Belvoir zu übernehmen schien. Der Hausherr ließ ihn gewähren, und Frau Lydia spornte ihn zu immer kühneren Ideen an. Wieder gingen die beiden stundenlang durch Treppenhaus, Gänge und Wohnräume, diskutierten über Farbe und Musterung neuer Portieren, über passende Gobelins, den Ersatz allzu schwerfälliger Möbel aus der Generation von Lydias Vater. Stauffer führte das große Wort, er hatte nun einen Notizblock bei sich, auf den er dauernd skizzierte und schrieb. Luise begegnete dem Paar bei der Erfüllung ihrer Pflichten immer wieder, und sie wunderte sich nicht, dass Stauffer sie ignorierte und auf Frau Lydias Einwände kaum zu achten schien, hingegen ihr enthusiastisches Lob zu dem einen oder anderen Vorschlag wie eine verdiente Huldigung entgegennahm. Da kam er Luise vor wie ein gutgenährter Kater, der sich über den Schnurrbart strich.

Lieber noch hielten sich die beiden draußen auf, und was Stauffer schon beim vorherigen Besuch, damals bei winterlichen Verhältnissen, in seiner Phantasie inszeniert hatte, setzte er nun fort: die Verwandlung des Anwesens in ein kleines Sanssouci, zumindest auf dem Papier. Die Kosten, versicherte Frau Lydia, könne man vorläufig ignorieren, und so war es selbstverständlich, dass Luise jeweils ein Picknick zu ihnen hinausbrachte, nicht mehr Glühwein wie damals, sondern Brote mit Gänseleberpastete, gekühlten Weißwein, dazu eine Decke, die sie sorgsam auf kurzgeschnittenem und trockenem Gras ausbreitete. Auf ihr lagerte das Paar in bequemer Pose, aber in gebührendem Abstand, meist im Halbschatten, und ließ sich auf Porzellantellern und mit Kelchgläsern bedienen. Frau Lydia sorgte dafür, dass ihr Rock nie zu weit hinaufrutschte, auch nicht beim mehrmaligen Anstoßen, bei dem sie sich einander zuneigten. Das belustigte Luise im Stillen. Sie hatte Welti, der in seinem Arbeitszimmer blieb, die Einladung zu überbringen, sich zum Freund und zur Gattin zu gesellen und am Picknick teilzunehmen. Das schlug er regelmäßig aus, bis auf ein einziges Mal, als er mit Verspätung erschien. Er trank und aß ein wenig, fühlte sich aber sichtlich unwohl, er verscheuchte dauernd fliegende und kriechende Insekten.

Ein hin- und herlaufendes Gespräch entstand nicht *en plein air*, er ging bald wieder, fragte vorher, ob man Flecken an seinem Hosenboden sehe, er habe zu spät bemerkt, dass er ins Gras gerutscht sei, dann verwies er darauf, dass man sich ja abends in komfortableren Verhältnissen wiedersehe und die wegweisenden Gedanken vom Vortag weiterspinnen könne. Was meinte er damit? Stauffer rief ihm lachend nach, grüne Flecken an dieser Stelle wären doch ein angenehmer Farbtupfer in seinem Tweedgrau.

Frau Lydia, meinte Johanna später in der Küche, müsse sich nicht wundern, wenn in der Stadt über sie getratscht werde, diese Zweisamkeit verletze den guten Anstand, und das bleibe bei so vielen Beobachtern nicht geheim. Der gnädigen Frau sei das aber offenbar egal, und der bedauernswerte Herr habe nicht die Kraft, sich durchzusetzen. Luise hatte den Verdacht, dass Johanna selbst zu denen gehörte, die mit ihrem Hinterherspionieren in Läden und bei Bekannten prahlte und wohl gleich noch ein wenig übertrieb.

Aber Luise, die genau hinschaute, hatte nie eine Unziemlichkeit bemerkt, eher eine gewisse Kühle von Seiten Stauffers und manchmal auch von Frau Lydia, jedenfalls keine Berührung. Und deshalb fühlte sie sich provoziert, der Köchin zu widersprechen. Darauf reagierte Johanna mit Spott, es gebe ja, wie der naiven Luise vielleicht bekannt sei, nebst dem Tag auch die Nacht, und sie selbst kenne Schleichwege im Haus, Hintertreppen, hätte man im Belvoir einen Hund, würde der sicherlich irgendwann zwischen Mitternacht und Sonnenaufgang bellen und anzeigen, dass jemand im Haus unterwegs sei. Sie bekam den Beifall der Küchenmädchen, doch Luise empfahl ihr dringend, nichts Unbeweisbares weiterzuverbreiten, sonst würden die Weltis am Ende noch Anzeige gegen sie wegen Verleumdung erstatten. Die Schwatzbasen verstummten, der Köchin klappte der Mund zu, und Luise drehte sich um und *rauschte* hinaus, so hätte es in einem der Romane, die ihr Lydia auslieh, wohl geheißen.

Nach zwei Wochen mit Stauffers lautstarker Präsenz fing Welti wieder an, seine Verwaltungsratssitzungen zu besuchen, wenn auch wohl als ziemlich schweigsames Mitglied, wie Lydia einmal einer Freundin beim Tee anvertraute. So waren nun Stauffer und sie noch ungestörter zusammen. Es war schon beinahe imponierend, wie sie sich all den hämischen Vermutungen entgegensetzten, sie hatten offenbar, sagte sich Luise, kein schlechtes Gewissen, das sollte sich auch Anna hinter die Ohren schreiben, die eher auf der Seite der Köchin stand.

Was danach, ungefähr von Anfang Oktober an, genau

ablief, wusste Luise nicht mit Sicherheit zu sagen. Es war, nach der langen Schönwetterphase, deutlich kälter geworden, die Blätter fielen. Beinahe jeden Abend musste Luise Feuer im Cheminée machen und Birkenscheite aus dem Keller holen. Der Gast saß mit dem Ehepaar oft bis Mitternacht zusammen, auf dem Tisch lagen am andern Morgen aufgeschlagene Karten von Paris, Rom und Florenz, die niemand weggeräumt hatte und auch Luise nicht anzufassen wagte. Sie überlegte, ob die drei wohl eine gemeinsame Reise in eine dieser Städte planten, und nahm an, dass die Kammerzofe, wie bei der letzten Paris-Reise, als Begleitung bestimmt nicht dabei sein würde. In ihr wuchs eine Bangigkeit; würde das Ehepaar auch bei einer längeren Abwesenheit auf ihre Dienste verzichten? Man hörte hin und wieder von Herrschaften, die ihr Hauspersonal von einer Woche auf die andere entließen, ohne Abfindung auch nach jahrelangen treuen Diensten. Aber eigentlich war sie davon überzeugt, dass Frau Lydia mit ihr nicht so verfahren würde. Wo wollte sie sonst hin? Was würde aus ihr werden? Einen Bräutigam, der ihre Zukunft absichern würde, hatte sie bisher nicht gefunden; aber eigentlich wollte sie noch gar keinen, obwohl es für sie, mit neunzehn Jahren, allmählich Zeit wurde, sich umzuschauen. Aber nur wenige Männer gefielen ihr. Und Anton, der sommersprossige Gärtnergehilfe, der so ausdauernd um sie geworben hatte, kam nicht in Frage, er war einen halben Kopf kleiner und ein halbes Jahr jünger als sie und würde es bestimmt nie zu etwas Eigenem bringen.

Anfang Oktober nahm die Zahl der Besucher plötzlich zu, es sah aus, als ob sie – von Welti, von Lydia? – herbestellt worden seien. Ehrhardt kam einige Male vorbei, der rundliche Verleger Bürkli, Robert Freund, der Klavierlehrer, der immer noch sporadisch im Belvoir auftauchte, um Frau Lydia zu unterrichten. Die Besucher zogen sich mit den drei Verschworenen, so nannte Luise sie für sich, in den Salon zurück, manchmal in eines der oberen Zimmer. Sie blieben lange, und wenn sie das Belvoir verließen und Luise ihnen die Mäntel übergab, glaubte sie, in ihren Mienen eine geheimnistuerische Zugeknöpftheit zu lesen; Ehrhardt schien sogar auf den Zehen zu trippeln, um ja kein Aufsehen zu erregen. Ein weiterer Besucher wurde als Anwalt, ein anderer als Häusermakler erkannt. Worum ging es da? Was wurde hinter der verschlossenen Tür beraten? Die Gerüchte vervielfachten sich im Belvoir, schwirrten durchs Gesindegebäude wie lästige Fliegen. Johanna war überzeugt, dass die Weltis einen neuen Verwalter einsetzen wollten, der endlich für Ordnung sorgen und alle ihre Widersacher entlassen würde. »Oder du bist es, die gehen muss«, wagte ein Küchenmädchen, halb im Scherz, zu widersprechen, was ihr eine Ohrfeige eintrug. Nein, sagte der Kutscher, die Weltis wollten im Park ein neues Gebäude erbauen lassen, weiß der Kuckuck, warum. Als ob sie nicht schon Platz zum Verschwenden hätten. Und der grämliche Verwalter tat so, als ob er etwas wisse, und wusste doch so wenig wie alle andern. Auch Luise hatte keine Ahnung, obwohl sie inzwischen Frau Lydia am nächsten stand. Es fiel ihr allerdings auf, dass ihre Wangen nach solchen Besprechungen glühten und sie so belebt, beinahe aufgekratzt wirkte wie schon lange nicht mehr, während Stauffer beim Verlassen des Salons schmissige Melodien pfiff und die Hausmädchen unverhohlen musterte, wie eine künftige Beute, so kam es Luise vor. Was er bei alledem für eine Rolle spielte, weshalb er überhaupt dabei war, blieb völlig undurchsichtig.

»Nimm dich in Acht vor ihm!«, warnte Luise abends die jüngere Anna in ihrer Kammer. Doch die lachte bloß. »Wenn der Stauffer eine will, dann dich«, sagte sie. »Und zwar gratis und franko. So ist der. Hast du das noch nicht gemerkt?«

Er will Frau Lydia, dachte Luise, er will die Strenge, die Spröde, er will, dass sie ihn auch will. Aber solch dumme Ideen behielt sie für sich und vertraute sie auch nicht Anna an. Nicht einmal flüsternd, denn im Gesindegebäude hatten die dünnen Wände Ohren.

Dann der Donnerschlag, auf den niemand im Haus gefasst war. An einem Sonntag im späten Oktober, gegen Mittag, rief Frau Lydia Luise zu sich. Draußen hatte es zu regnen begonnen, durch die Bäume rauschte ein starker Wind. Frau Lydia war allein, saß ganz geschäftsmäßig hinter ihrem Schreibtisch und forderte Luise auf, sich auf den gepolsterten Besuchersessel zu setzen. Das war noch nie geschehen, Luise gehorchte und spürte ihren Puls am Hals.

»Du bist die Erste im Haus, die es vernimmt«, sagte Frau Lydia. Sie atmete schnell, die Augen wirkten lebendig wie schon lange nicht mehr. »Was ist denn …«, wollte Luise fragen. Aber Frau Lydia kam ihr zuvor: »Wir ziehen weg von hier, Emil und ich. So bald wie möglich. Das haben wir beschlossen. Und jetzt gibt es eine Menge zu organisieren.«

Luise hatte Mühe, den Sinn dieser Worte zu verstehen. Weg von hier? Weg vom Belvoir? Das konnte nicht sein. Ein Warum lag ihr auf der Zunge, aber sie schwieg. Ihre Verwirrung brachte Frau Lydia zum Lachen. »Doch, doch, liebe Luise, wir haben es uns reiflich überlegt. Hier hält uns nichts mehr. Oder sagen wir: wenig. Wir sind nicht beliebt in Zürich. Ich gelte, wie schon mein Vater, als Fremde, als Außenseiterin. Die Zustände im Belvoir belasten mich viel zu sehr. Ich muss in einem anderen Klima erstarken, einem wärmeren, ich will nicht länger einem so großen Hauswesen vorstehen. Dazu raten mir dringend die Ärzte.« Sie stockte, schob einen Federhalter auf dem Schreibtisch hin und her. Was sie gesagt hatte, klang, Satz um Satz, wie eine einstudierte Rede, nun aber wurde die Stimme weicher. »Weißt du, ich brauche mehr Zeit für meine Pläne. Das sieht auch Emil ein, er steht da ganz auf meiner Seite. Zuerst wollte ich nach Paris, aber Emil bevorzugt Italien. Und so werden wir jetzt in den Süden ziehen. Für wie lange, weiß ich nicht. Dort gibt es genug Möglichkeiten, Kunst, allergrößte Kunst zu studieren. Das ist das, was ich will: Kunst studieren, Kunst fördern.«

Luise hatte sich in ihrem Sessel versteift. Hundert Einwände und Fragen schossen ihr durch den Kopf. »Aber …«, vermochte sie bloß zu sagen.

Scheinbar ungerührt fuhr Frau Lydia fort: »Stauffer geht uns voraus und sucht in Florenz eine Villa für uns.«

»In Florenz?« Luise konnte kaum fassen, was sie hörte, und noch weniger, was es für sie selbst und fürs Belvoir bedeuten mochte.

Aber nun hielt Lydia, die sonst so Beherrschte, nicht

mehr an sich. Sie sprang auf die Beine, klatschte in die Hände und rief übermütig: *»Ma sì, Firenze, Firenze!«*

Luise hingegen sank auf dem Sessel zusammen und brach beinahe in Tränen aus. »Und ich … kann ich denn …«

Auch dadurch ließ sich Lydia nicht bremsen. »Wenn wir etwas Geeignetes finden, werden wir das Belvoir verkaufen. Dort wartet ein neues Leben auf uns, Luise, *una nuova vita,* stell dir vor! Wir lassen all diese Pharisäer hinter uns!« Sie drehte sich um sich selbst, als würde sie einen Tanz beginnen, beugte sich dann über den Schreibtisch zu Luise hinüber: »Du sprichst doch Italienisch, wie?«

Luise nickte. »Ich hab's schon lange nicht mehr geübt.«

»Du wirst es üben. Du kommst mit uns, ja? Wir fahren zusammen nach Italien.«

Alles in Luise war in Aufruhr. Meinte Frau Lydia es ernst? Das würde ihr ganzes bisheriges Leben umstoßen. Wollte sie das? Konnte sie das?

»Ich weiß nicht … es ist alles so unerwartet …«

Frau Lydia glättete ihr Kleid, setzte sich wieder, etwas ruhiger nun. »Für uns ja auch. Aber Stauffer hilft uns, er ist ein guter Ratgeber … Emil wird halt hin und wieder für wichtige Sitzungen in die Schweiz fahren. Das geht schon. Er kann ja nicht aus allen Verwaltungsräten zurücktreten … Aber dich will ich nicht verlieren, liebe Luise …« Sie fasste über den Tisch hinweg nach Luises Hand, und sie überließ sie ihr, beinahe willenlos, wie bei einer ärztlichen Konsultation. Auch in ihr begann etwas aufzuglühen, eine Vorfreude, eine Hitze, als wäre sie unversehens im Hochsommer gelandet, in Bergamo, wenn die Gassen, die in der Sonne lagen, beinahe ihre Fußsohlen verbrannten.

Allmählich kam sie zu vernünftigen Gedanken. »Ich kann mir vorstellen, mit Ihnen zu kommen«, sagte sie. »Aber was ist mit Anna? Soll sie hier bleiben? Sie ist meine Freundin geworden, und ich weiß, wie tüchtig sie ist.«

»Anna?« Die Frage ernüchterte Frau Lydia nur kurz, ihre Miene hellte sich gleich wieder auf. »Ja, du hast recht. Weißt du was? Sie kommt auch mit. Dann seid ihr zu zweit, und du hast Gesellschaft. Statt dass dir irgendein Galan das Herz bricht. Und es gibt bestimmt genug für euch zu tun.« Sie sprang erneut auf, machte ein paar tänzerische Schritte vom Schreibtisch weg. Am Fenster blieb sie stehen, öffnete einen Flügel. Frische Luft strömte herein, Regentropfen sprühten aufs Fensterbrett. Sie kehrte zurück an ihren Platz. »Ja, das ist doch gut so. Emil wird nichts dagegen haben. Und deine Mutter gewiss auch nicht, oder?«

Daran hatte Luise noch nicht gedacht. Die Familie würde sie wohl lange nicht mehr sehen. Sei's drum. Sie nickte, ihr war klar, sie wollte mit, unbedingt. Und sie würde Anna davon überzeugen, sie zu begleiten. Wo fanden sie sonst eine solche Stelle? Wo eine Arbeitgeberin, die beinahe ihre Freundin war?

»Ach, die Mutter. Sie wird nicht allzu traurig sein. Da gibt es noch andere Kinder, die sich um sie kümmern.«

»Acht seid ihr, ja?« Frau Lydia schaute ihre Hände an, als wolle sie die Kinder an den Fingern abzählen, und ihre verwunderte Miene verriet, dass sie sich ein solches wimmelndes Leben überhaupt nicht vorstellen konnte. »Du kannst den Deinen jederzeit schreiben und sie dir. Briefe sind zwei, drei Tage unterwegs, länger nicht. Das weiß ich von meiner Korrespondenz mit Stauffer.«

Luise nickte, ein wenig unwillig. Mutter Rosina schrieb ungern Briefe, und wenn, dann bloß kurze mit drei, vier Zeilen, und bei den Brüdern war es nicht anders; sie setzten auf die Geburtstagskarten, die jeweils Lina verfasste, höchstens mit ungelenken Buchstaben ihren Namen. Ganz anders als die endlosen Abhandlungen, die Stauffer ins Belvoir geschickt hatte, die füllten mittlerweile eine ganze Schreibtischschublade, die oberste links. Aber jetzt war Stauffer da in Person, jetzt schrieb er nicht, sondern redete, und er redete viel, die Stimme schallte manchmal durchs ganze Haus, wahrscheinlich war er es, der den Weltis, vor allem Lydia, eingeredet hatte, nach Italien auszuwandern, in seine Nähe.

»Kann ich auf dich zählen?«, fragte Lydia wieder in einem andern Ton, werbend beinahe. »Oder brauchst du Bedenkzeit?«

Luise schüttelte den Kopf und lächelte unwillkürlich, obwohl sie ernst und gefasst sein wollte. »Nein, ich komme mit Ihnen. Ich komme auch, wenn Anna dableiben will.«

Sie sah, dass Frau Lydia ihr Lächeln erwiderte. »Danke, ich glaube, es würde mir schwerfallen, auf dich zu verzichten. Sehr schwer. Wie es weitergeht, besprechen wir später.«

Sie reichten sich über den Tisch hinweg die Hände, Luise schämte sich ein wenig, dass ihre schweißfeucht war, die von Frau Lydia hingegen trocken und kühl.

»Carlo«, sagte Lydia danach, »fährt schon morgen, mit Geld für eine Anzahlung.« Sie errötete und verbesserte sich: »Stauffer, meine ich, Herr Stauffer. Sobald er etwas Geeignetes gefunden hat, benachrichtigt er uns, und dann reisen wir so rasch wie möglich ab.« Und nach einer Atempause brach es, nahe am Jubel, aus ihr heraus: »Ich kann es kaum erwarten!« Sie machte eine ausholende Geste und wischte dabei ein paar Blätter vom Schreibtisch, die hinunter aufs Parkett segelten, was sie zu einem kurzen und heftigen Lachen reizte. Luise stand eilig auf, kniete, von der Tagessschürze behindert, nieder, sammelte die Blätter – Briefe? Tagebuchnotizen? – ein und legte sie sorgsam auf den Tisch zurück. Frau Lydia dankte, sie suchte aus dem Stapel einen dichtbeschriebenen Bogen heraus. Luise erkannte, auch verkehrt herum, die steile und große Schrift mit den eng zusammenstehenden Buchstaben. Es war die von Stauffer.

Am Abend lagen Luise und Anna in ihren schmalen Betten, die, Kopf- an Kopfseite, im rechten Winkel an der Wand standen. Sie hatten das Licht gelöscht, die Decken bis zum Hals hochgezogen. Es war, außer einem Schimmer von irgendwo, dunkel in der Schlafkammer. Von draußen das Rauschen des Herbstwindes, ein Vogel schrie, Hunde bellten in der Ferne. Und einer der Gärtnerjungen lachte so laut, dass es durch mehrere Wände drang; es war nicht Anton, denn der war jetzt nach einer weiteren Rüpelhaftigkeit entlassen worden. Wohin es ihn verschlagen hatte, wusste Luise nicht, er würde, obwohl er es versprochen hatte, bestimmt nicht schreiben, er konnte ja kaum lesen. Aber nun ging es auf andere Weise um ihr künftiges Leben, sie erklärte Anna, was dem Belvoir bevorstand und dass sie beide das Glück hätten, auch in Italien weiterhin zu den Bediensteten der Weltis zu gehören. Zuerst fragte Anna ungläubig nach, ob das auch wirklich stimme. Dann blieb es eine Weile still auf ihrer Seite, nur das Rascheln der Decke übertönte die Geräusche der Nacht. Annas Gesicht lag nahe an dem von Luise. Ein Seufzen und noch eines. »Ich kann das nicht«, sagte sie leise und kaum zu verstehen. »Ich kann nicht von allem weg, was ich kenne und mir lieb ist.« Ihre Stimme ging in ein kindliches Wimmern über, das aber gleich aufhörte. »Du willst mich wirklich hier zurücklassen, bei all diesen eigensüchtigen Menschen?«

»Das will ich ja gerade nicht«, beteuerte Luise und suchte mit ihrer Hand die nasse Wange von Anna nebenan. »Warum sonst hätte ich Frau Lydia gebeten, dich mitzunehmen? Ich bin auch weniger allein mit dir.«

»Aber ich war noch nie so weit weg. Man fährt ja einen ganzen Tag mit dem Zug.«

»Es ist schön in Italien«, sagte Luise. »Du lernst Neues kennen. Und wir haben bestimmt weniger zu tun als im Belvoir. Und keine Johanna hetzt uns herum, kein Gärtnerjunge will uns in den Hintern kneifen.«

Das brachte Anna, die auch sehr vorwitzig sein konnte, zum Kichern. »Aber ich sehe ja dann meine Familie nicht mehr.«

Anna fuhr oft an freien Tagen nach Horgen, sie hatte, wenn sie am Abend zurückkehrte, verweinte Augen und litt, wie sie zugab, nachts häufig unter Heimweh.

Diese Kindlichkeit, die ihr selbst nicht fremd war, verwirrte Luise, sie ließ es Anna aber nicht spüren, reihte Grund an Grund, weshalb es für sie doch gut sei, die Welt kennenzulernen, sie redete ihr die Angst vor dem Gotthardtunnel und vor Briganten aus, hob hervor, dass sie für ihren Lohn in Florentiner Geschäften schönere und billigere Kleider bekämen als in Zürich, und bot an, Anna schon auf der Reise ein paar italienische Sätze beizubringen. Noch bevor es zehn Uhr schlug, hatte sie dem großen Plan zugestimmt. Sie würden also beide in Italien leben, in Florenz, vielleicht sogar in einem kleinen Palazzo, mit Zypressen und Pinien im Garten, mit Mandel- und Zitronenbäumen. Luise wäre am liebsten ins Bett der Freundin hinübergekrochen und hätte sie umarmt wie eine jüngere Schwester, aber das erschien ihr doch allzu kühn.

Dass nun alles so schnell gehen würde, hätte Luise nie gedacht, noch weniger Anna, die nach ihrem Ja immer wieder Phasen der Unsicherheit durchlebte, in denen sie am liebsten alles rückgängig gemacht hätte. Am Tag nach Stauffers Wegfahrt versammelte Welti am frühen Morgen das Hauspersonal in der herbstkühlen Eingangshalle. Er hatte die Aufgabe, die Leute über ihre Entschlüsse zu informieren, zunächst Lydia überlassen wollen, er sei noch zu schwach, um die absehbaren heftigen Reaktionen auszuhalten; doch seine Ehefrau – »mein Weib« nannte er sie hin und wieder – hatte ihn ermahnt, sich vor der Pflicht als Familienoberhaupt nicht zu drücken, sondern sie mit Würde zu erfüllen, das erwarte sie von ihm. So stellte sich Emil auf die Treppe, die in den ersten Stock führte, vor die Dutzend Bediensteten, die durch erste Gerüchte jetzt doch schon etwas ahnten. Er redete nach seiner Art leise, die Aufregung verstärkte sein gelegentliches Stottern. Lydia stand sehr aufrecht neben ihm. Welti verkündete in kurzen Sätzen die Entscheidung, das Belvoir aufzugeben und zu verkaufen. Er konnte kaum weitersprechen, so laut wurde das Raunen in der Halle, beinahe körperlich spürte Luise die Aufregung der Umstehenden. Als er zu den Gründen ansetzen wollte, die das Ehepaar bewogen, nach Italien zu ziehen, unterbrach ihn der neue Obergärtner: »Was wird denn jetzt aus uns?« Er wiederholte, beinahe schreiend: »Was wird aus uns?« Und andere sekundierten vielstimmig: »Ja, was wird aus uns?«

Weltis Miene erstarrte, er versuchte zu beschwichtigen, den Protest mit den Händen wegzuwedeln, stampfte, als ein Stimmengewirr entstand, mit dem Fuß auf, und seine in die Höhe steigende Stimme überschlug sich beinahe: »Lasst mich doch ausreden, Herrgott noch mal!« Zwei, drei Vernünftige, darunter der Verwalter, forderten lautstark, dem gnädigen Herrn erst mal zuzuhören. Die Aufrührer verstummten. Welti war bleich geworden, die körperliche Schwäche holte ihn ein, er schien zu schwanken, stützte sich mit einer Hand aufs Treppengeländer und versuchte begreiflich zu machen, dass niemandem im Belvoir von einem Tag auf den anderen gekündigt werde. Man habe nach einer Lösung gesucht, die dem Geist Alfred Eschers entspreche. »Wir werden«, fuhr er fort, »euch allen die Löhne noch drei Monate weiterzahlen. Das ist großzügig und gibt euch Zeit, eine neue Stelle zu finden. Im Dienst behalten wir, was ihr gewiss verstehen werdet, niemanden außer den beiden Hausmädchen.«

Aus dem Beifallsgemurmel, das der Fortzahlung der Löhne galt, wurde ein Murren, böse und neidische Blicke suchten nach Luise, die sich am liebsten versteckt hätte; Anna sah sie nirgends, die duckte sich wohl hinter Größeren. Aber nun hielt es Frau Lydia nicht mehr aus, stumm zu bleiben. Sie hatte nach Weltis Arm gefasst, so dass er zwischen dem Geländer und seiner Frau genügend Halt hatte, und ergriff das Wort: »Ihr müsst in den nächsten Tagen beim Zusammenräumen und beim Packen helfen.« Ihre Stimme klang kräftiger als die von Welti, angriffiger, aber zugleich wärmer. »Das gibt viel zu tun, wir erwarten von euch vollen Einsatz. Anweisungen bekommt ihr von uns und vom Verwalter.«

»Aber«, meldete sich die Köchin, die ihre Empörung nur ungenügend bezähmen konnte, »wo sollen wir denn dann schlafen?« Die Frage verursachte ein Gelächter ringsum, das gleich wieder dünner wurde.

»Keine Sorge«, antwortete Lydia mit Heiterkeit. »Niemand von euch wird auf dem nackten Boden liegen. Eure Betten bleiben euch erhalten bis zum letzten Tag. Das ist versprochen.« Sie streckte, als stehe sie auf einer Theaterbühne, drei Schwurfinger in die Höhe. »Es geht um unseren Hausrat, nicht um euren. Morgen wird alles Nötige geliefert, Kisten, Packpapier, Decken. Dann wird verhüllt, eingepackt, verschnürt, und zwar mit allergrößter Sorgfalt. Keine einzige Porzellantasse darf zerbrechen.«

Zu allem, was Frau Lydia sagte, nickte Welti und bemühte sich, so bleich er war, in seiner Haltung genügend Autorität zu zeigen. Heute sei noch ein normaler Tag, beendete Lydia ihre Rede, ab morgen werde alles anders. Luise schaute sie an: Ihre Dienstherrin kam ihr fiebrig vor, in ihrem heißen Gesicht war eine Zukunftshoffnung, die nun auch Luise ansteckte. Die nächste Zeit würde Neues bringen, Unsicheres und Abenteuerliches, aber sie stand nun, anders als vor Jahren beim Weggang aus Bergamo, unter dem Schutz einflussreicher und vermögender Personen, ihr konnte niemand etwas Böses anhaben. Die Bediensteten liefen auseinander, verteilten sich im Haus und den Nebengebäuden, sie wollten, da war Luise sicher, rasch außer Hörweite der Weltis sein und untereinander besprechen, wie sie möglichst viele Vorteile für sich herausholen konnten. Luise blieb fürs Erste, wo sie war, und wartete darauf, dass Frau Lydia sie zu sich winken würde, gleichzeitig hielt sie Ausschau nach Anna und entdeckte, dass sie im Halbdunkel unter dem Treppenaufgang kauerte. Die Weltis indessen kümmerten sich nicht um ihre Hausmädchen, sie stiegen nebeneinander die Treppe hoch, sie sagten kein Wort zueinander und mussten sich doch jetzt über vieles einig werden, wofür sie offenbar keine Zeugen wollten. So ging Luise auf Anna zu: »Was machst du hier?«

Anna blickte verschüchtert zu ihr auf. »Ich kann mich nicht daran gewöhnen, dass im Belvoir jetzt alles zu Ende ist.« Sie strich verlegen die Hände an der Schürze ab. »Ich weiß immer noch nicht, ob ich wirklich wegwill. Und ich habe doch Angst vor der Reise.«

»Ach was, du wirst es überleben, wir sind ja zusammen.«

Anna zwang sich zu einem Lächeln, trat aus ihrem dämmrigen Versteck. Sie richtete sich auf, nun reichte sie Luise immerhin bis zum Kinn und ließ sich von der Älteren umarmen.

Sie schliefen beide schlecht in dieser Nacht. Jemand unter den Bediensteten glaubte zu wissen, dass die Weltis das Belvoir so schnell wie möglich verkaufen wollten und die versprochene Dreimonatsfrist vielleicht bloß eine Flunkerei sei. Die Hausmädchen brauchtes um ihre Stellung ja nicht zu bangen, aber ob das stimmte? Das ging Luise immer wieder durch den Kopf. Anna neben ihr wälzte sich herum, fuhr einmal mit einem Schreckenslaut aus dem Schlaf. Sie habe geträumt, murmelte sie, etwas Unheimliches habe sie verfolgt, ein Wildschwein mit Hauern.

Aber hier, tröstete Luise, seien sie ja sicher.

Frühmorgens waren sie wach und lagen, auf ihren Atem lauschend, im Dunkeln, das sich nur langsam aufhellte. Der Hustenanfall eines Nachbarn von unten hatte sie aus ihrem unruhigen Schlummer geweckt.

»Glaubst du, es kommt gut mit uns?«, fragte Anna verzagt.

»Bestimmt«, sagte Luise und sprach innerlich ein Gebet mit genau diesem Wunsch; gebetet hatte sie schon lange nicht mehr.

11

Die nächsten Tage im Belvoir waren erfüllt von fiebriger Tätigkeit, überall wurde verpackt, genagelt, gestapelt, geschimpft, geflucht. Es war aber kein fröhlicher Lärm, sondern ein hektischer, alles musste viel zu schnell erledigt werden. Erste mit Kreide angeschriebene Kisten stapelten sich im Entrée, Kleidersäcke kamen dazu, Koffer, die nach Italien sollten. Frau Lydia, flankiert vom Verwalter, mischte sich hier und dort ein, gab genauere Anweisungen; sie war voller Tatendrang, schien dauernd auf den Beinen. Welti dagegen ließ sich kaum blicken. Er ordne, hieß es, seine vielen Papiere, er liege tatenlos im Bett, sagten andere. Einmal fuhr er weg, zu seiner Mutter nach Bern, kam abends zurück und glich noch stärker als zuvor einem gebrochenen Mann, obwohl man vernahm, es gehe ihr besser. Luise und Anna halfen mit, das herrschaftliche Geschirr und Besteck in Seidenpapier zu wickeln, ganze Schränke im oberen Stock waren voll davon. Ein Teil wurde abgezweigt für Florenz, alle Leerräume in den Geschirrkoffern mit Zeitungspapier vollgestopft. Auch das gab zu tun. Dann holte Frau Lydia die Hausmädchen zu sich ins Zimmer, die Kleider, die sie mitnehmen wollte, hatte sie übers Bett gebreitet. Luise und Anna legten und falteten sie zusammen, Unterröcke in zarten Farben, Seidenstrümpfe, auch das weiße

Rüschenkleid aus Taft kam mit, das einen eigenen Koffer beanspruchte. Dann die Hüte in runden Schachteln, die wieder in einen eigenen Koffer passten, die Schuhe, zwölf Paar nur, wie Frau Lydia erklärte, aber für alle Jahreszeiten. Pantoffeln, vier Mäntel. Dann die Sachen von Welti, der vor ihnen in ein anderes, schon fast leeres Zimmer flüchtete. Nur als die Bilder abgehängt und verhüllt wurden, stand er dabei. Sie kamen – vorläufig, sagte er – als Leihgabe in ein Museum.

Ein Spediteur fuhr nun jeden Tag, auch bei Wind und Regen, mit einem überdachten, von zwei klapprigen Pferden gezogenen Wagen vor. Was nicht für die Zugfahrt bestimmt war, wurde aufgeladen, festgeschnallt und weggebracht in ein Lagerhaus am Rand von Zürich. Bis auf weiteren Gebrauch, sagte Frau Lydia mit einer nachlässigen Geste und hatte noch nichts von ihrer Energie verloren. Wie groß war ein solcher Haushalt; immer noch mehr kam zum Vorschein, was Frau Lydia dalassen wollte, Brettspiele, Bücher, Klaviernoten, Schirme, Blumenvasen, Handtaschen. Nur die unteren Räume und die Nebengebäude wurden vorläufig verschont. Die Bediensteten sollten auch nach der Abreise der Weltis hier noch eine Weile wohnen können, das ganze Haus mussten sie putzen, wischen, scheuern, blitzblank sollte alles sein für einen neuen Besitzer (jaja, murrte Johanna, das treibe dann den Preis hoch).

Luises und Annas Kleider hatten Platz in zwei ledernen Reisetaschen, die Frau Lydia ihnen lieh. Man könne, sagte sie in einem ruhigeren Moment zu Luise, das meiste ja vorausschicken und erst auspacken, wenn sie im neuen Wohnhaus, das Stauffer für sie in Florenz suche, einziehen würden. Oder auch, je nachdem, nachspedieren lassen. Und überhaupt sei in Florenz alles erhältlich, was man für den Alltag benötige. Herr Stauffer, der inzwischen Italienisch spreche wie ein Einheimischer, werde dafür sorgen, dass sie nicht übers Ohr gehauen würden. Da war er wieder, der Name, Stauffer hier, Stauffer dort. Manchmal mit einem Herrn vorne dran, Herr Stauffer, um vor den Dienstboten keine Vertraulichkeit aufkommen zu lassen. Es gab Momente in dieser Umzugsvorbereitung, da fühlte sich Luise von Frau Lydia im Stich gelassen, denn sie war dauernd in Eile, dauernd in Begleitung des stoischen Verwalters, der hundertmal am Tag seine Brille putzte. Luise, in ihrem Schlepptau auch Anna, hatte immer neue Fragen, aber wenn sie der Dienstherrin in den Weg treten wollte, bekam sie den Bescheid: »Später, später!«, und wurde weggescheucht. Das zeigte nur, wie nervös, wie fahrig Frau Lydia war, sie durfte ihr das nicht übelnehmen, es würde sich schon wieder ändern. Beim Verwalter fragte Luise nach, ob sie und Anna für die Reise nach Italien besondere Papiere benötigten. Er beschaffte sie, übergab sie aber den Herrschaften, denn sie mussten sie an den Zollstationen vorweisen und ihre Dienstmädchen in Florenz persönlich bei der Polizeibehörde anmelden.

Endlich traf das ersehnte Telegramm ein, Luise erfuhr gleich davon. Stauffer meldete in kurzen Sätzen und Stichworten, er habe Zimmer in der Pensione Bonciani reserviert, am Viale dei Colli, am Südhang der Stadt. Mit dem Besitzer verhandle er über den Kauf einer Villa ganz in der Nähe, die geradezu ideal sei für die Weltis, er werde, wie vereinbart, eine Anzahlung leisten und am nächsten Tag nach Rom zurückkehren. Welti telegraphierte zurück, er und Lydia würden in einer Woche reisen, Stauffer möge doch zu diesem Zeitpunkt wieder in Florenz sein, um den Neulingen beizustehen. Darauf kam offenbar lange keine Antwort, denn beim Abendessen, das trotz der schon fast ausgeräumten Villa nach wie vor am ovalen Tisch im Salon eingenommen wurde, zeigte sich Frau Lydia besorgt, ob ihnen Stauffer wirklich zur Seite stehen werde; ohne einen Italien-erfahrenen Cicerone würden sie am Ende überall betrogen. Er zweifle nicht daran, sagte Welti, sein alter Schulfreund habe sich bisher als zuverlässig erwiesen, zuverlässiger jedenfalls, als er gemeint habe, und dabei musterte er seine Frau mit neugierigen und zugleich melancholischen Blicken. »Keine Angst«, fügte er hinzu, »der setzt sich auch bei den schlimmsten Halsabschneidern durch.« Und dabei lachte er plötzlich laut wie schon lange nicht mehr, als ob die nahende Abreise nun auch seine Lebensgeister beleben würde. Tatsächlich kam am nächsten Morgen Stauffers Bestätigung, er werde zur Stelle sein, das Telegramm war an Emil und Lydia Welti-Escher adressiert, und Luise suchte die Dienstherrin im halben Belvoir, bis sie vom Verwalter auf den Dachboden geschickt wurde, wo Frau Lydia im schlechten Licht, das durch die Luken kam, neben einer Truhe kauerte, in der Dokumente – Briefe, Pläne, Protokolle – aufbewahrt waren, die mit ihrem Vater zu tun hatten. »Das muss man retten«, sagte sie zum Hausmädchen, »ich schicke alles ins Staatsarchiv.« Sie stand auf, wischte Staub von ihrem Rock, dann las sie das Telegramm, das ihr Luise reichte, und ihr Gesicht verwandelte sich, wurde weich, beinahe kindlich. »Er wird kommen«, sagte sie. »Pensione Bonciani, *molto bene.* Ich glaube, jetzt wird alles gut.« Sie zögerte, ihre Stimme schien nach Halt zu suchen: »Mein Vater hätte meine Entscheidung gebilligt. Denkst du das nicht auch, Luise?«

Sie erschrak, überlegte, was für eine Antwort Frau Lydia wohl wünschte. »Ich habe ihn ja gar nicht gekannt, Ihren Herrn Vater.«

Lydia nickte, wirkte einen Moment verwirrt. »Ach ja, natürlich, da habe ich mich getäuscht, wie leicht kommt man durcheinander, du bist ja schon so lange bei mir …«

Fast fünf Jahre, hätte Luise beinahe gesagt.

Die zwei Tage vor der Abfahrt nach Florenz verbrachten die Weltis in einem Zürcher Hotel, das Belvoir wirkte nun so ausgeplündert, dass es eine Zumutung gewesen wäre, dort auszuharren. In der Tagespresse erschienen Berichte über den bevorstehenden Auszug des Ehepaars und den Verkauf der Liegenschaft. Weder Emil noch Lydia kümmerten sich darum, sie hatten ein Ziel vor Augen: nach Süden, weg aus dem Neidmilieu der alteingesessenen Zürcher Familien.

Der Abschied von den Bediensteten, die noch im Belvoir blieben, war frostig. Frau Lydia bemühte sich zwar um Freundlichkeit, aber man merkte ihr an, dass sie innerlich wegstrebte und ihr das Belvoir schon unwichtig geworden war.

Auch die beiden Hausmädchen wurden in der letzten Nacht im Hotel untergebracht, damit sie früh am nächsten Morgen gleich zur Hand waren. Sie bekamen eine Kammer im Dachstock mit bequemeren Betten als im Gesindehaus.

Luise hatte geschwankt und dann doch darauf verzichtet, vor der Abreise noch einmal ihre Familie in Russikon aufzusuchen. Frau Lydia hätte ihr zwar dafür einen halben Tag freigegeben, aber was sollte sie bei der Mutter, den gebrechlichen Großeltern, den noch im Haus lebenden Geschwistern – außer sie ein letztes Mal umarmen? Den Schmerz, ihnen nicht mehr wirklich nahe zu sein, konnte sie sich ersparen, es war ja auch nicht möglich, eine löchrig gewordene Verbundenheit in zwei, drei Stunden wieder herzustellen. Sie schrieb an alle zusammen, dass sie jetzt für unbestimmte Zeit mit den Weltis in Italien sei, vielleicht für mehrere Jahre. Sie würden aber bestimmt eines Tages ein Wiedersehen feiern, und sie wünsche der ganzen Familie das Allerbeste (das war ein Ausdruck, den sie bei Frau Lydia gelernt hatte). Anna hingegen war zu ihrer Familie nach Horgen gefahren. Sie kam verheult zurück, sie wurde auch jetzt in dieser Hotelnacht von unregelmäßigem Schluchzen geschüttelt, und Luise im Nachbarbett gelang es kaum, sie zu trösten und ihr eine erfreuliche Zukunft in Italien auszumalen. Doch Anna überließ sich ihrer Angst vor all dem Unbekannten, vor der fremden Sprache, den fremden Leuten, und beinahe steckte sie Luise mit ihrem Kummer an. Sie schliefen dann doch eine Weile, der Hoteldiener schlug um halb sechs mit dem Stock an ihre Tür. Luise schreckte auf, wusste aber gleich, wo sie war und was ihr bevorstand, während Anna wieder leise zu weinen begann.

Sie waren in ihren Reisekleidern zur Stelle, um mit den Weltis im großen Speisesaal zu frühstücken. Zwar saßen sie an einem kleinen Nebentisch, trotzdem hörte Luise Welti leise sagen, es wäre besser gewesen, schon nur wegen der ganzen Schlepperei, einen Mann statt dieser Anna – so heiße sie doch? – mitzunehmen. Frau Lydia antwortete darauf, das schicke sich nicht, sie könnten bei Bedarf überall Porteure mieten. Überdies seien sie Mädchen vom Land und weit kräftiger, als er denke, gerade auch Anna. Luise schaute in eine andere Richtung und tat so, als habe sie nicht gelauscht, und Anna war ganz in sich versunken, alles, was ringsum geschah, schien an ihr abzuprallen.

Das große Gepäck war schon vorige Woche vorausgeschickt worden. Das Reisegepäck, vier Koffer, die Luise und Anna bei leichtem Nieseln vors Hotel trugen, wurde von einem Wagen abgeholt, dem sie in einem weiteren folgten; für ihre ledernen Reisetaschen waren die Hausmädchen selbst verantwortlich. Fast vierundzwanzig Stunden würden sie nun unterwegs sein. Hinterher schien ihr der ganze Aufbruch unwirklich, die Erinnerungen verschwammen. Passagiere in Eile, Stimmen am Bahnhof, das Einsteigen in einen Wagen der ersten Klasse, die Ruppigkeit der Gepäckträger, die Suche nach dem reservierten Abteil mit den Polstersitzen, dem Mahagonitischchen und den Verzierungen an der Decke, der Weg dann zur dritten Klasse mit den Holzbänken. Sie saßen dichtgedrängt, zu viert auf einer Bank, ein Schäferhund, der übel roch, wollte sich über Luises Füße legen, ließ sich dann von seinem Herrn, einem Handwerker mit einer Werkzeugkiste, die er halb unter den Sitz geschoben hatte, wegbugsieren. Als der Zug anfuhr und der Wagen zu rütteln begann, packte Anna Luises Arm und ließ ihn lange nicht los. Dann gewöhnte sie sich aus Fahrgefühl, schaute zu, wie die Landschaft und der See draußen vorbeizogen.

Es war endlich heller Tag, halb neun, als sie in Luzern ankamen. Sie mussten umsteigen, gesellten sich auf dem Perron zu ihrer Herrschaft. Frau Lydia hatte Träger herbeibeordert, sie halfen mit dem Gepäck, als der von Basel kommende Schnellzug mit Verspätung einfuhr. Den Mädchen war jetzt, bis Milano, ein Abteil zweiter Klasse zugeteilt, mit dünnem Polster, direkt hinter dem nur halbbesetzten Wagen erster Klasse, in dem die Weltis saßen.

Der Vierwaldstättersee glitt vorbei, hier und dort Nebelstreifen, die Welt halb verschleiert, sie fuhren in die Berge, von schroffen Felswänden stürzten Bäche nieder. Nach der Ortschaft Wassen kam Frau Lydia für ein paar Minuten zu ihnen und zeigte auf das Kirchlein, das einmal von unten zu sehen war, dann nach dem ersten Kehrtunnel von oben. Für Anna grenzte dies an Zauberei, während Luise sich vorzustellen versuchte, wie man ein solches Loch in den Stein gebohrt und geschlagen hatte. Hunderte Arbeiter seien es gewesen, sagte Frau Lydia, Italiener vor allem, eine gewaltige Leistung der Ingenieure, ihr Vater habe den Tunnel geplant und ermöglicht, und dann sei er nicht einmal zum Durchstich eingeladen gewesen, so ungerecht sei die Welt. Sie kehrte zurück in ihr Abteil, zu Welti, dessen Vater sich mit dem ihren damals zerstritten hatte. In Göschenen, dem Himmel noch einmal näher, gab es einen Halt, um den Kohlevorrat der Lokomotive aufzufüllen. Bergbuben gingen barfuß durch die Wagen und verkauften Äpfel, die sie in Körben trugen, dazu Brot und Käse, der schon mundgerecht geschnitten war. Luise wollte nichts, obwohl es Frau Lydia anbot, Anna biss in einen Apfel, vergaß ihn dann und hielt den Atem an, als der Zug in den Gotthardtunnel fuhr, in ihm verschwand. Eine gute Viertelstunde würde die Durchfahrt dauern. Die elektrische Beleuchtung war schwach, man sah einander kaum, draußen nur noch Schwärze, dazu der Maschinenlärm, das Rattern der Räder, und dennoch lachten in der Nähe sorglose Passagiere.

»Was ist, wenn der Berg auf uns herunterfällt?«, fragte Anna in äußerster Unruhe. »Wenn er plötzlich einstürzt?«

Frau Lydia war in ihr Abteil zurückgegangen, hatte die Tür hinter sich geschlossen. Es lag an Luise, Anna zu beruhigen; dass ihr selbst auch bange war, vergaß sie ganz. Die Minuten zogen sich in die Länge. Zuletzt schwiegen beide, als hätten sie sich selbst den Mund verboten, immer noch fuhren sie durch die Dunkelheit. Doch dann war plötzlich alles vorbei, sie gelangten ins Freie, ins Sonnenlicht. Es war ein starkes Licht, das Luise kannte, ebenso wie die Form der Steinhäuser mit den Schieferdächern, die weidenden Schafe. Die Erinnerungen waren plötzlich so mächtig, dass sie nicht wusste, ob sie traurig oder übermütig sein sollte. Anna ihrerseits war erleichtert und summte vor sich hin. Frau Lydia, die wieder von drüben kam, forderte sie auf, sich während des Aufenthalts draußen ein wenig die Beine zu vertreten, um den Blutkreislauf zu fördern. Das taten viele Passagiere.

Als sie weiterfuhren, lieh Welti den Mädchen für eine Weile seine Taschenuhr. Abends, knapp nach fünf, würden sie in Mailand sein, am nächsten Morgen in Florenz. Das daure ja noch ewig, sagte Anna. Auf dem Zifferblatt standen römische Zahlen, Luise zeigte ihr, wie man die Zeit ablas, ihr Zeigefinger tippte sanft ans Glas, hinterher putzte sie mit dem Taschentuch und ein wenig Speichel die Spuren weg, die sie hinterlassen hatte.

Nach Bellinzona, wo imposante Burgen auf den Hügeln die Stadt bewachten, lud Frau Lydia die Mädchen zu sich in die erste Klasse ein, als Ehrengäste, wie sie scherzte, und zwar bis zu den Zollformalitäten in Chiasso. Luise sah Welti an, dass er die Einladung missbilligte, aber er griff nicht ein, und die Mädchen setzten sich in die Sessel, dem Ehepaar gegenüber, sanken tief ins Polster. Behaglich war es beiden nicht.

In Chiasso hatten sie lange zu warten, die Zollbeamten durchsuchten penibel die Reisetaschen der Mädchen, die in ihr Abteil zurückgekehrt waren; erst als Luise ihr kindliches Italienisch hervorholte, wurden sie freundlicher.

So viele Seen gab es, den Lago di Lugano hatten sie gesehen, am Lago Maggiore waren sie entlanggefahren, blau war der herbstliche, von kleinen Wolken gefleckte Himmel, blaugrün das Wasser. Auch einen Ausschnitt vom Lago di Como sahen sie. Herr Welti, der nun viel freundlicher geworden war, kam vorbei und zeigte ihnen eine Karte, auf der all die Namen standen. Luise fragte nach Bergamo, wo sie mit der Familie gelebt habe. Welti stutzte: Das habe er gar nicht gewusst, dort sei er noch nie gewesen. Er legte die Fingerkuppe auf den Namen der Stadt, die schön sein solle, nicht weit von Como entfernt. Dann aber folgte Weltis Finger der Strecke nach Mailand. Er setzte sich sogar eine Weile zu den Mädchen, die Krawatte hatte er gelockert, das Jackett ganz aufgeknöpft. Was sie über Mailand wüssten, fragte er. Vom Dom hatte Luise schon gehört. Er sei mächtig, sagte Welti, vielleicht könnten sie in seiner Nähe zu Abend essen, sie hätten in der Stadt fünf Stunden Zeit bis zur Weiterfahrt.

Die große Bahnhofsuhr von Milano zeigte Viertel nach fünf, als sie in die Halle einfuhren, die von Stimmen und Geräuschen widerhallte. Ihre Koffer und Taschen wurden von Trägern zur Gepäckaufbewahrungsstelle gebracht. Welti tauschte in einer Wechselstube ein paar Schweizer Banknoten und Münzen in italienische Lire um. Sie nahmen zu viert eine Kutsche – nun war es Welti nicht mehr so wichtig, zwischen Herrschaft und Bediensteten zu unterscheiden. »Al duomo«, befahl er. Schon die Größe des Vorplatzes, auf dem ein Gewimmel von Touristen, Händlern, Pferden herrschte, verschlug Luise beinahe den Atem, und im Innern war es trotz der vielen brennenden Kerzen schon so dämmrig, dass sie gar nicht bis zum Ende des Hauptschiffs sah. Eine Gruppe von Mönchen in hellen Kutten sang in der Nähe des Altars eintönige Psalmen. Frau Lydia lehnte es ab, zum Domdach hinaufzusteigen, es sei ihr zu mühsam, sagte sie, und sie wollte sich auch nicht von einem Priester, der in ihr eine vornehme Dame erkannte, gegen eine Spende segnen lassen. Ein wenig misslaunig führte Welti sie wieder hinaus auf den Platz; die Fassade des Doms, auch sie rußig wie der Bahnhof, lag jetzt im Abendlicht, das sie verschönerte. Die vielen Türmchen, Zinnen, Säulen verleiteten Welti zum Ausspruch, man könnte meinen, es sei das Werk von Zuckerbäckern, ein einziger Turm wäre ihm lieber. Frau Lydia widersprach, aber aus ihrer Sicht reichten weder Notre Dame in Paris noch dieser Dom an die einfache Schönheit der griechischen Baukunst heran. Und sie fügte hinzu, Stauffer sehe das bestimmt auch so. »Du wirst ihn ja bald fragen können«, erwiderte Welti, es klang ein wenig bitter. Luise hatte ihr Gehör längst geschärft für die unterschiedlichen Tonfälle zwischen den Eheleuten.

Sie fanden ein Ristorante unter den Arkaden gegenüber dem Dom, setzten sich nun sogar, zu Luises Verwunderung, zusammen an einen Tisch. Die Temperatur blieb angenehm. Auch als es dunkel wurde und der Wind einschlief, hielt man es, im Schein von Petrollampen, im Freien gut aus. Welti, so schien es Luise, wurde mit jeder Stunde zugänglicher, er bestellte Lasagne für alle, eine Flasche Wein, er nötigte die Mädchen dazu, ein Glas mitzutrinken. Anna stocherte mit der Gabel in der überbackenen Pasta herum, sie hatte so etwas noch nie gegessen. Luise hingegen erkannte den Geschmack aus ihrer frühen Kindheit; wahrscheinlich hätte Johanna im Belvoir geschimpft über diese Speise, in der sich alles miteinander vermischte. Die Nacht war nun da, mit Lichtern vielenorts in dieser Riesenstadt. Es sei eine Sünde, die Nacht zum Tag zu machen, hatte der Pfarrer in Pfäffikon gesagt, als in Zürich die elektrische Beleuchtung aufkam und Luise zum Staunen brachte. Der Fortschritt ließ sich nicht aufhalten, das stand sogar in der Zeitung, die sie hin und wieder las.

Um halb elf fuhr der Rom-Express in der Stazione Centrale ab. Noch einmal gute sieben Stunden bis Florenz. In der zweiten Klasse konnte man die Rückenlehnen ein Stück weit nach hinten kippen, in der ersten gab es richtige Liegesessel mit Wolldecken, die der Schaffner herbeibrachte. Beim dauernden Rütteln und Schwanken zu schlafen war schwierig, und noch schwieriger war, sich mit Anna zu einigen, ob der Luftzug störte, der durch die obere Fensterklappe kam. Irgendwann stritten sie sich deswegen, da war draußen immer noch finstere Nacht. Bologna, daran erinnerte sich Luise schwach, hatten sie bereits hinter sich. Irgendwo wurde geschnarcht, zum Glück war der Wagen nur halb besetzt, so dass die Gerüche nicht zu aufdringlich wurden, wenn Luise, Anna zuliebe, eine Zeitlang die Luftklappe ganz schloss.

Die Stunden verrannen quälend langsam. Lichter von irgendwo glitten über Luises Gesicht. Einmal sah sie durch die schmutzige Scheibe Sterne. Weiter ging es, immer weiter. Der Schlaf war ein launischer Gast, immer wieder schreckte sie auf, hätte anhalten wollen, oder sie war unterwegs im Schnee, sehr klein noch und müde, sie hörte Peitschenknallen, zornige Zurufe, eine Pferdekutsche überholte sie, aufgerissene Mäuler, der Kutscher hatte ein rundes Gesicht wie Stauffer und lachte sie aus. Konnten Frau Lydia und ihr Mann wohl schlafen auf ihren weichen Polstern? Oder besprachen sie ihre Zukunft in der dunklen Nacht? Sie wolle die Vergangenheit hinter sich lassen, hatte Lydia erklärt. Hinter sich lassen, hinter sich lassen, rumpelte es rhythmisch in Luise, es waren die Räder, die sangen, oder die Nacht war es. Was würde die Zukunft für Luise bringen? War der Lichtschein, der wieder über ihr Gesicht glitt, nicht fast eine Liebkosung?

Dann sank sie doch in zeitweiliges Vergessen, schon ein wenig hell war es, als sie erwachte. Anna neben ihr saß aufrecht da, die Decke über der Schulter, und lächelte sie an. Frau Lydia brachte Tee von drüben, um sechs Uhr waren die Passagiere in der ersten Klasse bedient worden, sie hatte für ihre Hausmädchen Becher verlangt. Wenn sie wollte, konnte sie sein wie eine Mutter.

»Haben Sie die Nacht gut verbracht?«, fragte Luise aus Verlegenheit.

»Ich habe viel geträumt«, erwiderte Lydia.

Ich auch, dachte Luise, sagte aber nichts.

12

Sie erreichten Florenz im ersten Morgenlicht. Ihr Ziel war die Pensione Bonciani, die Stauffer für sie reserviert hatte. Welti ließ durch einen der zahllosen barfüßigen Jungen, die in der Bahnhofshalle für Dienste aller Art bereitstanden, eine Kutsche rufen und sorgte bei den Trägern dafür, dass ihr Reisegepäck, außer den Handtaschen, an den Viale dei Colli nachgeschickt wurde. So stiegen sie unbelastet in die Kutsche ein, und Luise kam sich, obwohl sie in der Morgenkühle ein wenig zitterte, leicht vor, fast schwerelos. Es war wie eine Verzauberung, durch die engen und breiten Gassen der Stadt zu fahren, in den Ohren das Hufgeklapper, das sich mit Glockengeläut und Marktgeschrei vermischte. Welti nannte die Namen der Bauwerke, an denen sie auf dem Weg zum dunkelgrünen Fluss vorbeifuhren, Kirchen, Paläste, Plätze mit Denkmälern, die Namen konnte Luise nicht behalten, außer einen: Santa Maria Novella, der ging ihr unablässig im Kopf herum. Wie schön war aber die Kuppel des Doms, über die schon das Sonnenlicht wanderte, der hohe Glockenturm daneben. Sie überquerten auf der alten Brücke den Fluss, den Arno, sie stiegen am Gegenhang auf kurvenreichen Sträßchen zwischen Bäumen mit schirmartigen Kronen allmählich in die Höhe. Alles so grün und üppig. »Pinien«, sagte Frau

Lydia, die bis dahin ihren Mann hatte sprechen lassen. »Pinien und Zypressen.« Sie wandte sich an die Mädchen auf dem Hintersitz, erst jetzt fiel Luise auf, dass sie einen Hut mit Federn trug, sich überhaupt – wo wohl? – umgekleidet hatte und im dottergelben Kleid sommerlich-fröhlich wirkte, während Welti sein übliches Grau trug. Das weiße Flattern der hoch dahinziehenden Wolken. Ein Geruch nach Blumen, Blättern, Harz, nach Staub auch, hier hatte es lange nicht mehr geregnet. Die Pferde schnaubten, mussten in der Steigung vom Kutscher angetrieben werden. Nun sah man die Stadt aus der Höhe, eine Kette von Türmen, Giebeln, das Band des Flusses.

»Hat Stauffer nicht gut gewählt?«, fragte Frau Lydia, als sie vor der Pensione Bonciani anhielten. »Der Blick von hier aus ist doch berauschend!«

Der Gastwirt empfing sie mit Bücklingen, das Ehepaar bekam zwei Zimmer im ersten Stock, mit Verbindung zur Terrasse, die Mädchen eine Kammer im Parterre, sie war weniger hell und hatte keine Aussicht auf die Stadt.

Stauffer, den Frau Lydia hier erwartet hatte, war noch nicht da, er hatte immerhin ein Telegramm geschickt: Er müsse noch an seiner Skulptur arbeiten, er komme in zwei, drei Tagen. Luise dachte gleich an die Fotografie des unvollendeten Kunstwerks, die Stauffer ins Belvoir geschickt hatte, ein nackter junger Mann, lebensecht aus Ton modelliert, man durfte gar nicht richtig hinsehen. »Der Adorant, ja«, sagte Lydia zu Welti, »so nennt er ihn. Mit dem müht er sich ab, da siehst du, was ihm am wichtigsten ist. Aber ein Künstler muss dem inneren Ruf gehorchen.«

Es folgten eigenartige Tage. Das Ehepaar ging in die Stadt, die Dienstmädchen hielten die Zimmer sauber, räumten, nach den Anweisungen Lydias, die Koffer aus, verteilten die Wäsche, die Kleider in den vielen Schränken der Terrassenwohnung. Luise wollte für eine ähnliche Ordnung sorgen wie im Belvoir, doch Anna, die dort für diese Dinge gar nicht zuständig gewesen war, redete ihr dauernd drein. Umgekehrt tadelte Luise die Kollegin, weil sie fand, sie trage schlampige Kleider, sie müsste wenigstens ihre Bluse bügeln, und der Gastwirt Bonciani, ein verwitweter o-beiniger Alter, trieb in der Tat ein Bügeleisen auf. Immerhin hatten die Mädchen zwischendurch Zeit, sich im kleinen Park auf eine Bank zu setzen und den Vögeln, die den ganzen Tag sangen, zuzuhören. Manchmal rief sie der Koch, der nur nachmittags kam, damit ihm die Mädchen beim Gemüseschneiden in der Küche halfen; die Zwiebeln waren viel größer und milder als in Zürich.

Nachts rief unablässig ein Kauz in der Nähe. Anna war abergläubisch, hatte Angst vor dem, was die Rufe ankündigten.

Wenn es am dunkelsten war, weinte sie plötzlich in ihr Kissen, und Luise, die von den erstickten Lauten wach wurde, wies sie zurecht. Durch ihre kurzen Träume klang wie eine Melodie »Santa Maria Novella, Santa Maria Novella«, das eine Mal bedrohlich, das andere Mal tröstend, sie wusste nicht, warum.

Die Spannung wuchs, die Weltis warteten auf Stauffer, auch Luise wurde ungeduldig. Sie war sicher, dass er es mit Absicht tat und damit vor allem Frau Lydia auf die Folter spannen wollte. Aber man nutzte die Zeit auch ohne

Stauffer, der im Übrigen, bevor er zu seinem Adoranten zurückgefahren war, tatsächlich eine Villa ausfindig gemacht hatte, die zum Verkauf stand. Die Weltis hatten sie besichtigt und waren sich nicht einig, ob der Preis und die Lage ihren Wünschen entsprachen. Noch immer war Luise unklar, weshalb sie unbedingt hierbleiben wollten und was sie aus dem Belvoir vertrieben hatte. Einen Käufer für das Anwesen hatten sie bisher, wie es schien, nicht gefunden.

An einem Nachmittag mit viel Sonne und Wind entschied Frau Lydia, dass die Mädchen für eine weitere Besichtigung mit hinunter in die Stadt fahren durften. Welti hielt in der offenen Kutsche seinen Hut fest, damit er nicht weggeweht wurde, Lydia drückte ihren einfach tiefer in die Stirn. Das Ziel war das Kloster San Marco mit den berühmten Fresken von Fra Angelico; sie anzusehen, hatten die Weltis bei ihrem letzten Besuch in der Stadt – vor sieben Jahren – versäumt. Der Gang von Zelle zu Zelle, Dämmerlicht, nur wenige Bilder waren von Kerzen beleuchtet. Gedämpfte Gespräche der Touristen, ein Guide übertönte sie mit Erklärungen in stockendem Englisch. Welti seinerseits las halblaut aus seinem Handbuch vor, wohl um die Mädchen zu bilden, denn Frau Lydia, die überhaupt ziemlich geistesabwesend wirkte, hörte ihm kaum zu, auch Luise gingen die Sätze zum einen Ohr hinein, zum andern hinaus. Aber die frommen Bilder, die ein junger Mönch vor so vielen Jahren gemalt hatte, berührten Luise, ohne dass sie wusste, warum. Trotz der Zeit im Pfarrhaus von Pfäffikon war sie keine Kirchgängerin geworden, in der Bibel las sie auch nie, ebenso wenig wie die Mutter, die dem Pfaffenzeug nichts abgewinnen konnte. Aber den Engel, der Maria die Geburt Jesu verkündete, fand sie schön, die Neigung seines Oberkörpers, die gekreuzten Hände auf der Brust, die Form der spitz zulaufenden Flügel und dann auf der anderen Seite Maria, noch beinahe ein Kind, horchend in ungläubigem Staunen, dazu die Blumenwiese draußen vor dem Säulengang: das alles passte so wunderbar zusammen, dass sie selbst staunen musste. Aber was in ihr vorging, hätte sie niemandem verraten, auch nicht Frau Lydia, die sich ein wenig abseits hielt. Einmal sagte sie, auf so engem Raum zu leben, zu beten, zu schlafen würde sie nicht ertragen. Ihr Mann, in der einen Hand den Hut, in der andern sein Buch, fasste sie irritiert ins Auge, gab aber keine Antwort.

Am nächsten Morgen traf Stauffer ein, begrüßte leutselig und laut, wie es seine Art war, das Ehepaar und sogar Luise und Anna, denen er wohlwollend auf die Schultern klopfte. Die ganze Atmosphäre im Haus schien sich auf einen Schlag zu verändern, sie war plötzlich aufgeladen, gespannt, beinahe aggressiv, trotz der freundlichen Gesichter. Er habe ein Zimmer unten beim Bahnhof, sagte Stauffer, das Ehepaar brauche seine Privatsphäre, er werde sie aber gerne zu den Besitzern der fraglichen Villen begleiten und für sie dolmetschen, er gebe natürlich auch Rat in architektonischen Fragen, wenn das erwünscht sei. Lydia dankte überschwenglich für Stauffers Mühen, von seinen Italienischkenntnissen und seinem Rat verspreche sie sich viel. Sie wandte sich an ihren Mann: »Nicht wahr, Emil?«

»Doch, doch.« Er nickte ohne große Begeisterung.

»Wenn du schon hier bist«, mahnte sie in burschikosem

Ton, »solltest du dich frei machen von deinen Verpflichtungen und Geschäften.«

»Das ist nicht so leicht«, murmelte er und ließ sich von Luise, die in der Nähe stand, Tee nachschenken, der leider, stellte er fest, in Italien weniger aromatisch sei als zu Hause.

Erst spät in der Nacht ging Stauffer, der bei mehreren Gläsern Wein über künftige Projekte referiert hatte, zurück in die Stadt. »Zu Fuß, zu Fuß!«, rief er am Gartentor, während Lydia, die sich zum Abendessen festlich umgezogen hatte, ihm nachwinkte. »Wir sind doch alles Wanderer auf dieser Erde!«

Am nächsten Tag waren sie, wie vereinbart, zu dritt unterwegs, das Ehepaar und Stauffer; wo sie gewesen waren, fand Luise nicht heraus, vermutlich in einer Gemäldegalerie. Frau Lydias Wangen waren gerötet, als sie und Welti bei beginnender Dämmerung zurückkehrten, sie ging so beschwingt, dass sie fast über den Schirmständer beim Eingang stolperte und Welti, der dicht neben ihr ging, sie mit einem warnenden Zuruf festhalten musste.

Beim Abendessen, das Luise im oberen Stock servierte, sah sie zwei Telegramme neben Weltis Teller liegen, die Stimmung schien ihr bedrückt. Danach hörte sie das Ehepaar über ihrem Kopf lange miteinander diskutieren, ohne dass sie verstand, worum es ging. Unüberhörbar war aber, dass die Lautstärke stark schwankte. Einmal klirrte Glas so laut und durchdringend, dass man glauben mochte, etwas sei zu Bruch gegangen. Gegen halb elf, als Luise bettmüde war, wurde sie noch einmal, zusammen mit Anna, die schon geschlummert hatte, zum Abräumen gerufen,

Bonciani persönlich war der Bote. Das Ehepaar saß nicht mehr am Tisch, es hatte sich in die Ohrensessel am Fenster gesetzt, und bevor die Mädchen das Geschirr aufs Tablett stellten, eröffnete ihnen Frau Lydia, ihr Mann werde schon morgen in die Schweiz zurückfahren, dringende private Angelegenheiten erforderten seine Anwesenheit. Welti fügte hinzu, außerdem gebe es eine Verwaltungsratssitzung in einer Bank, der er unmöglich fernbleiben dürfe. Das gebrauchte Geschirr, sagte Frau Lydia, müsse erst morgen abgewaschen werden, es sei ja schon spät. Die Mädchen zogen sich zurück. Kaum waren sie außer Hörweite, rätselten sie darüber, was dies zu bedeuten hatte. Welti war doch eben erst ausgewandert, hatte das Belvoir aufgegeben, und schon reiste er wieder zurück. Sie wuschen das Geschirr trotzdem noch ab. An der Spüle, in der Küche, drangen einzelne Fragmente von oben verständlicher zu ihnen als am Herd, dennoch ergab sich kein Zusammenhang. Bonciani gesellte sich zu ihnen; die Abreise sagte er, habe offenbar zu tun mit dem Gesundheitszustand der Mutter von Welti, der Frau Bundesrat. Luise übersetzte für Anna. Dann wurde es still über ihren Köpfen. »*Lei*« – er meinte Frau Lydia – »*è in una crisi*«, sagte Bonciani mehrere Male. »*Sì, in una crisi.*«

Was in den nächsten Tagen geschah, war für Luise fast unmöglich zu durchschauen. Auf Einladung Stauffers reiste einer seiner Malerfreunde aus Rom an, Max Klinger, ein vierschrötig wirkender Mann mit nach vorne getrimmtem Bart und stechendem Blick. Stauffer wollte mit ihm und Lydia seine hochfliegenden Pläne besprechen, zum Beispiel die Gründung einer Kunstakademie, für die der abwesende

Welti, mit dem Einverständnis Lydias, gewiss das Geld zur Verfügung stellen würde, so wie er ja auch eine Bankanweisung von 10 000 Lire hinterlassen hatte, die ausreichen würden, um für den künftigen Florentiner Wohnsitz der Weltis eine Anzahlung zu leisten. Aus dem einen und anderen Satz reimte Luise sich dies zusammen, obschon ihr nicht klar war, um welche Villa es denn jetzt ging. Dann traf in der Pensione Bonciani auch noch eine Künstlerin ein, Fräulein Wagner, die Stauffer ebenfalls eingeladen hatte. Sie war ein paar Jahre jünger als Lydia, hübsch und offenherzig, und Stauffer benahm sich ihr gegenüber äußerst vertraulich, legte immer wieder, was er bei Lydia vermied, kurz und doch unübersehbar den Arm um sie. Zu viert, als wären sie zwei Paare, saßen sie abends im Speisesaal und ließen sich Kalbsbraten mit gedünstetem Spinat auftischen. Die beiden Männer sprachen sehr laut, fielen einander dauernd ins Wort, das aber doch immer deutlicher an Stauffer überging. Luise, die mit Anna dauernd nachzuschenken hatte, verstand halbwegs, dass Stauffer mit dem Geld der Weltis einen großen, allein der Kunst geweihten Tempel weiter im Süden, bei Neapel, bauen wollte, mit Götterstatuen, deren Augen aus Diamanten bestünden, dahin würden Kunstliebhaber aus aller Welt reisen. Er war aufgestanden und redete sich in eine Begeisterung hinein, die ihn stottern ließ, und der Wein, den er Glas um Glas herunterstürzte, machte ihn so taumelig, dass er sich an der Stuhllehne festhielt. Klingers Miene zeigte Skepsis, diejenige von Cornelia Wagner freundliche Anteilnahme. Frau Lydias Blicke indessen hingen, das sah Luise sehr wohl, mit größter Bewunderung am Redner, ihre Lippen waren leicht geöffnet, als würde sie alles in sich hineinschlürfen, was Stauffer von sich gab. Luise missfiel diese Bereitschaft, ihm fraglos zuzustimmen, sie hätte sich gewünscht, dass Lydia ihn mit der Nüchternheit, die sie Welti gegenüber zeigte, auf den Boden zurückholte. Aber Stauffer ging noch weiter; er entwarf den Plan einer gemeinsamen Reise in den Orient, vielleicht bis Indien, sie würden, rief er in einer inzwischen beängstigenden Exaltiertheit, die Bauwerke der Antike studieren, von ihnen lernen, um sie zu übertreffen, das werde die Keimzelle einer neuen Renaissance sein.

»Uns stehen ja«, wandte er sich an Lydia, »nahezu unbeschränkte Mittel zur Verfügung.«

Er erhob das Glas, und die andern drei prosteten ihm halb im Ernst, halb im Spiel zu. Aber über Lydias Miene hatte sich jetzt ein Schatten gelegt, sie widersprach Stauffer nicht, nippte bloß noch vom Wein und hielt, als Anna ihr nachschenken wollte, die Hand übers Glas. Stauffer bemerkte nichts davon. Auch Klinger blieb stumm, Cornelia allerdings wagte einzuwenden, dies alles sei doch sehr unrealistisch.

»Du wirst sehen«, fuhr Stauffer sie an. »Du wirst sehen!«

Er hatte sich müde geredet, setzte sich ungeschickt, so dass er fast vom Stuhl fiel. Das Gespräch kam nicht mehr in Gang. Bald darauf – es war lange nach Mitternacht – brachen Stauffer und Klinger auf, um zu Fuß in die Stadt, zu ihrem Hotel, zurückzukehren. Cornelia bezog ein Zimmer in der Pension, das Frau Lydia ihr angeboten hatte. Auch sie selbst legte sich, wie sie sagte, zur Ruhe. Für Luise und Anna blieb, wie üblich, das Aufräumen.

Am nächsten Tag war Stauffer mit Lydia und den Gästen unterwegs, als Cicerone bezeichnete sie ihn, lächelnd und fast entspannt. Und wieder wussten die Dienstmädchen nicht, wohin Stauffer die Gesellschaft führte, noch weniger, ob von der Euphorie des Vorabends etwas übriggeblieben war und ob Stauffers großartige Pläne im klaren Licht des Herbsttages Bestand hatten.

An diesem zweiten Abend fand kein Dîner statt, man hatte früh schon in der Stadt gegessen. Stauffer war nicht da, Klinger offenbar bereits nach Rom abgereist. Cornelia wirkte seltsam entrückt, ein Lächeln spielte um ihren Mund. Sie zog sich bald zurück. Frau Lydia war ihr, hatte Luise beobachtet, aus dem Weg gegangen. Überraschend nahm sie die Mädchen zur Seite und eröffnete ihnen, Stauffer habe sich heute mit Cornelia verlobt. Noch sei es geheim, es werde aber bald öffentlich gemacht. »Ich wollte einfach, dass ihr das wisst. Und dass ihr nicht etwa denkt, Stauffer verhalte sich gegenüber Fräulein Wagner ungebührlich.« Sie sagte dies in sachlichem Ton, und doch schwang in ihrer Stimme etwas Beunruhigendes mit.

Irgendwann, gegen Abend, tauchte plötzlich erneut Stauffer auf, er glich in seinem Verhalten einem Herumtreiber, der Hut saß schief auf dem Haarschopf, die Jacke, eine andere als am Vortag, war fleckig, er trug sie weit offen, die Hosenschöße hatte er hochgekrempelt. Er wolle gleich mit Frau Welti sprechen, allein, ließ er durch Luise ausrichten.

»Was will er denn schon wieder?«, fragte Lydia. »Er kommt mir hier nicht herein, hörst du?« Sie lag lesend im Bett, als Luise eintrat. Doch sie stand nun auf, gürtete ihr hellblaues Hauskleid enger, sie verschwand für ein paar

Minuten im Bad und bemühte sich dann, frisiert und zurechtgemacht, hinaus ins Foyer, wo Stauffer, zwischen Ungeduld und Verlegenheit, auf sie wartete. Er rückte zwei Sessel nahe ans Fenster, das auf den Garten ging, er redete leise auf sie ein, sie hörte mit gesenktem Kopf zu, schüttelte ihn mehrmals, und einmal verstand Luise: »Nein, das können Sie nicht, Sie bringen die Dame ins Unglück.«

Luise hatte längst gelernt, wie man sich als Bedienstete nahezu unsichtbar machte und doch das meiste mitbekam. Reglos an der Wand zu stehen war eine gute Tarnung. Frau Lydia wandte sich offenbar gegen Stauffers Verlobung mit Fräulein Wagner. Sie war sichtlich verärgert, schlug sogar die Hände gegeneinander, um ihren – immer noch leisen, aber beschwörenden – Worten Nachdruck zu verleihen. Plötzlich wurde Stauffers Stimme lauter, mit heiserem Klang: »Drohen Sie nicht, gnädige Frau. Das kommt bei mir schlecht an.« Dann erhob er sich und ging eine Weile mit grimmiger Miene auf und ab. Plötzlich schien er sich entschieden zu haben, er ging die Treppe hinauf in den zweiten Stock, wo Cornelias Zimmer lag. Kein Wort war in den folgenden Minuten von oben zu hören. Aber ein Gespräch schien stattgefunden zu haben, denn überraschend polterte Stauffer die Treppe herunter, stürmte, ohne Frau Lydia eines Blickes zu würdigen, ins Freie, und kurz darauf erschien auch Cornelia mit verweinten Augen. Frau Lydia trat ihr in den Weg, Cornelia zögerte, ein Schluchzen kam von ihr, sie sträubte sich erst gegen Frau Lydias Umarmung und ließ sie sich dann gefallen, erwiderte sie sogar. Eine Weile standen die beiden Frauen umschlungen da, und Lydia flüsterte etwas in Cornelias Ohr. Noch nie hatte Luise gesehen, dass ihre Dienstherrin jemanden auf diese Weise umarmt hatte. Es war fast wie im Theater, man hätte an eine Versöhnungsszene denken können. Lydia führte Cornelia – Fräulein Wagner, wie sie genannt werden wollte – zum goldgelb gepolsterten Sessel, auf dem noch vor kurzem Stauffer gesessen hatte, rückte ihn und auch ihren vom Fenster weg. Sie bestellte Portwein für zwei, und die beiden Mädchen beeilten sich, ihren Wunsch zu erfüllen. Anna goss in der Küche die langstieligen Gläser nur zu zwei Dritteln voll, wie Frau Lydia es gewöhnlich wollte, sie war so aufgeregt, dass sie ein paar Tropfen verschüttete und ihre weiße Schürze rotviolett tupfte. Luise gab schwarze Oliven in eine Schale, stellte sie mit den Gläsern auf ein Servierbrett und brachte es ins Foyer, wo es inzwischen dämmrig geworden war, so dass die zwei Frauen im Schatten zu schwimmen schienen. Doch sie wollten keine Lampe, und Lydia sagte, sie brauche die Mädchen nicht mehr, sie seien für heute entlassen. Es war klar, dass sie mit Cornelia ungestört bleiben wollte.

Nicht lange darauf lagen Luise und Anna in ihren Betten und fragten sich im Flüsterton, was wohl vorgefallen war. Anna meinte, Frau Lydia wolle Stauffer für sich, auch wenn das gar nicht sein dürfe, sie gönne ihn keiner anderen und habe ihn darum gezwungen, die Verlobung aufzulösen. Luise hingegen glaubte zuerst, Frau Lydia habe dem Fräulein dringend von Stauffer abgeraten, weil man von ihm wisse, was für ein Frauenheld er sei. Was hatte er überhaupt Fräulein Cornelia einen Antrag gemacht, und warum hatte sie ihn akzeptiert? Weil sie schon fast eine alte Jungfer sei, befand Anna und unterdrückte ein Kichern. Und wenn

Stauffer Frau Lydia gehorcht hatte, dann wohl nur, weil er in Geldsachen von den Weltis abhängig war, das durchschauten sogar zwei Dienstmädchen. Und hatte Frau Lydia diese Abhängigkeit jetzt nicht kaltblütig für ihre Zwecke ausgenützt?

Die Stunden vergingen. Die Schritte über Luises Kopf, eilige, dann wieder schleppende, deuteten darauf hin, dass auch die Dienstherrin keinen Schlaf fand. Der Mond schien durchs halboffene Fenster, wieder rief der Kauz von weitem. Auf dem Land hatten die Alten gesagt, das kündige den Tod von jemandem in der Nähe an, und als Mädchen hatte sich Luise davor gefürchtet, dann aber im Pfarrhaus gelernt, dass ein solch dummer Aberglauben unchristlich sei. In Luises Träumen trat wieder Stauffer auf, massig und höhnisch, er grübelte mit dem Zeigefinger in der Nase, brachte kleine Frösche zum Vorschein, die er lachend gegen Luise warf. Sie rannte im Zickzack davon, sie war im Belvoirpark, umarmte den Mammutbaum, der Schutz versprach, aber der lachende Stauffer war ihr auf den Fersen. Sie rief um Hilfe und wurde von Anna wachgerüttelt: »Was schreist du so? Hör auf, sonst läuft das ganze Haus zusammen.« Luise fand sich erst gar nicht zurecht, sie keuchte, ihr Kissen lag am Boden, sie hob es auf und sagte: »Es ist nichts.«

In aller Frühe kam Stauffer, er klopfte gebieterisch an die noch verschlossene Tür, rief dann: »Ich bin's, Carlo!«, und weil der Hausbursche noch nicht da war, musste Luise sich eilig anziehen und öffnen gehen. Es war schon hell, Stauffer, mit einem Sommerhut jetzt, musterte sie, fragte, weshalb sie geschwollene Augen habe, und Luise antwortete, das komme vom Staub im Haus. Er nickte, wies sie an, die gnädige Frau auf sanfte Weise zu wecken, es gebe einen prächtigen Tag, er wolle mit ihr ausfahren, zur Certosa San Lorenzo, ein paar Kilometer außerhalb der Stadt. »Wir haben vieles zu besprechen. Der Fiaker wartet draußen, ich habe ihn für den ganzen Tag gemietet.« Er lachte. »Die Pferdeäpfel kannst du für den Garten verwenden.« Er trat nah zu ihr, hob mit zwei Fingern ihr Kinn und schaute sie listig an. Sie hätte ihm gerne gesagt, er solle sie nicht anfassen, wandte sich brüsk von ihm ab und klopfte oben bei Frau Lydia an. Sie war schon wach und hatte mitbekommen, dass Stauffer da war, sie schien ungewöhnlich aufgeregt zu sein. »Wohin will er denn?«, fragte sie.

»Zur Certosa«, sagte Luise, von ihr hatte sie schon gehört. »Kommt Fräulein Wagner auch mit?«

»Die ist schon weg, mit dem Frühzug.« Lydia machte eine bedauernde Geste und lachte fast ein wenig leichtfertig. »Zurück nach Rom. Bonciani hat sie um fünf Uhr zum Bahnhof gebracht.«

Jetzt ist sie also allein mit ihm, dachte Luise.

»Das Frühstück nehmen wir unterwegs«, sagte Lydia. »Ein Kopftuch brauche ich.« Und sie begann in einer Kommode zu wühlen, bis sie einen geblümten Seidenschal gefunden hatte.

Luise fragte, ob die gnädige Frau die Haare gebürstet haben möchte. Lydia verneinte und schickte sie nach unten.

Stauffer, im weißen Hemd, beide Beine von sich gestreckt, wartete am Esstisch und trank aus dem Wasserkrug, den Anna, die inzwischen auch aufgestanden war, zusammen mit einem Glas vor ihn gestellt hatte. Er bemühte sich gar nicht erst, das Glas zu füllen, und neigte den Krug so stark, dass ihm das Wasser übers Kinn lief und den Hemdkragen nässte. Das brachte ihn erneut zum Lachen.

»Für Wurst und Rotwein ist später noch Zeit«, ließ er verlauten und wischte sich mit dem Ärmel über den Mund.

Nach einer Viertelstunde kam Frau Lydia herunter, mit langsamen, beinahe gestelzten Schritten, als übe sie für einen Auftritt. Sie trug ihr sandfarbenes Sommerkleid mit den schwarzen Bordüren, von dem sie fand, es stehe ihr am vorteilhaftesten. Stauffer begrüßte sie überschwenglich, er küsste ihre Hand, überschüttete sie mit einem Schwall an Bemerkungen übers Wetter und seine Pläne, sie antwortete zurückhaltend, aber zustimmend, und Luise fiel bei den ersten Sätzen auf, dass sich die beiden duzten. Es war wie eine kleine Schockwelle. Sie hatten sich nun so lange mit Sie angeredet. Wann hatten sie sich aufs Du geeinigt?

Die Hausmädchen, die wartend an der Wand standen, waren wie ausgelöscht, es gab sie gar nicht mehr, nicht einmal ein Wort des Abschieds wurde ihnen gegönnt. Luise wagte nicht zu fragen, wann die Herrschaften zurückzukommen gedächten und ob sie ein Abendessen in der Pension wünschten oder lieber auswärts speisen wollten. Stauffer bot Lydia den Arm, was zuvor noch nie geschehen war. Sie nahm ihn mit Selbstverständlichkeit. Er führte sie hinaus zum Fiaker, einen mit zwei Schimmeln hatte er gewählt, er half ihr auf den Sitz, setzte sich neben sie, so nahe, wie es ging, Leib an Leib, der Kutscher knallte mit der Peitsche, und schon waren sie weg.

13

Sie kamen erst am Abend zurück. Das hatte Bonciani vermutet und den Mädchen gesagt, sie sollten in der Nähe bleiben und sich einen schönen Tag machen. Den Hausburschen, der nur bei Bedarf zu Diensten stand, hatte er heimgeschickt. Die Mädchen erledigten zuerst die nötigen Hausarbeiten, wuschen in der kleinen Waschküche eine Bluse und Unterwäsche von Lydia, die sie in den Wäschekorb gelegt hatte, hängten sie auf der Sonnseite der Pension auf die Leine. Danach saßen sie unruhig auf einer Rasenbank, sahen die Wäsche im Wind flattern, sahen den Schatten der Pinien weiterwandern, wagten gar nicht daran zu denken, was jetzt geschehen mochte. Anna sagte mehrmals: »Stauffer ist doch komplett in sie verschossen. Das sieht ein Blinder.« Sie war zwar jünger als Luise, aber in Liebesdingen erfahrener, kürzlich hatte sie gestanden, sie sei schon mit einem Jungen im Heu gelegen, doch die Ältere verbot ihr, so leichtfertig daherzureden. Anna schwieg beleidigt, sie blieben wortlos nebeneinander sitzen.

Die Ankunft der Kutsche, als die Sonne schon tief stand, brachte sie auf die Beine. Sie waren zur Stelle, als Stauffer und Lydia ausstiegen, und warteten darauf, sich nützlich zu machen. Aber Lydia, die sonst nie um Aufträge verlegen war, achtete gar nicht auf sie und strebte, Stauffer einen

Schritt hinter sich, zum Hauseingang. Sie wirkte erhitzt, ihr Gang war unsicher, sie schwankte sogar und duldete es, dass Stauffer näher trat und helfend ihren Ellbogen umfasste. Es war noch zu früh fürs Abendessen, Stauffer bestellte bei Bonciani Wein, Brot und Oliven, Luise servierte den Imbiss und suchte Lydias Blick, der indessen unablässig an Stauffers Gesicht hing. Der schüttete den Wein in sich hinein, als wäre es Wasser, während Lydia ihr Glas nur selten an die Lippen setzte. Sie wechselten kaum ein Wort miteinander, als hätten sie unterwegs alles gesagt, was zu sagen war. Dann zogen sie sich, nach einem geflüsterten Dialog, in den oberen Stock zurück, in die Privaträume des Ehepaars. Luise hielt dies für ungehörig, ließ sich aber nichts anmerken, obwohl Anna sie verstohlen in die Seite stieß. Als Stauffer oben an der Treppe war, drehte er sich um und forderte Luise auf, ihnen eine neue Flasche Wein, einen besseren hoffentlich, und frische Gläser heraufzubringen. Bonciani, der zugehört hatte, murmelte etwas Abfälliges und entkorkte einen Montepulciano di Abruzzo, das sei der beste, den er habe, sagte er zu Luise, der teuerste auch, und dazu konnte er ein boshaftes Lachen nicht verbergen. Luise tat, was ihr befohlen war. Die beiden saßen, den niedrigen Serviertisch vor sich, dicht nebeneinander auf dem Sofa, fast so, als säßen sie noch in der Kutsche. Lydia hatte die staubigen Schuhe ausgezogen und sie von sich fortgeschoben, ihre Füße wirkten, trotz der Strümpfe, schutzlos, wärmebedürftig, während jene von Stauffer, in schlecht geputzten Halbstiefeln, soldatisch nebeneinanderstanden. Luise stellte das Tablett vor sie hin, goss die Gläser voll, weder er noch sie dankten, um sie war ein unsichtbarer

Raum, sie schienen für alles, was von außen kam, taub und blind zu sein.

»Du kannst gehen«, sagte Lydia tonlos, sehr ernst, obwohl sie zu lächeln versuchte.

Bevor er in seine Wohnung im Nachbargebäude hinüberging, streckte Bonciani noch einmal den Kopf zu den Mädchen herein. »Ihr steht den Herrschaften bei Bedarf zur Verfügung«, sagte er mit strenger Miene.

Nach einiger Zeit war zu hören, dass im oberen Stock doch ein Gespräch begonnen hatte. Die beiden Mädchen bereiteten sich ein kleines Mahl, ein Rührei mit Kräutern, und tranken Wasser dazu. Von oben wurde nichts gewünscht. Es dunkelte, Luise zündete die Lampe an und schloss das Fenster. In ihr war eine unbestimmte angstvolle Erwartung. Sie schauten einander an, Anna zog die Schultern hoch, und dann erzählte sie von einer Tante, die mit einem Tunichtgut nach Übersee durchgebrannt sei, man habe nie mehr etwas von ihr gehört. Plötzlich wurde es oben lauter. Es klang, als ob ein Stuhl umgefallen sei, ein Tisch energisch gerückt würde, die Männerstimme schwoll an. Schimpfte Stauffer? Fluchte er?

Die Tür wurde oben zugeworfen, Gepolter treppab, eilige Schritte draußen in der Halle, wieder eine Tür, Stauffer – so musste es sein – rannte weg. Die Kutsche – zweimal hatte der Kutscher nachgefragt – hatte nicht so lange gewartet, war in die Stadt zurückgefahren.

»Die hatten Streit«, sagte Anna angespannt und beinahe verschmitzt, als ob sie zum Publikum einer Theateraufführung gehören würden. Luise nickte. Aber Streit worüber? Wohl nicht über griechische Tempel oder die künftige

Kunstakademie. Anna setzte ihre Geschichte über die verschwundene Tante fort, aber Luise hörte gar nicht richtig zu, lauschte nach oben, von wo kein Laut drang. Sie öffnete wieder das Fenster, einen Spaltbreit nur, wegen der Insekten, die vom Lampenschein angelockt wurden. Das Zirpen war plötzlich so durchdringend, dass es beinahe weh tat. Es schlug acht Uhr von mehreren Kirchen, die Glockentöne überlagerten sich, schienen einander nachzuahmen. Und als hätten sie Frau Lydia dazu animiert, erklang kurz darauf das Klingelzeichen von oben. Luise ging hinauf, klopfte an die Tür, ein unbestimmter Laut, beinahe ein Schluchzen, hieß sie eintreten. Drinnen war es dunkel, nur der Mond, eben erst aufgegangen, warf Lichtstreifen auf Wände und Boden. Stauffers schweißige Ausdünstung schien noch im Raum zu hängen. Frau Lydia hatte sich auf dem Sofa halb hingelegt, mit bis oben zugeknöpftem Kleid, in einer Haltung, bei der sie jeden Moment auf den Boden rutschen konnte. Luise sah trotz der schlechten Beleuchtung, dass Lydia geweint hatte und immer noch weinte, heftiger jetzt, als Luise sich ihr näherte; ihre Schultern bebten, und sie schlug plötzlich die Hände vors Gesicht und ließ die Klingel fallen, die sie umklammert hatte.

Luise hob sie auf. »Bitte, was ist denn mit Ihnen, gnädige Frau? Kann ich helfen?«

Lydia schüttelte den Kopf, aber nicht energisch, sondern zögernd, und ihre Stimme klang beinahe kindlich. »Du weißt doch, liebe Luise, es gibt manchmal auch zwischen guten Freunden Streit.« Ein heftiges Schluchzen stieg in ihr auf, aber sie zwang sich zum Weiterreden. »Ich glaube, es ist am besten, ihr bringt mich jetzt zu Bett.«

»Zu zweit?«, fragte Luise überrascht.

»Ja, Anna soll auch kommen. Ich glaube, das tut mir gut.« Immerhin setzte sich Lydia wieder gerader hin, nahm etwas Haltung an.

So holte Luise ihre Kollegin herauf, und zu zweit nahmen sie sich der Dienstherrin an, die sich ganz ihnen überließ, ihren vier Händen, die sich um Sanftheit und Rücksicht bemühten, denn Lydia war auf seltsame Weise widerstandslos. Sie brauche kein Lampenlicht, sagte sie, der Mond genüge vollauf. Die Mädchen brachten sie wie eine Schwerkranke ins Nebenzimmer zum Doppelbett. Sie halfen ihr sorgsam aus dem Kleid mit den vielen Knöpfen, aus dem Unterrock, so dass Lydia eine Weile in Mieder und knielangen Unterhosen auf dem Bettrand saß, es war das erste Mal, dass Luise ihre Haut sah, die glatt wirkte, beängstigend bleich. Sie streiften ihr das Nachthemd über, begleiteten sie zur Waschschüssel auf dem Toilettentisch, wo sie Gesicht und Hals bespritzte und sich mit einem Baumwolltuch abtrocknen ließ, die Hände wusch sie selbst mit Lavendelseife. Dann wollte sie, auf dem Toilettenschemel sitzend, die Haare gebürstet haben, und die Mädchen, die sie vor dem Spiegel flankierten, wechselten sich dabei ab, die Bürste mit dem Nachdruck, den sie wünschte, durch ihr langes, nun geöffnetes Haar zu ziehen. Lydia schloss die Augen dabei, und doch flossen immer noch die Tränen, als sei sie nicht mehr fähig, sie aufzuhalten, einige waren sogar aufs Parkett getropft. Dann war es genug. Als wäre sie nun durch die doppelte Zuwendung wieder zu Kräften gekommen, ging Lydia allein zum Bett, barfuß, legte sich hin, entließ die Mädchen mit einem leisen Dank. Durch die

Terrassentür, vor die ein Tüllvorhang gezogen war, strömte das Mondlicht, und Luise erschrak, weil der letzte Blick Lydias Gesicht ganz wächsern zeigte.

Ihre Verstörung konnten Luise und Anna nicht verbergen. Was da zwischen Stauffer und Lydia ablief, war rätselhaft, denn dass Stauffer die Tränen und überhaupt den Zustand Lydias verschuldet hatte, lag auf der Hand.

»Vielleicht wollte er Geld von ihr«, sagte Anna und unterdrückte ein lüsternes Lachen. »Geld und Küsse! Aber Frau Lydia« – auch sie nannte sie jetzt so – »ist ja eine anständige Frau. Und das Geld gehört ihrem Ehemann, oder etwa nicht?«

»Oder«, widersprach Luise, »Stauffer wollte, dass sie und Welti ihn nach Griechenland begleiten.«

Es war inzwischen Zeit auch für ihre Nachtruhe. Sie machten flüchtig Toilette, legten sich ins Bett, verstummten, sie wollten sich nicht mit weiteren Vermutungen wach halten. Eine Katze strich ums Haus, miaute unablässig. »Die macht mich krank!«, entfuhr es Anna, sie sprang auf die Beine, schrie eine Verwünschung hinaus in die Nacht, klatschte in die Hände, legte sich wieder hin. Luises Schlaf war leicht, jedes Geräusch störte sie. War jemand im Zimmer? Nein. Hörte sie ein Tappen über sich? Nein. Von Stauffer wollte sie nicht wieder träumen und tat es doch, zumindest in kurzen Szenen. Er schwang eine Palette über dem Kopf, eine wie damals im Gewächshaus, verspritzte Farben nach allen Seiten. Er zog seinen Mund so weit in die Breite, dass daraus eine Wunde wurde. Schrecklich. Sie wollte sich zwingen, nicht wieder einzuschlafen, und dann wurde sie geweckt durch eine Stimme, leise zwar, aber unverkennbar die von Stauffer, und darum dachte Luise zuerst, es sei die Fortsetzung des Traums. Aber da draußen stand wirklich Stauffer, auf dem gekiesten Vorplatz, und es war ein vertrauter Name, den er ein ums andere Mal wiederholte: »Lydia, Lydia.« Und zwischendurch: »Ich bin's, Carlo.«

Luise schlich zum Fenster, stieß vorsichtig den Laden einen Spalt weit auf. Ja, es war Stauffer, gut sichtbar im Mondlicht, er musste zu Fuß von der Stadt wieder zum Viale dei Colli gekommen sein. Und nun hielt er sich an den kräftigen Ästen der Glyzinie fest, die zur Terrasse emporwuchsen. Der eine oder andere drohte zu brechen, knackte, bog sich, aber Stauffer kletterte unbeirrt in die Höhe, suchte mit den Füßen Halt auf Nebenästen und Verzweigungen. Glyzinienblätter rieselten zu Boden, ein Vogel piepste aufgeregt, und Luise, die den Laden weiter geöffnet hatte und sich hinauslehnte, sah nun, von schräg unten, dass Stauffer sich über das Geländer schwang und mit einem leisen Fluch auf der Terrasse landete. Würde Lydia ihm öffnen? Plötzlich stand Anna im weißen Nachthemd neben Luise. Stauffers Flüstern war so laut, dass sie jedes Wort verstanden: »Mach auf, Lydia, ich bin da, ich will bei dir sein«, und klopfte mit dem Knöchel an die Terrassentür. Die zwei Lauscherinnen unten hielten den Atem an. Würde sie tun, was er wollte? Stauffer brauchte Ausdauer, wohl nicht, um Lydia zu wecken, sondern um sie zu erweichen. »Lass mich zu dir«, flüsterte er, und in der Stille ringsum, in der nur ab und zu die Bäume rauschten, war dies so deutlich, als stünde er unten neben den Mädchen. »Keine Angst«, verstanden sie, »deine Mägde schlafen, ich bin vorher ums Haus gegangen.« Dann ein Knarren, das war die aufgehende Terrassentür, Schritte, die Tür schloss sich mit einem dumpfen Laut.

»Was will er bei ihr?« Luise schämte sich, kaum hatte sie ihn gesagt, über diesen Satz, denn Anna gab mit ihrem burschikosen »Was wohl?« die Antwort. Sie lauschten angestrengt, hörten in der Tat unbestimmte Geräusche, als sie wieder in ihren Betten lagen, um sich aufzuwärmen. Das Rücken eines Stuhls, Laute wie von einem leisen Gespräch. Danach Stille, und plötzlich ein vernehmliches »Nein!«, das aber nicht wiederholt wurde. Nun war der Mond erneut, halb verschleiert, zum Vorschein gekommen, es war, als ob jemand ein trübes Licht angezündet hätte.

»Man müsste da oben das Ohr an die Tür legen«, sagte Anna.

»Leiser!«, zischte Luise, die ein ungutes Gefühl hatte, weil auch sie allzu gerne Ohren- und Augenzeugin von dem, was da geschah, gewesen wäre.

»Wir müssen doch wissen, was los ist«, flüsterte Anna. Sie tappte zur halboffenen Tür und stieg die Treppe hoch.

»Bleib hier!«, befahl Luise, lauter, als sie gewollt hatte. Aber Anna gehorchte ihr nicht, von ihr kam so etwas wie ein verschlucktes Kichern. Luise folgte der weißen Gestalt, holte sie auf den ersten Stufen ein, versuchte sie am Nachthemd zurückzuhalten. Aber Anna riss sich los, kam beinahe ins Stolpern. Dann stand sie oben vor der Tür des Appartements und horchte. Luise blieb wie gelähmt auf der Treppe stehen. Eine halbe Ewigkeit schien zu vergehen, nichts regte sich im Haus. Oder doch? Raschelte da etwas? Hatte jemand etwas fallen lassen? Die beiden da oben, Stauffer und Lydia, konnten doch unmöglich schon eingeschlafen sein.

Anna kam zurück. »Ich glaube, sie hat geseufzt«, berichtete sie, kaum hörbar. »Und vielleicht hat sie nein gesagt, aber ich bin nicht sicher.«

»Und er?«, fragte Luise unwillkürlich, bevor sie überlegen konnte.

Anna schüttelte den Kopf. »Nichts. Ich habe nichts gehört. Oder vielleicht ein Schnaufen. Wie von einem Tier.« Wieder ihr verschlucktes Lachen.

»Hör auf damit«, fuhr Luise sie an. »Und du erzählst keinem Menschen davon, verstanden!«

Das schüchterte Anna ein wenig ein. »Denk doch, wenn Welti das wüsste.«

»Er braucht es nicht zu wissen.«

»Das ist Ehebruch.«

»Du hast keine Beweise.«

Was Ehebruch war, wusste Luise sehr wohl, wenn auch nicht in allen Einzelheiten. Das Wort erregte sie auf seltsame Weise. Aber sie fror, sie begann am ganzen Körper zu zittern.

Sie gingen zurück in ihr Zimmer, legten sich wieder hin, zogen die Decken hoch. Die Katze setzte erneut mit ihrem Miauen ein, aber weder Anna noch Luise machten Anstalten, sie zu verscheuchen.

In Luises Kopf ging alles durcheinander. Sie streckte die Hand zum andern Bett hinüber. »Versprich mir, dass du es niemandem sagst. Sonst werden wir entlassen.« Anna ergriff wortlos ihre Hand, sie drückte sie und drehte sich in ihrem Bett auf die andere Seite. Knapp ahnte Luise, wo sie lag, das Mondlicht war wieder schwächer geworden, wie launisch es doch war.

Luise schlief kaum in dieser Nacht, sie wusste, dass sich jetzt alles ändern konnte, und sie hatte Angst davor. Irgendwann glaubte sie, Stauffer weggehen zu hören; aber es war auch möglich, dass er – für so unverschämt hielt sie ihn – einfach hierblieb, als hätte er ein Recht darauf, bei der verheirateten Frau Welti zu liegen.

Am Morgen, der strahlend anfing, war Stauffer tatsächlich nicht mehr da. Das zeigte sich rasch. Frau Lydia klingelte nach ihren Mädchen, Luise ging hinauf und fand sie noch im Bett vor, das Nachthemd nicht ganz zugeknöpft, sie schien entrückt, aber ihr Teint war gerötet, als hätte sie Rouge aufgetragen, und ihr Lächeln wirkte entspannt, sogar glücklich. Sie begrüßte Luise, wollte den Morgenkaffee im Zimmer trinken, und als das Mädchen mit dem Tablett zurückkehrte, hatte sie ihr Reisekostüm angezogen, auch den Hut mit den Federn schon bereitgelegt, sie trug sogar ihre Ohrringe und setzte sich adrett an den kleinen Tisch. Das Brötchen vom Vortag ließ sie stehen, der Hausbursche hatte noch keine frisch gebackenen gebracht, sie aß auch nichts vom Rührei, das Anna zubereitet hatte. Doch sie fasste Luise mit forschendem Blick ins Auge. »Ich werde heute Mittag verreisen«, sagte sie plötzlich, indem sie das Kinn hob. »Wir nehmen den Zug nach Rom.«

Wen sie mit »wir« meinte, war völlig klar. Es hatte keinen Sinn, danach zu fragen.

Dieses selbstverständliche »Wir« verstörte Luise dennoch, und sie wusste nichts anderes, als sich zu erkundigen, ob Frau Lydia vor der Abreise noch frisiert zu werden wünsche.

Sie verneinte. »Ich habe einiges zu packen. Ich nehme aber nur die Reisetasche mit. Die zwei großen Koffer lasse ich mir nachschicken.«

»Gedenken Sie denn«, setzte Luise mit Vorsicht an, »länger wegzubleiben?«

»Das wird sich zeigen.« Frau Lydia nahm einen Schluck vom starken Kaffee, den Luise ihr serviert hatte. Sie zögerte, und ein Schatten ging über ihr Gesicht. »Ich gebe meinem Mann auf jeden Fall Bescheid. Am besten telegraphisch. Bonciani wird das übernehmen.«

»Wann kommt denn Herr Welti wieder nach Florenz?«, getraute sich Luise zu fragen.

Frau Lydia zog überrascht die Augenbrauen hoch. »Das weiß ich nicht. Seine Geschäfte lassen ihn darüber im Unklaren, das hat er mir mitgeteilt.«

Ob das stimmte? »Was ist denn mit uns, mit Anna und mir«, fragte Luise weiter. »Bleiben wir hier?«

»Ach so, darum geht es.« Frau Lydia rieb ihre Hände aneinander. »Es ist doch recht kühl heute.« Sie hüstelte in ihr Taschentuch. »Ihr zwei bleibt einfach hier, bis mein Mann zurückkommt, ja? Es gefällt euch doch an diesem Ort, oder nicht?«

Luise goss Frau Lydia Kaffee nach, obwohl ihre Tasse noch halb voll war. »Aber was sollen wir denn tun?«

Nun war auch Frau Lydia ein wenig verlegen. »Signor Bonciani wird euch schon Aufträge geben. Und sonst lernt doch Florenz noch besser kennen. Ein wenig Faulenzerei und Herumflanieren mag ich euch gönnen.« Beinahe zärtlich ergriff sie Luises Hand. »So, und jetzt lass mich bitte allein. Ich will ungestört sein. Ich muss mich auf mein neues Leben vorbereiten.«

Luise zog sich mit einer angedeuteten Verbeugung zurück und berichtete der wartenden Freundin atemlos, was sie erfahren hatte.

»Weißt du, was das heißt?« Anna war heiser vor Aufregung. »Die brennt mit ihm durch.«

Luise legte den Zeigefinger auf die Lippen. »Sei still.«

Anna überhörte den Einwand, setzte hinzu: »Aber weißt du was? Der ist auf ihr Geld aus. Nur darauf.«

Vielleicht hat sie recht, dachte Luise, vielleicht ist es aber wirklich die große Liebe. Was sah Lydia denn in ihm? Das Genie, den Kraftkerl, der sie glücklich machen würde? Das wird er nicht, sagte sie sich, er wird sie behandeln wie seinen zerrissenen Malerkittel.

Gegen Mittag traf Stauffer mit einer Mietkutsche ein, er ignorierte Bonciani, der am Eingang stand, stürmte hinauf in den oberen Stock. Bald erschien er wieder mit Lydia an seiner Seite, die nun ihren Hut keck aufgesetzt hatte. Luise schaute ihnen zu. Nebeneinander kamen sie die Treppe hinunter, sie hatte sich bei ihm eingehängt und den Kopf leicht zu ihm geneigt, so dass sie sich auch beim Gehen an ihn zu lehnen schien. Sie nahmen die Stufen im Gleichschritt. Deutlicher konnten sie kaum zeigen, dass sie mehr miteinander verband als bloße Freundschaft. Aber Stauffer wirkte weder glücklich noch galant, sondern so, als drücke ihn ein schweres Gewicht, dem er sich entgegenstemmen musste.

Draußen half er ihr in die Kutsche. Bonciani war da und

verabschiedete sich mit versteinertem Gesicht von Frau Lydia. »Ich lasse Ihre Zimmer vorläufig unbesetzt«, sagte er. »Aber Sie werden sie bezahlen müssen.«

Sie drehte sich nicht um, als die Kutsche anfuhr, den Mädchen hatte sie noch etwas Geld zugesteckt und »Adieu« zu ihnen gesagt. Was mit ihnen geschehen würde, schien sie nichts anzugehen. Dann aber, nach den ersten Metern, bemerkte sie, dass sie ihre Reisetasche vergessen hatte, sie ließ den Kutscher anhalten, schickte ein Mädchen zurück ins Haus, um sie zu holen. Luise erledigte den Auftrag so schnell wie möglich, sie kam keuchend mit der schweren Tasche zurück, reichte sie Stauffer hinauf, der sie verstaute. Er war unrasiert, er wich, entgegen seiner Gewohnheit, ihrem Blick aus, aber sie glaubte, in seiner Miene etwas Triumphierendes zu lesen. Einen weiteren Verzögerungsgrund gab es nicht, der Wagen entschwand nach dem Schnalzlaut des Kutschers hinter der ersten Kurve.

14

Frau Lydia war weg und kam nicht wieder. Die Dienstmädchen vernahmen nichts von ihr, sie waren zum Warten verurteilt. Stundenlang mutmaßten sie, was jetzt geschehen würde. Bonciani ließ sie in Ruhe, der Hausbursche, jünger als Anna, aber schon mit dem Anflug eines Schnurrbarts, suchte ihre Nähe, wie ein Fuchs, der um seine künftige Beute schleicht. Am Tag nach der Abreise des Liebespaars regnete es, vom Park her wehte ein herber Geruch in die Zimmer. Luise hätte gerne Tropfen auf ihrem Gesicht gespürt, sie fühlte sich lebendiger, wenn die Haut nass wurde. Irgendwann sagte Bonciani, er habe nach Bern telegraphiert, an den Herrn Bundesrat, er habe ihm mitgeteilt, dass seine Schwiegertochter mit dem Maler Stauffer die Stadt in Richtung Rom ohne formelle Abmeldung verlassen habe. Luise übersetzte für Anna, und diese fragte, warum der Wirt nicht gleich den Ehemann benachrichtigt habe. Luise wusste es nicht, Bonciani, der von Stunde zu Stunde brummiger und verdrießlicher wurde, hatte sich schon wieder in sein winziges Büro verkrochen, als wolle er mit den Gästen, den verschwundenen und den anwesenden, nichts mehr zu tun haben. Was in Zürich und in Bern alles ablief, konnte Luise bloß ahnen, erst viel später erfuhr sie es in groben Zügen: Der Bundesrat, vom Telegramm in

Aufruhr versetzt, hatte unverzüglich den Sohn informiert und ihn zu absolutem Stillschweigen verpflichtet. Beide fürchteten gleichermaßen den Skandal. Der düpierte Ehemann stieg überstürzt in den nächstmöglichen Zug nach Florenz, wohl ohne klaren Plan.

Seltsam, wie die Zeit beim Kochen und beim Nichtstun verrann, alles schien sich für Luise unter einem Vergrößerungsglas zu befinden, jedes unerwartete Geräusch dröhnte an ihre Ohren, der Geruch der angebratenen Zwiebeln brachte sie beinahe zum Erbrechen. Sie kam sich schutzlos vor, sie dachte an Frau Lydias künftiges Leben und daran, dass sie jetzt wohl kein Hausmädchen mehr brauchen würde. Aber vielleicht Welti, der, wie Bonciani mitteilte, seine baldige Ankunft angekündigt hatte. Was wollte er denn hier? Seine Ehefrau zur Vernunft bringen? Aber die war jetzt in Rom, bei Stauffer. Und diesen Mann wollte sie nicht als Dienstherrn. Anna war inzwischen so durcheinander, dass sie am liebsten noch gleichentags in die Schweiz gefahren wäre, heim zu den Eltern nach Horgen. Luise bemühte sich, sie zum Bleiben zu überreden. Welti müsse ihnen dann doch wenigstens noch einen Monatslohn oder sogar mehrere auszahlen.

»Gut«, sagte Anna trotzig, »dann kaufe ich mir einen Hut mit Federn.«

So einen hatte Frau Lydia; sie konnten sich nicht helfen, die Gedanken schweiften immer wieder zu ihr.

Am frühen Dienstagmorgen kam Welti junior an. Er wirkte übernächtigt, er war bleich, verlangsamt in allem, was er sagte und tat, und zugleich fahrig aufgeregt. Die Krawatte hatte er gelockert, sie hing schlaff an ihm herunter wie ein beliebiger Lappen. Er war in letzter Zeit abgemagert, sein dunkelblauer Maßanzug schlotterte um ihn herum. Die Mädchen hatten ihn, zwischen Angst und Neugier, erwartet, waren schon seit sechs Uhr angezogen und dienstbereit. Er grüßte sie so distanziert, als hätten sie sich noch nie gesehen; nicht einmal Annas Name fiel ihm ein. Sie brachten sein Gepäck ins verlassene Obergeschoss, er folgte ihnen, schaute sich mit verlorenen Blicken um, er zögerte, ob er die beiden Koffer, die für den Abtransport bereit waren, öffnen sollte, ließ es dann bleiben, verlangte plötzlich Spiegeleier zum Frühstück und stützte sich, von einer Schwäche erfasst, an der Wand ab. Anna briet in der Küche die Spiegeleier, drei im Ganzen, servierte sie, als er sich unten hingesetzt hatte, mit Toast und Milchkaffee, den er stehen ließ, dafür verlangte er nach Wasser und trank eine halbe Karaffe aus. Er kaute, in Gedanken versunken, lange am Toast, den er mit einem Spiegelei belegt hatte, merkte nicht, dass er den offenen Hemdkragen mit Eigelb bekleckerte. Was wollte er überhaupt hier? Er wollte alles wissen, das stellte sich bald heraus. Zuerst von Bonciani, der, vor dem Tisch stehend, widerwillig Auskunft gab und ein Telegramm vom Vortag zeigte, in dem Stauffer ihn aufforderte, Lydias Gepäck nach Rom nachzusenden und den beiden Hausmädchen je 500 Lire auszuhändigen, damit sie in die Schweiz zurückkehren könnten. Er lachte grimmig in sich hinein: Das habe er nicht getan, Stauffer habe eine Anzahlung geleistet für die Pension, die er von Bonciani kaufen wollte, aber dieses Geld behalte er vorläufig für sich. Welti war entsetzt; davon hatte er nichts gewusst, es sei doch, sagte er, um ein ganz anderes Objekt gegangen, das Geld fordere er zurück. Bonciani widersprach nicht, nur seine Haltung drückte Unverständnis aus.

Dann waren die Hausmädchen an der Reihe, die Welti immerhin zum Sitzen einlud. Sie wurden streng verhört. Bei jeder Frage zwinkerte er, strich dazu ständig über seinen Schnurrbart, auf seiner Stirn zeigten sich Schweißtropfen, obwohl es im Raum keineswegs warm war. Luise und Anna hatten schon vorher abgesprochen, dass es klüger war, Welti ihr nächtliches Spionieren zu verschweigen, und so sagten sie bloß, dass sie mitten in der Nacht Geräusche gehört, danach aber weitergeschlafen hätten. Ja, es sei möglich, dass Stauffer bei Frau Lydia gewesen sei, Genaueres wüssten sie nicht. Aber schon diese vage Auskunft schien Weltis Bestürzung zu verstärken, seine Lippen zitterten. Plötzlich brauste er auf. Seine Stimme wurde unangenehm hoch. »Dieser Schuft!«, schrie er. »Dem werd ich's heimzahlen!« Er wollte noch mehr sagen, doch die Worte erstickten in unverständlichen Lauten, die in eine Art Schluchzen übergingen. Mit beiden Händen bedeckte er sein Gesicht. Die zwei Mädchen starrten ihn erst an wie gelähmt, dann stand Luise auf und holte ein Glas Wasser für ihn. Er riss es ihr beinahe aus der Hand, verschüttete dabei die Hälfte, stürzte den Rest wie ein Verdurstender herunter. Er bemühte sich nun, in normaler Lautstärke weiterzureden, forderte die Mädchen auf zu berichten, was am Morgen geschehen war, und sie schilderten ausführlich ihre Beobachtungen, von der Ankunft Stauffers bis zur Wegfahrt mit Lydia. Ob seine Frau, fragte Welti, von Stauffer bedroht worden sei, ob er Gewalt angewendet habe, um sie zu entführen. Schon wieder geriet seine Stimme ins Flattern. Die Mädchen verneinten, alles sei freiwillig, mit Lydias Einverständnis passiert; etwas anderes hätten sie nicht gesehen. Welti schlug mit der flachen Hand auf den Tisch. »Er hat sie so lange beschwatzt, bis sie in seinen Händen war wie Wachs, das kann er nämlich, dieser Casanova. Oder er hat ihr Mittel gegeben, sie willfährig gemacht.«

»Ich glaube nicht«, sagte Luise widerstrebend, sie hätte dem Mann, der sichtlich außer sich war, gern zugestimmt, aber lügen wollte sie nicht. Nachdem er seine Fragen gestellt hatte, fing er nochmals von vorn an, schrieb sich nun das eine oder andere auf, vielleicht, dachte Luise, zuhanden der Polizei. Er wollte sie wohl in Widersprüche verwickeln, doch das gelang ihm nicht, weder sie noch Anna, die zwischendurch sogar aufbegehrte, wichen von ihren ersten Aussagen ab.

Plötzlich gähnte er mehrfach, sah mit dem weit offenen Mund seltsam fremd aus, beinahe zum Fürchten. »Ist gut«, sagte er dann, »wir werden sehen«, und wiederholte wie eine nutzlose Beschwörung: »Wir werden sehen.«

Formlos und ohne Dank entließ er die zwei Mädchen. Und noch immer hatten sie keine Ahnung, was sie tun sollten und wie ihre Zukunft aussehen würde. Sie verbrachten den Tag mit Näh- und Flickarbeiten, die ihnen Bonciani aufgetragen hatte. Darin war Luise überhaupt nicht geschickt. Sie war froh, dass Anna das meiste übernahm, ließ sich immerhin auf ein zerfahrenes Gespräch ein.

Welti ging gegen Mittag weg. Er habe, verriet ihnen Bonciani, mit Minister Bavier in der Schweizer Gesandtschaft Kontakt aufgenommen, der sei ein Kollege von Bundesrat

Welti in Bern gewesen, der habe die besten Verbindungen zu den römischen Behörden, er werde Stauffer bei ihnen anzeigen.

»Weswegen denn?«, fragte Luise. Stauffer war ihr zwar zuwider, aber er hatte ihres Wissens keinen Gewaltakt und keinen Raub verübt.

Bonciani brummte in seiner unwilligen Art vor sich hin und gab keine klare Antwort.

Abends, als Welti zurückkam und vor einer Karaffe Wein saß, zog er die Kammermädchen doch ein wenig mehr ins Vertrauen. Er wirkte verstört, zeitweise wie betrunken, suchte mühsam nach Worten und hatte Tränen in den Augen. Der Maler Klinger, sagte er, habe telegraphisch bestätigt, dass er Lydia für außerordentlich verwirrt, ja geisteskrank halte, und Stauffer sei ein Halunke, dem es bloß ums Geld und den eigenen Ruhm gehe. Man müsse, fuhr er nach einer langen Pause fort, seine Ehefrau, die in der Pension Aliberti, nahe bei Stauffer, untergebracht sei, fachärztlich untersuchen und sie an einem geeigneten Ort einquartieren, wo sie die notwendige Behandlung erhalte. Er, Welti, werde morgen nach Rom fahren und Lydia beistehen, man müsse sie natürlich, da wurde er wieder unangenehm laut, zur Räson bringen, aber auch dafür sorgen, dass Stauffer festgenommen werde. Er seufzte tief, legte eine Hand auf die Brust, wie wenn ihn ein Schmerz überfallen hätte.

Geisteskrank, wagte Luise einzuwenden, sei ihr Frau Welti nicht vorgekommen. Vielleicht etwas überspannt, aber auf jeden Fall bei Sinnen.

»Davon«, fuhr Welti sie an, »verstehst du wohl weniger als die Ärzte.«

Sie senkte den Blick und schwieg.

Anna indessen fragte, was denn mit ihnen beiden jetzt geschehe, sie könnten ja nicht ewig hier warten.

Ratlos schaute Welti sie an, begann an seiner Krawatte herumzuzupfen. »Ja, was machen wir mit euch?«

Anna brachte stockend vor, was sie beschäftigte, ihr Gesicht wurde dabei fast dunkelrot. »Wenn es keine Verwendung für uns gibt … also, wenn die gnädige Frau nicht mehr hier ist, möchte ich gerne zurück.«

»Zurück wohin?«, fragte Welti erstaunt.

»Zurück nach Horgen«, sagte Anna, »zu meinen Eltern.«

»Ach so.« Die Antwort brachte Welti kurz zum Lächeln. »Du hast Heimweh, wie?« Er dachte nach. »Ich glaube, das lässt sich machen. Du kannst fahren, wann du willst. Du bekommst das Reisegeld von mir und den letzten Lohn.«

Anna schien maßlos erleichtert zu sein, sie bedankte sich untertänig und verheddette sich in einem langen Satz, der keinen Sinn ergeben wollte.

Luise schnitt ihr das Wort ab. »Und ich?«, fragte sie. »Ich möchte bei Frau Lydia bleiben.«

Welti nahm einen ausgiebigen Schluck vom Wein. »Ob das geht, wissen wir noch nicht. In ein paar Tagen dürfte es klar sein.«

»Soll ich denn weiter hier warten?«

Welti überlegte, musterte Luise, die beinahe trotzig zurückschaute. »Du könntest die Wartezeit in Livorno verbringen«, sagte er.

»In Livorno?« Die Antwort bestürzte sie. Wo genau Livorno lag, wusste sie nicht, aber auf jeden Fall weit weg von Florenz.

»In Livorno leben Verwandte von mir. Sie würden dich bestimmt für eine Weile aufnehmen.«

Luise fiel ein, dass sich in der Tat eine Tante aus Livorno vor ein paar Jahren im Belvoir aufgehalten und mit ihren Ansprüchen und Reklamationen den ganzen Haushalt durcheinandergebracht hatte.

»Ich will nicht dorthin«, sagte sie mit einer Entschiedenheit, die sie selbst überraschte. »Dann warte ich lieber hier.«

Welti straffte sich. Luise sah ihm an, dass er sie zurechtweisen wollte, doch er sank bloß zurück in seinen Sessel und ließ es bleiben. »Wie du willst«, sagte er. Seine matte Handbewegung machte klar, dass das Gespräch für ihn beendet war.

Bevor sie das Zimmer verließen, wandte sich Anna, vor Aufregung übertrieben laut, noch einmal an Welti. »Dann sind Sie einverstanden, dass ich schon bald fahre? Nächste Woche?«

Welti nickte. »Das lässt sich arrangieren.«

Sie schloss die Tür, Luise war bereits im Treppenhaus. Einen Augenblick blieb Anna stehen wie erstarrt, dann machte sie plötzlich einen kleinen Freudensprung. »Ich fahre heim«, sagte sie beinahe singend, »du, ich fahre heim!« Und dann tänzelte sie die Treppe hinunter, so gut es bei ihrer Gedrungenheit möglich war, und Luise folgte ihr gemächlicher und fragte sich, ob es nicht besser wäre, gleich mitzufahren. Aber zugleich spürte sie deutlich, dass sie an Frau Lydia hing wie an einer älteren Schwester und dass sie es nicht ertrug, sie jetzt im Stich zu lassen.

Anna verschloss sich sogleich gegenüber dem Schicksal ihrer Dienstherrin, von der sie sich bereits gelöst hatte; sie wollte gar nichts Näheres mehr erfahren.

Welti reiste, wie er angekündigt hatte, noch am selben Tag nach Rom. Luise werde, sagte er, so bald wie möglich von ihm hören. Vielleicht fordere er sie auf, sich wieder in den Dienst seiner Frau zu begeben, ob in Rom, in Florenz oder anderswo, könne er nicht voraussagen, es komme auf ihren Gesundheitszustand an. Zurück nach Zürich werde sie kaum wollen, da sei zu viel Geschirr zerschlagen worden. Und man zerreiße sich ja schon überall die Mäuler wegen dieser Affäre. Sie geheim zu halten sei nicht gelungen, auch die Zeitungen würden darüber berichten, zum Glück in seinem Sinn, nämlich dass er der schuldlos Verlassene und Betrogene sei. Da hob sich seine Stimme, ein Zorn loderte in ihm auf, den er nicht verstecken konnte.

Nach Weltis Verschwinden begann Anna mit Hilfe des Hausburschen, der nun dauernd zugegen war, zu packen, sie schäkerte mit ihm, sie sang, sie wirkte mit der Gewissheit, bald heimzukehren, völlig verwandelt. Ihre Reisetasche war bald gefüllt; in den zwei Wochen in Florenz hatte sich nicht viel Neues angesammelt. Als es nichts mehr zu tun gab, spielten die beiden Verstecken im Park, und ihr Gelächter drang zu Luise, die sich über Annas Leichtfertigkeit ärgerte. Den halben Tag saß sie auf ihrem Bett und dachte über ihre ungewisse Zukunft nach. Eine einzige Karte hatte sie ihrer Familie nach Russikon geschickt, ein Bild mit dem Ponte Vecchio. Eine Antwort hatte sie nicht erwartet, es war auch keine gekommen.

Bonciani hatte, im Auftrag Weltis, das Zugbillett für

Anna gekauft, er begleitete sie am Freitag früh zum Bahnhof. Luise wollte nicht mit; aber zwischendurch hatte sie doch bereut, dass sie in Italien bleiben wollte. Es gab, nachdem sie so viel zusammen erlebt hatten, einen erstaunlich kühlen Abschied zwischen ihnen, zwei flüchtige Wangenküsse, nicht einmal eine richtige Umarmung. Anna roch penetrant nach Kölnischwasser, und sie schaute nicht zurück, als sie, neben Bonciani, in der Mietkutsche wegfuhr, so wenig, wie Luise ihr nachwinkte.

Sie hatte keine Ahnung, wo Frau Lydia jetzt war, vermutlich bei Stauffer oder in dessen Nähe, aber dass Welti vorhatte, die beiden mit allen Mitteln voneinander zu trennen, war ihr völlig klar. Die Stunden verstrichen langsam; sie stellte sich vor, wie der Zug mit Anna nach Norden fuhr, durch die Dörfer, die Rebberge, wo die Trauben schon geerntet waren, sie stellte sich vor, wie er in Mailand ankam, wie er am Lago Maggiore entlangfuhr, wie er in die Dunkelheit des Gotthardtunnels tauchte. Dieses Mal hatte Anna niemanden, der ihr in ihrer Angst gut zuredete, aber vielleicht war sie nun schon daran gewöhnt. Es begann zu regnen, das Wasser tropfte draußen ununterbrochen vom Laub und von den Nadeln. Plötzlich kamen Luise die Tränen, sie wusste nicht, warum genau, und sie wusste nicht, wie sie mit dem haltlosen Weinen aufhören konnte. Aber als Bonciani am Nachmittag zurückkam, hatte sie wieder trockene Augen. Er war auf dem Telegraphenamt gewesen, auch an anderen Adressen, und er wusste einiges an Neuem, an Überraschendem und kaum zu Glaubendem: Stauffer sei in Rom verhaftet worden, man habe ihn nach Florenz gebracht und dort im schlimmsten Kerker gefangen gesetzt, er werde beschuldigt, Geld unterschlagen und Frau Lydia entführt, sogar missbraucht zu haben. Da stecken die Weltis dahinter, dachte Luise, einem Welti nimmt man die Ehefrau nicht ungestraft weg. Dass Stauffer mit seiner Großspurigkeit ins Messer laufen würde, war voraussehbar gewesen. Härter traf sie aber die zweite Neuigkeit, die Bonciani rapportierte: Frau Lydia – er nannte sie Signora Welti – sei ins Krankenhaus geschafft worden, genauer in die städtische Irrenanstalt, da ihr Geisteszustand dies dringend erfordere. Das Wort *manicomio* hatte Luise zuerst nicht verstanden, und als Bonciani erklärte, was für Kranke dort festgehalten würden, und dies mimisch unterstrich, konnte sie ihr Erschrecken nur schlecht verbergen. Hatte der junge Welti auch dies verlangt? Zu Lydias Schutz? Um sie zu strafen? Oder um sie endgültig von Stauffer zu trennen? Bonciani sagte, möglicherweise benötige die Kranke in der Anstalt eine spezielle Bedienung, und dafür sei dann bestimmt sie, Luisa, *la cameriera*, vorgesehen. Soweit er wisse, sei dies in den Einzelzimmern erster Klasse erlaubt. Welti werde sich zu gegebener Zeit an sie wenden. Bonciani hatte in der Tür gestanden und sie mit seinem massigen Körper beinahe ausgefüllt, nun drehte er sich grußlos um und verschwand, einen Geruch nach Pferd und schlechter Suppe hinterlassend. Luise war mit sich allein.

Überraschend traf ein Brief von ihrer Schwester Lina ein, der erste, der sie hier in Italien erreichte. Man höre und lese, schrieb sie, bei ihnen zu Hause so vieles über den Skandal im Hause Welti-Escher, dass einem ganz schwindlig werde. Vom Ehebruch der Frau Welti sei die Rede, von ihrer Flucht mit dem skrupellosen Maler Stauffer und dessen Verhaftung. Wie es Luise unter diesen Umständen gehe, das frage sich die ganze Familie und sei in Sorge. Vielleicht werde es für Luise nun schwierig, eine neue Stelle zu finden, sie könne aber jederzeit zurück ins Elternhaus, dort gebe es immer ein Bett für sie. Der Brief war, anders als sonst, fast fehlerfrei, vermutlich hatte jemand der Schwester geholfen. Er ärgerte Luise ein wenig und rührte sie gleichzeitig. Jetzt plötzlich, wo es in gewisser Weise auch um den guten Ruf des Hausmädchens von Frau Welti ging, dachte man wieder an sie, und zugleich sprach aus Linas Zeilen echtes Mitgefühl; die beiden Schwestern waren einander doch einmal nahe gewesen, hatten sich ihre ersten Verliebtheiten anvertraut und sich gegenseitig getröstet, wenn es nötig war. Und wenn Luise die Schwester umarmte, hatten deren Haare immer ganz besonders gerochen, nach Kräutern und Gras sogar mitten im Winter, wohl deshalb, weil Lina gerne die Kaninchen fütterte und sie manchmal lange an sich drückte. Luise schrieb umgehend zurück, sie solle dem ganzen Geschwätz nicht trauen, Frau Lydia komme ja gewiss wieder zurück zum Ehemann und werde ihren Fehltritt bereuen, und der noble Herr Welti werde ihr verzeihen, irgendwann würden sich die Gemüter wieder beruhigen. Daran glaubte Luise nur halb, aber sie wollte sich selbst davon überzeugen, dass vielleicht bald alles wieder beim Alten sein würde.

Welti meldete sich zwei Tage später aus dem Albergo Continentale mit einem langen Telegramm. Was Bonciani gesagt hatte, bestätigte sich jetzt: Seine arme Frau belege zur Zeit ein Zimmer in der Psychiatrischen Anstalt Santa

Anna della Pietà. Ihn, den Ehemann, wolle sie nicht sehen, was er bedaure. Sie wünsche sich aber eine Vertraute in der Nähe, am liebsten Luise. Er fordere sie deshalb auf, sich auf seine Kosten nach Rom zu begeben, sie solle dann vorläufig in seinem Hotel Quartier nehmen und von dort aus seine Frau aufsuchen. Luise las das Telegramm mehrere Male durch, sie stellte sich vor, wie Frau Lydia allein in einem Zimmer saß und darüber brütete, was nun ohne Stauffer mit ihr geschehen würde. Sie fragte sich, ob Welti selbst veranlasst hatte, sie einzusperren, oder ob es Minister Bavier gewesen war, der die Fäden gezogen hatte. Sie bat Bonciani, nach Rom zu telegraphieren, sie nehme Signor Weltis Einladung an und werde ihm melden, wann sie ankomme. Sie verfügte nur noch über wenige Lire, und so erklärte sich Bonciani bereit, das Telegramm aufzugeben und für sie eine Fahrkarte nach Roma Termini, Abfahrt am nächsten Morgen, zu besorgen.

War dies nun der endgültige Auszug aus der Pensione Bonciani? Oder würde sie bald wieder hierher zurückkehren? Sie wusste es nicht, packte auf jeden Fall, wie Anna ein paar Tage vorher, alles in ihre Reisetasche; die eleganten und kaum getragenen Schuhe, die ihr Frau Lydia geschenkt hatte, fanden noch knapp darin Platz.

Eine unruhige Nacht voller Vogelschreie, Hundegebell und Miauen. Sie war gerädert, als sie aufstand, der Abschied von Bonciani war kühl, er musste ihr auch noch das Fahrgeld für die Mietkutsche vorschießen. Der Hausbursche hingegen, der schon da war, versuchte, sie zu umarmen. Mehr als einen Kuss auf die Wange duldete sie aber nicht. Es waren mickrige Gesellen, die sich um sie bemühten, Anton im Belvoir, Giuseppe hier, sie hatte anderes im Sinn, eine seriöse Partie, alt genug für eine Verlobung war sie ja nun. Aber würde sich der Richtige je zeigen?

Am frühen Nachmittag traf sie in Roma Termini ein. Sie hatte nur selten aus dem Zugfenster geschaut, war ihren sorgenvollen Gedanken nachgegangen. Welti, den Bonciani benachrichtigt hatte, wartete tatsächlich in der Bahnhofshalle auf sie. Er war tadellos angezogen, im Zweireiher, mit Hut, unbeweglich stand er in der Menge, drückte ihr, als sie ihn erspäht hatte, sogar schwach die Hand und nahm ihr die Reisetasche ab. Er habe wie angekündigt ein Zimmer für sie in seinem Hotel reserviert; es sei aber auch möglich, dass sie später in einem Trakt von Lydias Hospital – er mied eine nähere Bezeichnung – Unterkunft beziehen könne. Sein Gesicht wirkte trotz seines Lächelns zerrüttet, fast so, als könne er jeden Moment in Tränen ausbrechen. Plötzlich blieb er stehen und sagte: »Sie hat einen Brief an Minister Bavier mit Lydia Stauffer unterschrieben.« Und nach einigen tiefen Atemzügen: »Kannst du dir das vorstellen?« Das klang nun frostig, ein unterdrückter Zorn war daraus zu hören. Luise schüttelte den Kopf; dass Frau Lydia so weit gehen würde, hätte sie nicht gedacht.

Sie nahmen für die Strecke auf einer belebten Straße die Pferdebahn, dann stiegen sie in eine der wartenden Kutschen am Rand eines riesigen Platzes um. Das sei die Piazza del Popolo, belehrte sie Welti, der sonst nur wenig sagte, sich nicht einmal erkundigt hatte, wie sie gereist sei. Rom war größer, lauter und quirliger als jede andere Stadt, die Luise bisher gesehen hatte. Und die Kuppel des Petersdoms, der sie sich näherten, schien über allen Häusern zu schweben wie ein Trugbild.

Das Zimmer im Hotel Continentale, das Luise zugewiesen wurde, war klein, aber sauber, und vom Fenster aus sah man hochgewachsene Pinien, die zu einem Park gehören mochten. Sie nahm im Speisesaal mit seinen schweren Kronleuchtern eine Erfrischung zu sich, etwas Weißbrot und Oliven, trank Wasser. Dann brachte Welti sie zum Aufenthaltsort seiner Frau, der Villa Barberini, weitab vom Hauptgebäude des Manicomios, die Villa war den Patienten erster Klasse vorbehalten. Auf der Kutschfahrt, als sie den Tiber überquerten, gestand Welti ihr erstaunlicherweise, dass er mit der Situation, die sich jetzt ergeben habe, schwer umgehen könne. Seine Frau sei launisch, sehr verwirrt, man müsse sie überwachen, damit sie sich nichts antue. Je offener seine Worte waren, desto weniger brachte er die Lippen auseinander, und in seinen Augen standen Tränen. War es Zorn, war es Kummer, was ihm die Sprache nahm? Luise solle jetzt probeweise ein paar Stunden mit Lydia verbringen, sagte er mit Mühe, und sich nicht so sehr als Dienstmädchen sehen, sondern eher als Gesellschafterin. Er werde sie dann nach dem Abendessen abholen, bis dahin sei ihr vielleicht schon klar, ob sie sich vorstellen könne, eine Zeitlang in der Villa Barberini zu wohnen.

Die Villa, auf dem Gianicolo gelegen, war von Zypressen und von Zitronen- und Orangenbäumen umstanden, die voller leuchtend gelber und goldener Früchte hingen; es roch so wie ehemals zur Weihnachtszeit im Belvoir. Welti führte sie mit immer langsameren Schritten zum zweiflügeligen Eingangstor, das ein uniformierter Wärter für sie offnete. Sie kamen zur Portiersloge. Nach kurzer Wartezeit erschien die Frau Oberin, streng und schwarz gekleidet, Welti wechselte flüsternd ein paar Worte mit ihr, deutete auf Luise, die verlegen danebenstand, und zog sich danach mit einem Gruß zurück. Lydia wollte den Ehemann offenbar auch weiterhin auf keinen Fall sehen. Warum denn nicht?, fragte sich Luise. Aus schlechtem Gewissen? Oder weil sie trotz allem nur Stauffer im Kopf hatte?

Die Frau Oberin begleitete Luise, ohne ein Wort zu sagen, in den hinteren Teil des Erdgeschosses. Vor der letzten Tür saß auf einem Stuhl eine beleibte Wärterin, die ihnen mit einem Knicks aufschloss. Sie betraten ein geräumiges, aber sparsam möbliertes Zimmer mit hohen Fenstern, bei denen die Tüllvorhänge zur Seite gezogen und festgebunden waren. Der Blick ging hinaus zum üppigen Garten, in dem noch die Rosen blühten. Es war ein von Frauen bevölkerter Innenhof; der einzige Ausgang wurde, wie Luise sogleich sah, ebenfalls bewacht.

Frau Lydia saß, mit dem Rücken zur Tür, am kleinen, an ein Fenster gerückten Schreibtisch; so hatte sie Luise im Belvoir oft gesehen, sinnend, schreibend. Sie drehte sich, auf den Gruß der Oberin hin, widerstrebend um. Aber als sie Luise erkannte, erhob sie sich und kam langsam auf sie zu. Sie breitete die Arme aus, und Luise dachte schon, sie werde sie, was noch nie vorgekommen war, umarmen. Aber dicht vor ihr ließ sie die Arme sinken, lächelte und sagte in ihrem vertrauten Dialekt: »Danke, dass du gekommen bist.« Luise nickte; vor Rührung hatte sie einen Kloß in der Kehle. Dann konnte sie doch antworten: »Ich hoffe, es geht Ihnen hier gut.«

»Es ist kein schlechter Ort«, sagte Lydia und bedeutete der Frau Oberin mit einer Geste, dass sie gehen könne. Das tat sie, ziemlich verstimmt, wie Luise bemerkte.

Frau Lydia bot ihr einen Stuhl an und schob ihn vor den Schreibtisch, an den sie sich wieder setzte.

»Es tut mir gut, dich zu sehen«, sagte sie. »So ist mir klarer, wer ich bin.«

Als Luise schwieg, fuhr sie fort: »In meinem Kopf geht viel zu viel durcheinander. Man muss mir helfen, dass alles wieder in die richtige Ordnung kommt. Emil hat mir ausrichten lassen, dass du bereit bist, eine Weile hierzubleiben, in meiner Nähe. Das stimmt doch, oder?«

Luise nickte. »Aber ich bin allein. Anna wollte zurück.«

»Anna?« Lydia schien einen Augenblick verwirrt. »Ach so?«

»Sie lässt Sie grüßen«, schwindelte Luise. »Und sie wünscht Ihnen gute Besserung.«

Eine Weile fehlten beiden die Worte. Die Sonne schien immer noch kräftig, trotz ihres tiefen Stands, beinahe überhell war es draußen im Hof.

Lydia schloss die Augen und faltete die Hände in ihrem Schoß, erst jetzt fiel Luise auf, dass sie ein schlichtes weißes Kleid mit schmalem Gürtel trug, das gewiss nicht aus ihrem Bestand kam. War es ein Anstaltskleid? Durften die Patientinnen der ersten Klasse gar nicht tragen, was sie wollten? Fast hätte Luise danach gefragt.

Doch Lydia öffnete die Augen und zeigte auf das beschriebene Blatt, das vor ihr auf dem Schreibtisch lag, daneben Tintenfass und Feder, ein Löschblatt voller Kleckse und seltsamer Figuren mit verschwommenen Konturen.

»Ich schreibe vieles auf. Was soll ich sonst tun? Ich versuche, meiner Verehrung für die alten Griechen Ausdruck zu geben. Nie wurde so Vollkommenes in der Kunst geschaffen wie durch sie.« Sie senkte die Stimme, als wolle sie ein Geheimnis enthüllen. »Wir sollten ihnen nachfolgen, mit einem großen Tempelbau von uns Heutigen zum Beispiel …« Sie stockte, verstummte. War das nicht eine Idee von Stauffer gewesen? Seinen Namen nannte Lydia nicht.

»Nun gut, liebe Luise, planen wir doch ein wenig unseren Tagesablauf. Magst du?«

Luise nickte. »Wie Sie wünschen.«

»Du kannst mir zum Beispiel vorlesen. Die Novellen von Keller sind in meinem Gepäck. Auch anderes. Wir können miteinander Halma spielen. Schach ist mir zu kompliziert, zu kriegerisch, das habe ich immer abgelehnt, wenn Emil mich dazu bringen wollte. Bei günstigem Wetter können wir uns draußen im Hof unterhalten. Frische Luft und Sonnenschein sind Balsam für mich.«

Luise zeigte sich mit allem einverstanden. Frau Lydia griff plötzlich nach ihrer Hand und tätschelte sie sachte. »Schön, dass du da bist, Luise. Das gibt mir Mut.« Aber dann fiel ihr etwas ganz anderes ein. »Weißt du was? Meine Frisur muss unbedingt gemacht werden. Und das kannst du doch so gut. Geh, klopf an die Tür.«

Luise gehorchte, die Wärterin draußen öffnete, Frau Lydia bat auf Italienisch um Kamm und Bürste, auch um eine Schere, die offenbar im Zimmer nicht vorhanden waren. Die Wärterin brummte etwas, brachte dann aber das Gewünschte herbei und übergab es Luise.

»Gehört das denn nicht zu Ihren Toilettensachen?«,

fragte sie, während sich Frau Lydia auf einen Polsterstuhl am Fenster setzte.

»Ach, das sind eben gefährliche Dinge. Damit kann man sich verletzen.« Sie lachte ein wenig. »Man hält mich für …« Sie zögerte. »Ich finde das Wort gerade nicht, doch: gefährdet.« Unvermittelt begann sie, mit einem Taschentuch vor dem Mund, zu schluchzen, zwischen den erstickten Lauten war der Name verständlich, den sie mehrmals nannte: »Carlo.« Und als das Schluchzen verebbte, sagte sie: »Man hat uns getrennt … hartherzig getrennt … Und er ist jetzt allein, wie ich.«

Luise schaute weg und wusste nicht, wie sie sich verhalten sollte. Aber Lydia fand die Fassung wieder, deutete auf ihren Kopf. Luise fing an, sie zu kämmen und zu bürsten, und da die Haare widerspenstig und an den Schläfen beinahe drahtig waren, befeuchtete sie sie mit ein wenig Wasser aus dem Krug, der auf dem Toilettentisch stand. Frau Lydia wollte lange nicht, dass Luise aufhörte, betastete dann ihre Haare und fand, sie seien weicher und lockiger geworden. »Morgen oder übermorgen kannst du sie mir waschen.« Ihre Tränen von vorhin schienen wie weggewischt. Als Nächstes bat sie Luise, die zuerst nicht begriff, was sie meinte, ihr das locker gegürtete Kleid in griechische Falten zu legen. Dazu stand sie auf und gab unklare Anweisungen. Luise, vor ihr niederkauernd, bemühte sich, die Falten von Hand zu formen und den Gürtel so eng zu schnallen, dass eine Art dauerhafter Faltenwurf entstand, mit dem Frau Lydia aber lange nicht zufrieden war. Nach mehreren Versuchen fragte Luise: »Warum wollen Sie das? Dafür braucht es doch einen feineren Stoff.«

Frau Lydia schüttelte den Kopf. »Ich beschäftige mich mit griechischen Statuen.« Sie deutete auf ein großes Buch, das auf einem Lesetischchen lag. »Das tut er ja auch. Wobei sie ihn eingesperrt haben wie mich.« Ihre Stimme hob sich. »Zu Unrecht! Er hat mir nichts angetan. Gar nichts.« Sie hielt inne, als müsse sie sich daran hindern, in Zorn zu geraten, trat errötend ans Fenster, die Hände am Gürtel, damit die Falten blieben. Sie kämpfte erneut mit den Tränen. Was folgte, war so leise, dass Luise es fast erraten musste: »Wäre er doch hier … ich …« Sie unterbrach sich, fuhr verständlicher fort: »Irgendwann werde ich nach Griechenland reisen, zur Akropolis und all den anderen Kunstwerken. Vielleicht kommst du ja mit. Emil interessiert sich nicht so sehr dafür. Weißt du, er ist eher ein Zahlenmensch.« Und nach einer Pause. »Man kann krank sein und darf trotzdem Pläne haben.«

Sie forderte Luise auf, wie ehemals ein paar Seiten aus *Romeo und Julia auf dem Dorfe* vorzulesen. Einige Passagen kannte sie fast auswendig. Es wurde allmählich dunkel. Die Wärterin kam herein und zündete eine Lampe an. Frau Lydia hatte Stauffer nicht mehr erwähnt; sie bestellte das Abendessen für zwei, sie wollte sich mit einer Bouillon und etwas geröstetem Brot begnügen. Luise hingegen war einverstanden mit einem Teller Nudeln samt *sugo di pomodoro*. Wein gab es aber nicht dazu. Nach der Mahlzeit räumte Luise das Geschirr ab, und gleichzeitig kam die Oberin herein, um sie zu holen: Herr Welti warte draußen auf sie. Bei seinem Namen zuckte Frau Lydia zusammen, aber sie sagte bloß zu Luise: »Du kommst doch morgen wieder, ja?«

Luise nickte, reichte ihr zum Abschied die Hand und spürte, wie kalt sie war und dass sie die ihre kaum loslassen wollte.

»Sie können auch hier in der Villa wohnen, im benachbarten Zimmer«, sagte die Frau Oberin, als sie durch den langen Gang zur Eingangshalle gingen, wo Welti, sichtlich nervös, auf sie wartete.

»Ich weiß«, antwortete Luise, wusste aber nicht, ob sie das wirklich wollte.

Auf der Rückfahrt, schon im Laternenschein, sprachen Welti und sie kaum ein Wort; sie saßen nebeneinander, er roch stark nach Zigarrenrauch, hustete ab und zu in sein Taschentuch. Erst im Hotel, wo er Luise zu einem Glas Wein einlud, fragte er, was sie für einen Eindruck von seiner Frau habe.

Luise zögerte. »Sie beschäftigt sich mit vielem.«

»Womit denn?«

An einer kleinen Spitze konnte sie sich nicht hindern. »Zum Beispiel mit griechischer Kunst. Und mit ihrer Frisur. Die soll ich ihr jeden Tag machen, hat sie gesagt.«

»Scheint sie dir sehr krank?«

Luise schüttelte den Kopf; vom Wein nippte sie bloß ein wenig, er war ihr zu kräftig. »Ich glaube, sie ist einfach durcheinander.« Sie schaute Welti an. Er wich ihrem Blick aus und überwand sich zur nächsten Frage, die wie beiläufig klang, aber wohl sein Kernanliegen war. »Hat sie … Hat sie Stauffer erwähnt?« Sein Gesicht verzerrte sich einen Augenblick. »Hast du herausgefunden, wie sie nach alldem … zu ihm steht?«

»Nein«, antwortete Luise. Nur den Vornamen hatte Lydia genannt und ihre Trennung beklagt, aber das brauchte Welti nicht zu wissen. Das enggeschnittene modische Jackett mit dunkelblauen Karos, das er trug, gefiel ihr nicht; es passte in keiner Weise zu ihm und seiner sonst so zurückhaltenden Art.

Solange sie Frau Welti Gesellschaft leiste, sagte sie, fände sie es besser, in der Villa Barberini zu logieren, das erspare dem Herrn Doktor und ihr die zeitraubenden Hin- und Rückwege. Sie war selbst überrascht von ihrer Entscheidung.

»Die Wege sind doch gar nicht so lang«, murmelte Welti. Aber er war einverstanden. Luise spürte, dass er sie noch gerne eine Weile hingehalten hätte. Doch obwohl es nicht viel später als neun Uhr war, zog sie sich lieber zurück.

Als sie aufstand und Welti gute Nacht wünschte, schaute er sie trübsinnig an, beinahe wie ein im Stich gelassener Junge, und blieb sitzen; zuvor hatte er eine weitere Karaffe Wein bestellt. Vielleicht bestand ja sein Abendmahl nur daraus.

Im Bett dachte sie lange darüber nach, wie sie mit Frau Lydia umgehen sollte. War es ihre Absicht, dass Luise von sich aus auf Stauffer zu sprechen kam? Oder wollte sie gerade das vermeiden? Sie versuchte, sich vorzustellen, wie es ihm, dem Verführer, im Gefängnis ging. Die Anklagen gegen ihn, das hatte sie von Bonciani gehört, waren schwerwiegend. Ein wenig Mitleid hatte sie mit ihm, aber auch Abneigung mischte sich hinein, die seinem bedenkenlosen Verhalten galt.

15

Luise bezog das Zimmer direkt neben dem von Frau Lydia. In einem so schönen Raum hatte sie noch nie gewohnt. Die Fenster, die ebenfalls auf den Hof gingen, hatten die gleiche Größe wie nebenan, die Vorhänge waren aus dem gleichen luftigen Stoff. Ja, luftig war es hier, hell trotz des Innenhofs. Das freundliche Braungelb des Parketts, das sie ab und zu auf den Knien wichste, gefiel ihr, die Stuckdecke auch. Und wenn jemand von draußen zu ihr hineinwinkte, winkte sie zurück. Es waren, außer den Ärzten auf Visite, im ganzen Areal nur Frauen anzutreffen. Meist hielten sich ein paar Patientinnen im Hof auf. Einige waren sehr still, saßen am liebsten auf einer Gartenbank, andere sprachen vor sich hin oder lachten plötzlich und anscheinend ohne Grund laut heraus. Wenn sie zu schreien begannen, wurden sie von einer Pflegerin weggeführt. Sie trugen private Kleider, das Personal hingegen war erkennbar an der hellgrauen Uniform und den Hauben. Manchmal hörte man durch die Mauern lautes Weinen, Klagerufe, Wutgebrüll; da würden, sagte Frau Lydia, im gekachelten Bad die aufsässigen Patientinnen zur Beruhigung in Tücher gewickelt und in eiskaltes Wasser getaucht, wo man sie stundenlang liegen lasse. Sie sprach darüber ganz ungerührt; sie wusste wohl, dass man ihr so etwas nicht zufügen würde. Es gebe auch Zwangsjacken für besonders schwere Fälle, spezielle Stühle mit Riemen zum Festschnallen, eine Zelle mit gepolsterten Wänden für Tobsüchtige. Aber im Gesamten seien die Ärzte hier überaus menschenfreundlich, sie würden dafür auch ausreichend bezahlt. Luise, der es bei solchen Schilderungen unwohl wurde, wollte nichts Weiteres mehr wissen.

Die Tage mit Frau Lydia bekamen allmählich einen festen Rhythmus. Sie frühstückten zusammen, dann half Luise ihr bei der Toilette, und das machte sie nicht ungern, denn Frau Lydia holte bei vielem ihren Rat ein und lächelte sie im Spiegel an, wenn ihr Luise ein paar kühne Locken gedreht hatte. Frau Lydia hatte inzwischen aus Florenz ihren großen Kleiderkoffer bekommen und konnte fast jeden Tag etwas Neues anprobieren. Welti hatte ihr zudem ein Kleid aus blauem Samt von einem bekannten Römer Couturier schicken lassen. Das erstaunte Luise; was veranlasste den betrogenen Ehemann, seiner Frau ein solches Geschenk zu machen? Wollte er sich bei ihr wieder einschmeicheln? Das Kleid war Lydia zu lang und zu weit, aber das machte nichts, sie präsentierte sich ja nur vor ihrem Dienstmädchen. Und bald, sagte sie, würde sie es von einer Schneiderin einnähen lassen. Sogar ein paar Tanzschritte erlaubte sie sich in diesem festlichen Kleid, sie musste allerdings aufpassen, dass sie nicht auf den Saum trat. Das Geschenk schien Lydia, was Welti betraf, milder zu stimmen, unerwartet lobte sie seine Großzügigkeit.

Nach dem Ankleiden war die Lektüre an der Reihe, Luise las aus den Seldwyler Novellen vor, verbesserte von Tag zu Tag den Lesefluss und die Betonung. Irgendwann gab ihr

Frau Lydia *I promessi sposi* von Manzoni in die Hand, und sie versuchte sich im Italienischen, was lehrreich war, denn schwierige Wörter schlug Frau Lydia in ihrem *dizionario* nach. Es kam vor, dass auch sie etwas vorlesen wollte, sie griff nach dem Stapel Blätter auf dem Schreibtisch und las Passagen aus einem Aufsatz über Kunst vor, an dem sie schrieb. Es ging um Wahrheit und ihre Vermittlung, Luise verstand, dass die heutigen Künstler von den alten lernen müssten und dass es eine Rückbesinnung auf deren Formschönheit brauche. Von Stauffer war nicht mehr die Rede, und doch schien es Luise, er komme fast in jedem Satz vor, allerdings hörte sie daraus nicht das Großsprecherische, das ihr an Stauffer missfiel, sondern eine tiefe Sehnsucht nach dem Schönen, die sie hin und wieder aus seinen Augen gelesen hatte.

Das Mittagessen musste nach Lydias strikten Vorgaben leicht verdaulich sein, Reis mit wenig Butter, Gemüse, Salat. Sie aßen gemeinsam, zum Nachtisch bestellte Lydia gelegentlich eine heiße Schokolade, denn ein bisschen sündigen müsse der Mensch, sagte sie mit gespielter Reue. Es gab ja auch andere Sünden; über die sprachen sie nicht. Danach legten sich beide eine Weile in ihren Zimmern hin. Luise schlief nie ein, döste höchstens ein bisschen, dachte an das Haus in Russikon – wie lange das nun schon her war! –, versuchte, sich die Gesichter ihrer Geschwister ins Gedächtnis zu rufen, und lauschte den Geräuschen, die von der Stadt her durchs halboffene Fenster zu ihr drangen, immer wieder Glockengeläut in allen Tonlagen, Hämmern, Gebell, dazu von nahem die sich überlagernden Stimmen der Patientinnen im Hof, hin und wieder ein Schreien von weitem. Jemand sang fast jeden Tag um diese Zeit, es war eine angenehme Stimme, die bloß in der Höhe ein wenig kratzte.

Nach der Mittagspause ging sie mit Frau Lydia im Hof spazieren; von der Villa wegzugehen, hatten die Ärzte ihr untersagt. So durchmaßen sie auf den Wegen zwischen den Rosenbeeten den Hof kreuz und quer und umrundeten ihn dann. Lydia hängte sich bei Luise ein, was diese am Anfang stets verlegen machte, sie grüßten die Anwesenden, wurden auf unterschiedliche Art zurückgegrüßt, manchmal ignoriert oder angefahren. Am wichtigsten war Luise der Gleichschritt, in den sie über kurz oder lang gerieten, der Rosenduft und das Sonnenlicht auf dem Haar. Es herrschte nun fast immer schönes Wetter und wurde im Dezember nahezu sommerlich warm.

Einmal brach vor ihren Augen eine Patientin zusammen und begann gierig, mit bloßen Händen Erde in sich hineinzustopfen. Zwei Wärterinnen eilten zu ihr und versuchten, sie davon abzuhalten. Die Patientin wehrte sich mit aller Kraft, knurrte und fauchte wie ein Tier. Zwei weitere Wärterinnen wurden gerufen, gemeinsam, zu viert, überwältigten und fesselten sie die Frau, die völlig außer sich war. Wider Willen war Luise von der Szene fasziniert, aber zugleich abgestoßen.

»Sie hat einen Anfall«, sagte Frau Lydia zu Luise. »Das ist nichts für dich. Komm, wir gehen hinein.«

Und sie packte Luise am Ärmel und zog sie mit sich. Dabei wirkte sie so unbeteiligt, als ob sie in keiner Weise zu dieser Gesellschaft gehörte.

Mitte des Monats hatte sie sich bereit erklärt, den persönlichen Kontakt mit ihrem Mann wiederaufzunehmen. Was sie dazu gebracht hatte, wusste Luise nicht. Wollte Lydia zurück zum Ehemann, weil sie ahnte, dass sie sonst vor dem Nichts stehen würde? Dafür, dass sie ihn wirklich liebte oder neu lieben lernen wollte, konnte Luise keine Anzeichen erkennen. Aber eigentlich war ihr auch nicht klar, was zwischen den beiden solche Anzeichen gewesen wären.

Welti kam nun jeden zweiten Tag zu Besuch, dann musste sich Luise in ihr Zimmer zurückziehen. Er blieb nie länger als zwei Stunden, danach war er wieder in Geschäften unterwegs, auch in Rom gab es Banken und Händler, die er von der Qualität der Maggi-Suppen überzeugen wollte. Worüber sie sprachen, behielt Frau Lydia für sich, nur einmal deutete sie an, vielleicht komme es nun doch nicht zur Scheidung. Ein anderes Mal nahm Luise allen Mut zusammen und erkundigte sich nach Stauffer. Brüsk wandte sich Lydia von ihr ab, strich die Strähnen aus der Stirn, sagte dann, sie wisse nichts von ihm, nur dass er inzwischen nach Florenz gebracht worden sei. Die Briefe, die er ihr aus dem Gefängnis schreibe, wolle sie nicht lesen, Luise solle nicht wieder nach ihm fragen, das tue ihr nicht gut. Sie entschuldigte sich und tadelte sich hinterher selbst für ihre Neugier. Aber sie hätte gerne gewusst, ob Lydia den Mann, der ihr so viel Unglück gebracht hatte, im Geheimen immer noch liebte oder ob sie diese Liebe mit aller Kraft abzuwürgen versuchte. Nein, das war ja nicht möglich, das konnte man gar nicht.

Im Dezember erhielt Frau Lydia Besuch von Herrn Schaufelbühl, dem Direktor der Psychiatrischen Anstalt von Königsfelden. Bundesrat Welti hatte bei seinem Sohn durchgesetzt, dass der Arzt sowohl seine Schwiegertochter wie den inhaftierten Stauffer untersuchen durfte. Das tat er flüchtig, in kurzer Zeit, und kam wunschgemäß zum Schluss – Frau Lydia erfuhr es über Umwege –, dass sie geisteskrank sei und Stauffer an hochgradigem Größenwahn leide und auf jeden Fall weggesperrt bleiben müsse. Sie lachte halb darüber, als sie es Luise erzählte, aber auf eine befremdende Weise. »Wenigstens habe ich hier eine Zeitlang meine Ruhe«, fügte sie an.

Auch über die Festtage war das Wetter ganz und gar nicht weihnachtlich. Trotzdem stand bei Frau Lydia ein kleiner Weihnachtsbaum, den sie selbst mit Kerzen und Flitter geschmückt hatte. Zum Weihnachtfest schenkte sie Luise zwei Paar teure Seidenstrümpfe, Luise ihrerseits hatte lange gezögert und sich dann – viel Geld stand ihr nicht zur Verfügung – für Champagner-Truffes entschieden, die Lydia, wie sie wusste, besonders mochte. Es gab in der Villa eine kleine Hauskapelle, und die Signora Welti war eingeladen, am abendlichen Weihnachtsgottesdienst teilzunehmen. Das wollte sie nicht; mit dem Katholizismus hatte sie ihre Mühe, mit der Kirche überhaupt. Da blieb auch Luise der Kapelle fern, dachte aber mit unerwarteter Wehmut an die Weihnachtsfeiern in der Kirche von Pfäffikon und sang innerlich, während sie in die brennenden Kerzen schaute, »O du fröhliche, o du selige«. Laut singen oder auch nur summen wollte sie nicht; Frau Lydia, die Feierlichkeit nicht mochte, hätte ihr wohl gleich den Mund verboten.

Am Neujahrstag blieb Welti länger als üblich, er lud Luise sogar ein, sich eine Weile zu ihnen zu setzen, sie stießen miteinander auf ein gutes 1890 an. Die beiden, die ja immer noch verheiratet waren, gingen äußerst höflich miteinander um. Aber wenn Luise genau hinhörte, hatte sie das Gefühl, dass sie einander nicht trauten, sich gegenseitig belauerten; man musste, dachte sie, jederzeit auf einen Ausbruch gefasst sein. Vielleicht hatte diese Erwartung auch mit der Atmosphäre der Villa zu tun, in deren Mauern so viel Verzweiflung gespeichert war.

Welti lobte Luise für ihre Zuverlässigkeit und überreichte ihr ein Couvert mit ein paar Geldscheinen, damit sie sich etwas Schönes kaufen könne, ein Armband oder Ohrringe. Sie dankte befangen; wollte er etwas von ihr? Ja, ihre Zustimmung, dass es richtig war, seine Frau im Irrenhaus, wenn auch einem luxuriösen, interniert zu lassen. Er hatte Luise ein paar Tage zuvor überraschend auf die Seite genommen und gefragt, ob sie Frau Lydia nach wie vor für geisteskrank halte.

»Das war sie doch gar nie«, sagte sie nach kurzem Zögern.

»Davon verstehst du nichts«, erwiderte er schroff und ließ sie stehen. Warum hatte er dann überhaupt gefragt?

Am Neujahrstisch kündigte er an, er müsse in wenigen Tagen in die Schweiz zurückreisen, wegen Verwaltungsratssitzungen, bei denen er unmöglich fehlen könne. Das hatte er auch vor seiner letzten Rückreise gesagt, und dann hatte sich in seiner zweiwöchigen Abwesenheit die Katastrophe ereignet, die er vielleicht doch, so hatte damals Anna gemeint, hätte vorausahnen oder verhindern können. Er werde vermutlich erst in ein paar Wochen wieder in Rom sein, im Februar oder März, aber sie habe ja Gesellschaft, tröstete er seine Frau, deren Gesicht weder Überraschung noch Ablehnung zeigte.

Frau Lydia blieb also allein zurück, und sie erfuhr bald – von wem? –, dass Stauffer freigekommen war. Für keinen der Anklagepunkte, die der Gesandte Bavier dem Florentiner Staatsanwalt eingeflüstert hatte, ließen sich Beweise finden, und die Behörden hatten sich, trotz der Beeinflussungsversuche von höchsten schweizerischen Stellen, als standhaft erwiesen. Auch Lydia hatte bei ihrem Verhör mit Nachdruck bekräftigt, dass Stauffer ihr weder Gewalt angetan noch Geld abgeschwatzt oder von ihr gestohlen habe. Es war das erste Mal seit langem, dass sie ihn vor Luise beim Namen nannte. Sie nahm ihn sogar in Schutz: Ja, mit dem Geld, das ihr Mann Stauffer für den geplanten Hauskauf überlassen habe, sei er leichtfertig umgegangen, nur sei dies kein Delikt, das jemanden ins Zuchthaus bringe.

Ein paar Tage darauf schrieb ihr Welti aus Bern, dass man Stauffer in Florenz erneut festgenommen und in die Heilanstalt San Bonifazio verbracht habe. Es sei den Behörden nach einem Tobsuchtsanfall Stauffers nichts anderes übriggeblieben; er wäre sonst zur öffentlichen Gefahr geworden.

»Es geht ihm also schlecht«, sagte Frau Lydia eher zu sich als zu Luise, der sie in aller Kürze erzählt hatte, was sie wusste, und Luise fand nicht heraus, ob Lydia Stauffers Verhaftung billigte oder bedauerte. Vielleicht hatte sie sogar Angst vor ihm; aber plötzlich standen doch Tränen in ihren Augen. Luise selbst blieb unschlüssig, es wäre ein

Schock gewesen, wenn er in der Villa Barberini aufgetaucht wäre, um seine ehemalige Geliebte zur Rede zu stellen.

Das Jahr hatte milde begonnen und blieb milde. Im Februar bekam Frau Lydia einige Male den Besuch zweier italienischer Psychiater, de Pedys und Roseo, die nun nach einigem Hin und Her im Auftrag des Zivil- und Strafgerichts von Rom ein ausführliches Gutachten über sie schreiben sollten.

»Sie klären ab«, sagte Frau Lydia mit einer ironischen Grimasse zu Luise, »ob ich wirklich ins Irrenhaus gehöre oder nicht.«

Luise wusste, dass der Bericht einschneidende Folgen haben würde. Bei Feststellung einer Geisteskrankheit bekäme Frau Lydia einen Vormund, und sie würde nicht mehr frei über ihr Vermögen entscheiden können, allerdings auch nicht nach einer Scheidung, bei der ihr Mann, da sie den Ehebruch eingestanden hatte, wesentlich bevorzugt würde. Das alles war schwer zu durchschauen, Frau Lydia hatte es Luise auch nur lückenhaft erklärt, aber sie hatte begriffen, dass die Ehefrau so oder so auf der Verliererstraße stand, und Luise nahm sich vor, am besten gar nie zu heiraten. Was sie allerdings schon am nächsten Tag wieder in Frage stellte.

Für die beiden Ärzte, die gewöhnlich am frühen Nachmittag erschienen, musste sie jeweils einen Imbiss vorbereiten, der natürlich auf die Rechnung der Patientin ging. Luise durfte in der Küche aus den reichen Vorräten selbst etwas zusammenstellen. Die Köchin war gleichbleibend freundlich zu ihr, ganz anders als seinerzeit die launische

Johanna im Belvoir, Luise half ihr beim Schneiden der Salami, bei der Auswahl der Oliven. Die Köchin öffnete Gläser mit eingelegtem Gemüse und ließ mit geschickten Händen eine appetitliche Platte entstehen, während Luise starken Schwarztee zubereitete, wie die beiden Ärzte ihn wünschten. Sie servierte den Imbiss pünktlich um vier Uhr am runden Tisch in Lydias Zimmer und freute sich über den Dank der beiden Herren, die sie bei ihrem ersten Besuch kurz über ihre Herkunft ausgefragt hatten. Aber sie durfte nie lange bei ihnen bleiben und musste sich in ihrem Zimmer die Zeit vertreiben. Dann las sie langsam weiter in Manzonis Roman. Die Geschichte fesselte sie, und sie war bis zu jenem Kapitel gelangt, wo Renzo seine Verlobte Lucia in Mailand wiederfindet, zur Zeit der großen Pest, als sie in einem Lazarett den Kranken beisteht. Das Wiedersehen der zwei Liebenden rührte Luise zu Tränen, nicht nur, weil nun nach so vielen Gefahren alles gut wurde, sondern auch, weil sie beim Vorblättern herausgefunden hatte, dass sich das Paar später in der Nähe von Bergamo niederließ. Das holte viele Erinnerungen zurück, das ansteigende Wasser, in dem der Vater ertrank, die lauten hallenden Stimmen im Haus, die Zahnstummel der alten Frauen, den Zitronengeschmack der Zuckerbonbons, die es beim Krämer gab.

Die Sitzungen mit Frau Lydia dauerten meist drei, vier Stunden. Die Herren machten sich viele Notizen, das bewiesen die vollgekritzelten Blätter, die sie rasch zusammenschoben und umdrehten, wenn Luise mit dem Servierwagen erschien. Wenn sie dann gegangen waren, erzählte Frau Lydia das eine oder andere: Die beiden würden gründlich vorgehen, ihre ganze Lebensgeschichte und die Ereignisse in der Pensione Bonciani erforschen, aber sie spüre, dass sie nicht negativ über sie urteilen würden und sie für gesünder hielten als ihr Schwiegervater, von dem sie denke, dass er sie – da stockte sie kurz – loswerden wolle, um an ihr Geld zu gelangen, wohl auch an ihre Bilder.

Der jüngere der beiden Ärzte, Roseo, hatte, nebst ergrauten Locken an den Schläfen, schöne Augen, ungewöhnlich braun waren sie, immer ein bisschen feucht, sie wirkten treuherzig wie die eines Hundes. Er schaute manchmal Luise freundlich, beinahe mit Zuneigung an, wie ihr schien. Während sie das Geschirr abräumte, erkundigte er sich, ob es ihr hier gefalle, ob sie gut behandelt werde. Luise bejahte beides und hielt dem Blick Roseos stand; in ihm war eine kleine Verlockung, die ihr gefiel, und sie wünschte sich, dass er bei Begrüßung und Abschied ihre Hand ein wenig länger halten würde, als der Anstand es gebot. Aber er trug ja einen Ehering und hatte vermutlich zwei oder drei Kinder, die mit Freudenrufen an ihm hochsprangen, wenn er nach Hause kam. Ja, Doktor Roseo – Rinaldo war sein Vorname – versetzte sie in lockende Zukunftsträume. Aber einen Rinaldo würde ihr das Schicksal kaum bescheren, einer wie er würde um ein einfaches Mädchen wie Luise niemals werben, da mochte sie noch so klug und gelehrig sein.

Es war lange her, dass Luise so viel Zeit für sich gehabt hatte. In Bergamo, ja, da war sie während der Sommerhitze in den Dom geschlichen und auf einen der Beichtstühle geklettert, dort fühlte sie sich wie in einem kleinen Haus, das ihr allein gehörte. Es war angenehm dämmrig und still, sie roch den Weihrauch, der die ganze Kirche erfüllte, niemand wollte etwas von ihr, und näherten sich doch Schritte, verließ Luise auf allen vieren den Beichtstuhl und versteckte sich unter einer der vorderen Bänke. Es wurde heller, wenn die Sonne durch die oberen Fenster schien, es wurde dunkler, wenn sie hinter der Mauer verschwand. Die Zeit verging so gemächlich, als wäre sie ein Stück Torte, von dem Luise andächtig Bissen um Bissen aß.

Jetzt lag sie, das aufgeklappte Buch neben sich, im Bett, das Gemurmel von nebenan im Ohr, sie sah zu, wie auch hier die Sonne weiterwanderte. Eine Zeitlang stand sie noch hoch genug, sie strich über ihr Gesicht, über ihren Körper, warf Lichtflächen auf die Decke, dann war sie weg. Bisweilen schlief Luise ein und erwachte erst, wenn das Klopfen der Wärterin sie aufforderte, im Zimmer der Signora Welti Ordnung zu machen.

Sie bedauerte es, als die psychiatrischen Sitzungen aufhörten. Frau Lydia hingegen schien glücklich zu sein; die beiden Herren hätten ihr versichert, sie werde die Anstalt bald verlassen können, in ihrem Gutachten würden sie aufzeigen, dass es keinen Grund gebe, sie weiter einzuschließen. Aber was danach geschehen sollte, wusste sie nicht.

Luise fragte, ob sie hin und wieder einen längeren Spaziergang in der Umgebung machen dürfe, sie habe das Bedürfnis, sich zu bewegen. Und wenn das Gutachten so günstig sei, könnten sie doch vielleicht bald zu zweit ein bisschen ausschreiten. Ja, sagte Frau Lydia, die Ärzte würden ihr das inzwischen erlauben. Aber sie selber traue es sich nicht zu, noch nicht, sie müsse sich erst wieder an Menschen, an zufällige Begegnungen gewöhnen. So ging

Luise, im beginnenden Frühling, als die Knospen der Platanen aufsprangen, allein über den Gianicolo. Vom höchsten Punkt des Hügels aus sah sie auf all die Kuppeln, unter denen sie nur den Petersdom und das Pantheon erkannte. Das frische Grün flimmerte im Sonnenlicht, und sie dachte kurz an Anton, den Gärtnerjungen vom Belvoir, und fragte sich, wie es ihm wohl ging und ob er immer noch so viele Sommersprossen hatte.

Danach saß sie wieder eine Weile bei Frau Lydia, die in letzter Zeit das Bedürfnis hatte, von ihrem Vater zu erzählen, für den es jetzt vor dem Hauptbahnhof in Zürich ein Denkmal gebe. Erstaunlich sei das, nachdem man ihn gegen Ende seines Lebens von allen Seiten mit Hass und Häme eingedeckt habe. Nun anerkenne man seine Größe, seine Weitsicht, man sehe ein, dass ohne ihn die Schweiz im Stillstand verharrt wäre. »Auch mir«, sagte sie, »ist der Umgang mit ihm nie leichtgefallen. Er war herrisch, aufbrausend, aber gescheit, oh, wie gescheit! Er hat die Machtspiele seiner Gegner durchschaut und pariert, so lange, bis er zu müde dafür war. Und er wollte, dass ich ebenso klug würde wie er, auch wenn eine Frau, wie er oft genug betonte, nie die Gestaltungskraft eines Mannes erlangen würde.« Frau Lydia schaute an diesem Punkt versonnen auf ihre Hände und bewegte die Finger, als ob sie Klaviertasten niederdrücken wollte, was ihr Vater ja geschätzt hatte; aber Klavier spielte sie schon lange nicht mehr, ihr eigenes war sogar, wie Luise vermutete, inzwischen verkauft.

»Manchmal«, fuhr Lydia fort, »habe ich mich für ihn und seine Launen verantwortlich gefühlt. Das war wohl falsch. Ich wollte ihn trösten und konnte es nicht.«

»Er hätte wieder heiraten sollen«, wagte Luise einzuwenden. »Er war ja noch jung, als seine Frau starb.«

Frau Lydia wiegte den Kopf. »Ich glaube, ich hätte damals keine Stiefmutter akzeptiert. Ich selbst wollte ihm alles sein und habe mich damit überfordert. Eine unbeschwerte Kindheit, liebe Luise, war mir nicht vergönnt.«

Luise auch nicht; doch Frau Lydia würde dies nicht begreifen, und vor allem wollte sie nicht zuhören, sondern sich selbst aussprechen. Ihre Augen schwammen plötzlich wieder in Tränen, sie holte die Porträtfotografie des alten Escher aus einer Schreibtischschublade hervor, da war er, der graubärtige Mann mit seinem mächtigen Schädel, dem abschätzenden, scharfen Blick. Sie selbst hätte sich wohl, dachte Luise, vor ihm gefürchtet oder wäre in Trotz erstarrt.

Mitte März sollte Lydia Welti-Escher aus der Villa Barberini entlassen werden, und ihr Ehemann, nun seit zwei Monaten in der Schweiz, hatte angekündigt, er werde sie abholen und sie zur weiteren Erholung an einen ihr zuträglichen Ort begleiten. Lydia rätselte, wo das sein könnte. Nach Königsfelden zu Doktor Schaufelbühl, der seine Arroganz, wie sie zu Luise sagte, hinter jovialer Väterlichkeit verberge, wolle sie keinesfalls. Überhaupt am liebsten gar nicht zurück in die deutsche Schweiz, am wenigsten ins Belvoir, dort würde sie sich fühlen wie begraben von der eigenen Vergangenheit. Außerdem stehe das Anwesen immer noch zum Verkauf, da sie als urteilsunfähig gegolten habe, sei es ihr nicht möglich gewesen, sich dagegen zu wehren, sie hätte es auch kaum getan. Zürich sei ihr gleichgültig geworden.

Das war eine Rede, die Luise bestürzte. Wie konnte

denn jemand seine Heimat derart verleugnen? Aber sie tat es ja selbst, wenn auch auf andere Weise. Den Brief ihrer Schwester Lina, der auf Umwegen zu ihr nach Rom gelangt war, hatte sie gar nicht beantwortet. Ob es für Luise nicht doch klüger wäre, die Stelle zu wechseln?, das frage die Mutter jeden Tag, sie leide an starken Gliederschmerzen, da helfe auch das beste Ziegenfett nicht. Was sollte Luise aus der Ferne dagegen machen können? Lina, jünger als sie, wollte nächstens einen braven Mann heiraten. »Brav«, das klang nicht gerade nach einer großen Liebe. Zur Hochzeit würde Luise nicht fahren, eine solche Reise war ihr zu umständlich, es drängte sie wenig, mit ihrer Familie zu feiern und sich vorhalten zu lassen, dass sie bei dieser skandalumwitterten Dame bleibe, von der sich jetzt, wie man lese, ihr Ehemann scheiden lasse. Außerdem würden Mutter und Schwestern ihr einschärfen, es werde auch für Luise Zeit, nach einem ebenso braven Bräutigam Ausschau zu halten. Das wollte sie sich ersparen. Und dabei hatte sie der Familie noch gar nicht mitgeteilt, dass sie jetzt in Rom sei und auch künftig den Dienst bei der kranken Frau Welti-Escher versehen wolle, sich mit ihr vielleicht sogar anderswo niederlassen werde.

»Du kommst mit mir, Luise, ja?«, fragte Frau Lydia, nachdem sie Luise lange gemustert hatte. »Wohin auch immer es mich verschlägt?«

Luise zögerte erst, lächelte dann. »Ich glaube schon. Aber nicht bis Amerika. Und auch nicht bis Australien.«

Lydia verzog auf ihre Art halb ironisch den Mund. »Dorthin will ich auch nicht. Oder nur im äußersten Notfall.«

Luise hätte gerne gesagt, wenn schon, wäre es ihr lieber, den Ehemann Welti nicht in der Nähe zu wissen, aber sie hielt sich zurück, denn es war immer noch nicht klar, ob es zur Scheidung kommen würde oder nicht. Am Anfang hatte Welti sie angestrebt, dann wieder verworfen, als Lydia sich ihm gegenüber plötzlich so willfährig zeigte. Luise wurde nicht klug aus ihr, eigentlich aus beiden nicht. Wusste Lydia überhaupt, was sie zuinnerst wollte?

Kurz nach Weltis Bescheid erfuhr man in der Villa Barberini, dass Stauffer, dem sein Bruder Eduard, ein Jurist, sehr geholfen hatte, erneut aus der Haft entlassen worden sei, es lägen keinerlei Beweise für strafwürdige Vergehen vor. Die beiden Brüder wollten angeblich nach Biel fahren, wo jetzt ihre Mutter wohnte, die Karl mehrfach hart für seine unbesonnene Liebschaft getadelt hatte. Der Maler schien keine weitergehenden Pläne zu haben. Stauffer frei! Das weckte nun tatsächlich Ängste in Lydia und ein wenig auch in Luise. Er werde sich hüten, sagte Lydia, ihr nahe zu kommen, aber in ihrer Stimme schwang noch etwas anderes mit. War es Gram? Wankelmut? Oder gar Hoffnung?

Dann brachte der Postbote einen Brief, der aus Florenz nachgesandt worden war. Luise, die ihn in Empfang nahm, erkannte Stauffers steile Handschrift. Sie übergab ihn Lydia, die das Couvert zuerst von sich wies, dann aber doch fiebrig aufriss und Luise hinausschickte, um allein zu sein. Es dauerte lange, bis sie ihr Kammermädchen wieder hereinrief, und Luise sah gleich, dass sie verstört war und viel zu schnell atmete, sie schwenkte den auseinandergefalteten Brief so heftig, dass die Ecken flatterten, und hielt ihn zugleich fest, als fürchte sie, er könnte davonfliegen. »Er behauptet«, stieß sie hervor, »dass er mich noch immer liebt … noch keine so wie mich …« Da entfuhr ihr ein grimmiges Lachen. »Und das waren doch viele, oder nicht?« In einer Aufwallung zerknüllte sie den Brief und warf ihn auf den Boden. »Ich solle ihm um Gottes willen antworten, ihm Mut zusprechen …« Sie setzte sich aufs Bett, fiel beinahe darauf, schlug die Hände vors Gesicht. »Ich habe selber keinen mehr … Diese Liebe soll ja nicht sein, ich muss sie aus mir herausreißen, so sagt man doch …« Sie packte auf Brusthöhe ihre Kleidung und zerrte heftig daran, irgendwo riss der Stoff. Luise setzte sich entschlossen neben Lydia und hielt ihre Hände fest. »Lassen Sie das, bitte!« Einen Moment sah es aus, als rängen sie miteinander, dann gab Lydia nach und sank rücklings aufs Bett, wobei sie Luise eine Hand ließ. »Es ist doch am besten«, sagte sie in kläglichem Ton, »wenn ich ihn vergesse … Wir haben zu zweit keine Zukunft … Viel zu viele Hindernisse.« Sie schaute Luise an, als hoffe sie auf Widerspruch. »Ich habe keine andere Wahl, als Emil zufriedenzustellen, damit er mir nicht alles nimmt … Sonst bin ich mittellos, auf mich gestellt …« Sie begann leise zu weinen, und Luise wusste sich nicht anders zu helfen, als ganz leicht ihre Hand zu streicheln. Doch plötzlich richtete sich Lydia halb auf, in ihrer Stimme schwang unversehens Zorn mit: »Nach dem, was ich getan habe, ist das Gesetz ganz auf seiner Seite. Es erlaubt ihm, mich zu demütigen oder mir milde Gaben zu gewähren, ganz wie er will. Die Kränkung, die ich ihm zugefügt habe, ist zu stark, und darum …« Sie brach ab, murmelte dann: »Er will die Scheidung … und ich …«

Luise blieb noch eine Weile bei ihr sitzen, dann schob Lydia ihre Hand von sich weg und gab zu verstehen, dass sie allein sein wollte.

Am nächsten Tag traf Welti ein. Müde sah er aus, sogar erschöpft, er hatte rotgeränderte Augen, drückte Luise, die bei der Loge am Eingang auf ihn wartete, die Hand, Frau Lydia musste günstig über sie berichtet haben. Wie er die Ehefrau begrüßte, ob er sie umarmte oder nicht, und wenn ja, wie aufrichtig, das sah sie nicht. Welti schickte Luise weg, noch bevor er Frau Lydias Zimmer betrat, man werde sie rufen, wenn es nötig sei. Das geschah nach ein paar Stunden, in denen Luise aus dem benachbarten Zimmer bloß Gemurmel gehört hatte; sie solle, beschied ihr die Wärterin, dem Paar das verspätete Mittagessen servieren. Lydia und Emil wirkten nicht wie vertraute Eheleute, als Luise den Servierwagen ins Zimmer schob, sondern eher wie gute und ernsthaft bemühte Bekannte, die Schwieriges und Unerfreuliches zu besprechen hatten. Die beiden verstummten bei ihrem Anblick, aber sie vermutete, dass es zwischen ihnen jetzt um die Scheidung ging und um die Aufteilung ihres Vermögens. Natürlich beanspruchte Welti, wie Frau Lydia Luise erzählt hatte, den Löwenanteil, dahinter stehe der Herr Bundesrat, der auf dem Papier immer noch ihr Schwiegervater sei, er habe kein Mitleid mit ihr, nicht das geringste, er setze den Sohn offenbar unter Druck, möglichst viel für die Weltis herauszuholen. Sie selbst wolle bloß genügend Geld behalten, um sich ihren Kunststudien zu widmen. Überdies versuche sie, Emil davon zu überzeugen, mit ihrem Kapital eine Kunststiftung zu gründen, unter ihren beiden Namen, Welti und Escher, das diene auch seinem Renommee.

Die Besprechung fand am nächsten Tag ihre Fortsetzung, kein einziges Lächeln sah Luise beim Servieren auf den Gesichtern. Aber Frau Lydia schien mit dem Lauf der Dinge nun doch weitgehend einverstanden zu sein; sie wären also bald geschiedene Leute.

Sie sprachen bis in die Nacht weiter. Luise lag auf ihrem Bett und horchte. Doch mit einem Mal veränderte sich das gleichförmige Gemurmel, an das sie sich bereits gewöhnt hatte. Die Stimmen wurden lauter, die von Lydia stieg in die Höhe, ging in ein Schluchzen über. Luise widersetzte sich eine Zeitlang ihrer Neugier, in die sich auch Mitleid mischte, dann stand sie auf und legte mit schlechtem Gewissen ihr Ohr an die Wand. Nun verstand sie das meiste, was drüben gesprochen wurde. Unter Tränen bat, nein, flehte Lydia darum, dass ihr Mann sie nicht im Stich lasse, dass sie zusammenblieben, sie habe auf der Welt sonst niemanden, sie stehe doch ganz allein da. Das klang nun ganz anders als ein paar Stunden zuvor. Luise begriff, wie unsicher Lydia war. Ihre Stimme stockte immer wieder, und wenn sie von neuem ansetzte, wurde beinahe ein Schreien daraus. Luise selbst spürte, dass ihr das Blut in den Kopf stieg. So außer sich hatte sie Lydia noch nie gehört, sie fand es unerträglich, dass diese Frau, die so stolz und unberührbar wirken konnte, nun darum bettelte, ihr Mann möge ihr verzeihen. Sie werde alles tun, um ihren Fehltritt gutzumachen, sie komme mit ihm auch zurück in die Schweiz, wenn er dies von ihr verlange, ja, das würde sie tun, obwohl sie noch gestern entschlossen gewesen sei, dieses Land ihr Leben lang zu meiden. Das Schluchzen übermannte sie immer wieder, jedes Mal noch intensiver, zwischendurch klang es so verzweifelt, dass Luise es fast nicht ertrug. Daran änderten auch Weltis spärliche Äußerungen nichts, die er zwischen ihre Seufzer, ihre Ausrufe schob, er versuchte offenkundig, sie zu beruhigen. Man müsse doch jetzt, glaubte Luise zu verstehen, reinen Tisch machen, das verringere den Skandal in der Öffentlichkeit, und gewiss werde er, Emil, darum besorgt sein, dass sie ihren Lebenswandel, wo auch immer, nicht einschränken müsse. Und sie könnten ja, trotz getrennter Wohnsitze, in Freundschaft verbunden bleiben.

»Nein, nein!«, schnitt Lydia ihm zum wiederholten Mal das Wort ab. »Wie denn? Das geht doch nicht!« Es wurde still, aber nach einer Weile waren Klagelaute von ihr zu hören und die Worte, herausgepresst: »Ich liebe ihn doch!« Und lauter, beinahe schrill: »Ich liebe ihn noch!« Dann wieder ihr ungestümes Schluchzen, das allmählich ermattete. Auch Welti schwieg lange, bis er plötzlich aufbrauste, mit kindlich hoher, überlauter Stimme: »Von ihm redest du nicht mehr, hörst du: nie mehr! Vergiss ihn!« Luise konnte seinen Zorn verstehen, denn Lydia hatte ja eben das Gegenteil von dem beteuert, was sie vorher den Ehemann glauben gemacht hatte. Wie sollte das weitergehen? Nach einer quälend langen Pause hörte Luise bloß noch Gemurmel. Ihr Ohr glühte, sie rückte von der Wand ab, versuchte, sich vorzustellen, in welcher Pose Mann und Frau jetzt am Tisch saßen. Schauten sie einander an? Hatten sie sich die Hände gereicht? Oder war Lydia aufgestanden und hatte sich aufs Bett gelegt, Emil sich zu ihr gesetzt, seine kühle Hand auf ihrer Stirn? Ja, eine Art Versöhnung wünschte sich Luise für die beiden, auch wenn sie wusste, dass dies, angesichts der öffentlichen Verurteilung der Ehebrecherin, kaum möglich war. Sie zog sich zurück in ihr Bett, sie versteckte sich unter der Decke, wünschte sich weit weg, aber nicht nach Russikon, auch nicht ins Belvoir. Wohin denn?

Zum Frühstück kam Welti schon wieder ins Haus. Luise, die ihr danach in ihrem Zimmer das Haar machte, erzählte sie, Emil und sie seien sich über ihre gemeinsame Zukunft nicht einig gewesen, sie hätten gestritten, das habe sie erschöpft, sie hoffe, nicht wieder krank zu werden. Sie schaute auf und suchte Luises Blick. »Du hast doch in der Nacht nicht etwas gehört?«

Luise schüttelte den Kopf und hoffte, dass sie nicht errötete. »Nein, man hört bei mir nur die Stimmen, aber man versteht nichts.«

Frau Lydia versuchte zu lächeln. »Gut so. Das Ganze würde dich nur belasten.« Sie machte eine Pause, die unangenehm lang wurde. »Emil und ich werden heute beraten, wohin wir gehen. Das ist uns nämlich noch nicht klar.«

Am Abend, nachdem er weggegangen und wieder zurückgekommen war, wollte Welti mit Luise unter vier Augen reden und zitierte sie in einen Nebenraum der Villa im ersten Stock, der eigentlich geschäftlichen Sitzungen vorbehalten war.

Unsicher setzte sich Luise ihm gegenüber auf einen Sessel, in dessen Polster sie tief einsank. Welti sah abgekämpft aus, zehn Jahre älter, als er war, seine Stirnfalten hatten sich weiter vertieft.

Nach einigen einleitenden Floskeln erklärte er, ursprünglich habe er mit Lydia nach Bern reisen wollen oder in ein schweizerisches Badehotel, zu den Gießbachfällen zum Beispiel, wo es ihr seinerzeit gefallen habe. Nun habe ihm heute sein Vater berichtet, Stauffer sei unerklärlicherweise, aufgrund eines oberflächlichen Gutachtens, freigekommen und treibe sich in Bern und Biel herum, ihm sei alles zuzutrauen, Bundesrat Welti warne davor, mit Lydia in seine Nähe zu kommen. Lydia habe außerdem versprochen, ihn konsequent abzuweisen, was seinen Rachedurst wecken könne.

»Aber wohin wollen Sie denn jetzt?«, fragte Luise. »Und was wird aus mir?« Die Frage rutschte ihr heraus, ohne dass sie wollte. Zugleich dachte sie daran, wie flehentlich in der Nacht Lydias »Ich liebe ihn doch!« geklungen hatte.

Welti sah sie kummervoll an. »Wir fahren vielleicht nach Paris, vorübergehend. Oder nach Turin. Mein Vater wird alles daransetzen, Stauffer aus dem Verkehr zu ziehen, sofern es nur den geringsten gesetzlichen Grund dafür gibt.« Er stutzte. »Und du? Damit du es weißt: Lydia und ich reisen allein, ohne Bedienung. Aber ich habe dir ja schon vorgeschlagen, dass du zu unseren Verwandten nach Livorno fährst.«

»Was mache ich dort?«, fragte Luise beunruhigt.

»Du wirst bei meiner Tante genügend Arbeit finden, und du wirst deinen Lohn weiterhin bekommen.« Er starrte auf ihre nackten Unterarme, deren Flaum im schräg einfallenden Sonnenlicht flimmerte, und sie wünschte sich, etwas Langärmeliges angezogen zu haben.

Welti schluckte verlegen, bevor er weiterredete. »Die

Scheidung ist ja unvermeidlich, wie du wohl weißt. Mein Vater ...« Seine Verlegenheit hatte weiter zugenommen; vom alten Welti zu sprechen machte ihm Mühe. »Mein Vater hat sie schon mit einem befreundeten Anwalt eingeleitet. Lydia ist jetzt mit allem einverstanden. Danach werden wir getrennte Wohnsitze haben. Und sie möchte gerne, dass du dann zu ihr ziehst und bei ihr bleibst. Das weißt du doch, oder?«

Sie ahnte es bloß. Frau Lydia hatte zwar diesen Wunsch geäußert, aber ihre Launen konnten sich von Tag zu Tag ändern. Und im Gespräch war ihr die Scheidung keineswegs unvermeidlich erschienen. Trotzdem nickte Luise nun.

Das schien Welti zu erleichtern. »Aber wir wissen noch nicht, wo das sein wird. In der Schweiz wohl nicht oder dann allenfalls am Genfersee.« Er zwang sich zu einem kurzen Lachen. »In Zürich auf keinen Fall. Dort wird über uns getratscht. Meine Frau sei mir davongelaufen, heißt es. Eine Schande für meinen Vater.« Er stockte, fügte mit erstickter Stimme hinzu: »Und auch für mich.« Er versuchte erneut, seine Bedrücktheit wegzulachen, aber jetzt klang es furchtsam, als wäre er ein in die Enge getriebenes Kind.

Luise nickte ein drittes Mal, als er, ihrem Blick ausweichend, fragte, ob sie sich unter diesen Voraussetzungen vorstellen könne, weiterhin im Dienst seiner – da stockte er – seiner bald schon ehemaligen Ehefrau zu bleiben. Ja, das konnte sie, das wollte sie. Frau Lydia und sie hatten sich aneinander gewöhnt, manchmal schien es Luise, sie könne in ihr wie in einem offenen Buch lesen. Und dann wieder nicht, wenn Lydia ganz in sich versunken war oder ihre inneren Widersprüche zutage traten. Ein starkes Band gab es mittlerweile zwischen ihnen, es war aus dunkelblauem Samt gemacht, so wie das Kleid, das Luise am liebsten an Lydia sah, obwohl es von Welti kam, sie hätte gerne im Spiegel überprüft, wie es ihr selbst stand.

Höflichkeitshalber fragte Welti, ob sie es denn nicht vorziehen würde, in den Schoß der Familie – so gewählt drückte er sich aus – zurückzukehren.

»Um dort zu leben?«, fragte Luise. »Nein, ich bin ihr entfremdet. Wir würden Zeit brauchen, uns wieder aneinander zu gewöhnen. Und ich will lieber mein eigenes Geld in einem gehobenen Haushalt verdienen.«

Welti schwieg und schien verwirrt zu sein von Luises Klarheit. »Nun gut«, nahm er das Wort wieder auf, »die offizielle Scheidung wird wohl noch ein paar Wochen auf sich warten lassen. Bis dahin und bis wir herausgefunden haben, wo Lydia künftig leben wird, weilst du in Livorno. Vielleicht kaufen wir ein Haus für sie. Du bekommst rechtzeitig Bescheid und kannst dann auf unsere Kosten dorthin reisen.«

Sollte Luise noch einmal nicken? Sie tat es, und Welti streckte ihr über den kleinen Konferenztisch hinweg die Hand entgegen. »Abgemacht. Lydia wird sich freuen. Sie schätzt dich sehr.« Seine Hand war kalt. Er deutete ein Lächeln an. »Wie im Übrigen auch ich.« Über dieses Kompliment konnte sich Luise nicht freuen. Zu viele Unsicherheiten gab es jetzt wieder in ihrem Leben; wie unberechenbar die Weltis waren, hatte sie inzwischen oft genug erfahren. Und auch, wie tyrannisch der Noch-Schwiegervater, der Herr Bundesrat, sein konnte, wenn es um den Ruf der Familie – und um seinen eigenen – ging.

Nachträglich fragte sie sich, warum Frau Lydia bei diesem klärenden Gespräch nicht dabei gewesen war. Vielleicht weil sie noch gar nicht definitiv in die Scheidung eingewilligt hatte? Obwohl er sie als unvermeidlich hingestellt hatte, schien Welti immer noch hin- und hergerissen zu sein. Sein Vater hatte ihn in der Hand, und er, der Sohn, suchte, so sah es Luise, in allen Dingen seine Anerkennung.

16

Schon am übernächsten Tag reiste Luise nach Livorno ab, mit ihrem wenigen Gepäck, das sich seit dem Weggang aus der Schweiz kaum vermehrt hatte. Frau Lydia umarmte sie kurz zum Abschied, der ja ein vorläufiger war, wie sie selbst sagte, küsste sie sogar auf beide Wangen.

»Ich werde dir schreiben, sobald mein neuer Wohnort feststeht«, versprach sie.

»Und ich werde kommen«, war Luises Gegenversprechen, mit einem Lächeln unter Tränen. Sie hatte so viel mit Frau Lydia durchgemacht, so viel mit ihr durchlitten, dass sie sich manchmal fast an ihrer Stelle glaubte.

I promessi sposi gab Frau Lydia ihr mit, als gewichtiges Geschenk, dazu einen schmaleren Band Novellen von Maupassant. »Damit du dich auch im Französischen übst«, sagte sie. »Für den Fall, dass wir uns in Frankreich oder in der welschen Schweiz niederlassen.«

Welti brachte Luise in der Kutsche zum Bahnhof, was in ihrer Stellung eine Auszeichnung bedeutete, er hätte ja einen Lohndiener mit der Fahrt beauftragen können. Am Gleis überreichte er ihr das nötige Reisegeld und darüber hinaus noch etwas mehr; ansonsten werde sie für die Dauer ihres Aufenthalts von seinem Onkel bezahlt. Ihn hatte Luise noch nie gesehen, an die Tante allerdings erinnerte sie sich gut: Sie hatte das ganze Haus mit ihren Forderungen enerviert, das Personal und die Gastgeber, einmal war ihr die morgendliche Schokolade zu lau oder zu heiß, ein andermal das Rührei zu wenig gewürzt, oder der Kiesweg zur Straße war schlecht gereinigt, und sie drohte deswegen zu stolpern. Sie bestand darauf, dass man ihren Namen mit y schrieb, also Welty; diese Schreibweise hatte ihr Mann angenommen, weil sie in den höheren Kreisen Italiens als vornehmer galt. Zudem war sie so aufdringlich geschminkt, dass einem ihr ohnehin breiter Mund Angst machen konnte, und ihre Röcke waren für eine Frau ihres Alters um die Hüften viel zu eng geschnitten. Darüber hatte sich sogar die zurückhaltende Lydia auf verstohlene Weise lustig gemacht. Aber die Tante hatte auch ihre guten Seiten gehabt, sie war großzügig zu den Dienstmädchen gewesen, hatte ihnen zwei modische Hüte geschenkt, mit künstlichen Kirschen als Schmuck, und ihnen ab und zu ein Trinkgeld zugeschoben und dazu den Finger auf den Mund gelegt. Welti wünschte Luise, bevor sie in den Zug stieg, alles Gute, und es klang aufrichtig, nicht so gestelzt wie sonst manchmal seine höflichen Sätze. Sie hätte sich nicht vorstellen können, dass sie ihn erst zu einem traurigen Anlass wiedersehen würde, gut anderthalb Jahre später. Und dass der Mann, der jetzt sogar noch ein paar Schritte neben dem fahrenden Zug herging und ihr winkte, an diesem windigen Tag in Genf, als Lydia begraben wurde, so tun würde, als kenne er sie nicht.

Die Villa der Verwandten war gut gelegen, nahe am Meer; irgendwie glichen sich all die herrschaftlichen Häuser, wo man Luise unterbrachte, in der Gliederung der Fenster, den zwei Stockwerken, den Balkonen. Auch in der Farbe: Es war stets ein verwaschenes Gelb. Hier blickte man vom oberen Stock aus zum Hafen hinüber, einem der größten Italiens, und konnte verfolgen, wie Frachtschiffe entladen und beladen wurden. Aber Luise hatte ein Zimmer nach hinten, mit Aussicht auf die nächststehenden Fassaden; auch das war ihr vertraut. Die Arbeit, die ihr die Signora auftrug, beanspruchte sie nicht übermäßig. Es gab ohnehin noch eine verschüchterte, schlechtgekleidete Putzhilfe, die jeweils am Morgen erschien, und natürlich eine Köchin. Luise erledigte, was ihr vom Belvoir vertraut war: Sie deckte den Tisch für das seltsame Paar, das sich kaum je unterhielt, sie servierte die Speisen, sie machte die Betten, die Handwäsche, lüftete die Kleider aus, flickte – ungern – die Hosen des Gärtners, wobei sie sich des dicken Drillichs wegen immer wieder in die Finger stach, sie ging mit der Dogge, die das Haus bewachen sollte, am Morgen und am Abend spazieren, das Tier wurde ihr gegenüber von Tag zu Tag anhänglicher. Die Signora lehnte es ab, dass Luise ihr die Haare kämmte oder in die Kleider half, das war ihr, wie sie auf Nachfrage bekundete, zu intim, den Nachttopf allerdings leerte sie nicht selbst. Sie war aber im Ganzen freundlicher, als Luise zuerst gedacht hatte, gestand ihr ungewöhnlich viel Freizeit zu und entließ sie schon um halb acht oder acht Uhr aus dem Dienst, so dass sie an hellen Abenden die Stadt erkunden konnte, wie es ihr beliebte. Die Docks und die Schiffe interessierten sie wenig; am liebsten hielt sie sich am langgezogenen Badestrand auf, der jetzt, Anfang Mai, abgesehen von spielenden Kindern noch fast leer war. Im Sommer aber, hatte die Signora erzählt, wimmle er von Menschen, davon zeugten die buntbemalten Umziehkabinen, die den Sandstreifen säumten. Die meisten waren offen, Luise betrat eine, roch das feuchte Holz, glaubte auch den Schweiß der Menschen zu riechen, die hier im Sommer ein und aus gingen.

Am liebsten aber schaute sie hinaus aufs Meer. Sie sah den Wellen zu, die langsam heranrollten und, je nach Windstärke, ans Ufer schwappten oder sich in einem wilden weißen Wirbel überschlugen und manchmal ermattet bis knapp vor ihre nackten Füße krochen. Selbst hineinzuwaten, getraute sie sich zunächst nicht, aber dann tat sie es doch und spürte befriedigt, wie ihre Zehen sich in den Sand gruben und das Wasser ihre Waden umspielte. Wenn sie sich hinsetzte, versuchte sie die Farbe des Wassers zu ergründen und verglich sie mit den Bildern im Belvoir, auf denen Wasser zu sehen war, aber das leuchtende Grünblau des Malers Hodler für Genfer- und Thunersee war ganz anders. Hier, am Meer, veränderten sich die Farben dauernd, sie hingen ab vom Wetter und den Wolkenformationen, ganze Flächen erglänzten plötzlich in gleißendem Licht, verdunkelten sich rasch wieder, bis sie fast schlammig grau wirkten, dazwischen flimmernde Bänder in allen Schattierungen von Blau und Violett, bei sinkender Sonne und im Widerschein des flammenden Himmels rötlich gesprenkelt. Es war, Abend für Abend, ein gewaltiges Schauspiel, dann gab es eine Zeitlang nur noch Luise und das Meer. Aber schwimmen konnte sie kaum, das hatte man ihr im ländlichen Russikon nicht beigebracht, und im Belvoir, in Wassernähe, hatte ihr die Zeit gefehlt, es zu erlernen.

Sie mochte es, wenn Möwen mit langsamen Flügelschlägen über sie hinwegflogen, sich manchmal dem Wind überließen und eine Weile dahinschwebten wie schwerelos. Aber ihr misstönendes Krächzen mochte sie nicht, und sie fragte sich, warum ein so schöner Vogel eine so hässliche Stimme hatte. Als einer in der Nähe landete und am Boden plötzlich unbeholfen wirkte, fiel ihr auf, dass diese Möwen rote Schnäbel hatten, einen grauen Kopf, und sie fragte zu Hause den Signor Welty, der sich mit Vögeln auskannte, was das für eine Art sei. Korallenmöwen, antwortete er widerwillig auf Deutsch, wie wenn sie ihm ein Geheimnis entreißen wollte. Der Name gefiel ihr. Sie seien Bodenbrüter, ergänzte der Signore, auch dieses seltsame Wort gefiel ihr. Am meisten mochte sie es aber, einem in der Ferne vorübergleitenden Passagierschiff nachzuschauen, das allmählich verschwand. Wenn es dämmerte, gingen seine Lichter an, es schwamm in einer leuchtenden Aura dahin, als fahre es zu einem großen Fest, und manchmal klang sogar die Musik der Bordkapelle bis zu ihr hin.

Um diese Zeit schlenderten junge Leute in plaudernden und gestikulierenden Gruppen am Ufer entlang. Einige sprachen Luise an und versuchten, sie zu einem Glas Wein in einem Strandcafé einzuladen. Aber Luise lehnte stets ab, die Signora hatte sie vor aufdringlichen Verehrern gewarnt. Einmal – da war es schon Mai geworden – fasste sie einer scherzhaft um die Taille und wollte mit ihr im Sand zur Salonmusik tanzen, die man vom Café her hörte. Sie schüttelte ihn ab, zum Gelächter seiner Kumpane in halblangen Hosen. Als Ähnliches wieder geschah, blieb Luise dem Strand ein paar Tage fern, denn sie wollte weder belästigt noch ausgelacht werden. Danach nahm sie, mit Erlaubnis der Signora, den Wachhund mit. Er sprang jeweils zuerst eine Weile herum, und wenn er sich beruhigt hatte, blieb er hechelnd neben ihr liegen, und sie streichelte sein schön geflecktes, goldgelbes Fell, das sich an der Flanke zum Takt des Herzschlags hob und senkte. Trat ihr jemand zu nahe, richteten sich seine Ohren auf, und er begann zu knurren. Das genügte, um Möchtegern-Frauenhelden zu verscheuchen.

Sie schaute sich manchmal lange im Spiegel an. War sie wirklich schön, wie die jungen Männer behaupteten? »O, come sei bella!« Dazu gespitzte Lippen, schmatzende Geräusche, Gelächter. Ihr Gesicht schien ihr zu lang, zu knochig, die Nase war zwar schmal, aber stand ein wenig schief wie schon die der Mutter. Nur die tiefblauen Augen gefielen ihr, Augen wie Bergseen, hatte einmal einer gerühmt, der auf der Kirchweih mit ihr tanzte. Und die langen dunklen, schön gelockten Haare, um die sie nicht bloß Anna beneidet hatte. Sie ließ sie hin und wieder frei fallen, bis auf die Schultern, und das rahmte ihr Gesicht auf aparte Weise ein, so sagte es auch Frau Lydia, die sich selbst, halb im Scherz, für ziemlich hässlich hielt. »Aber imponierend sind Sie«, hatte Luise einmal Stauffer entgegnen hören. Und ihre Haut war glatt und perlmuttern, anders als die von Luise, die ins Bräunliche spielte und, je nach Beleuchtung, geradezu zigeunerisch aussehen konnte. Und eine schlanke Figur war ihr geschenkt. Griechisch proportioniert, hatte Frau Lydia gesagt, nicht üppig, nicht mager, mit passendem Busen, Besseres könne sie sich nicht wünschen. Und es würde gewiss auch dem künftigen Ehemann gefallen, der irgendwann in ihr Leben hineinlaufen werde. Es kam vor, dass Luise diese wohlgeformten Brüste mit den Händen umfasste und spielerisch ihr Gewicht prüfte, was sie dann aber dazu brachte, kurz und übermütig aufzulachen. Da war es besser, im Bett zu liegen und sich diesen Mann in allen Einzelheiten vorzustellen (glich er nicht doch ein wenig einem älteren und vernünftigen Bruder des sommersprossigen Anton?) und sich mit einem leichten Erschauern auszumalen, was er wohl mit ihr in der Hochzeitsnacht anstellen würde. Aber diesen Mann, mit dem sie eine Familie gründen konnte, gab es vorderhand nicht. Sie hatte zwischen Bergamo, dem Belvoir und Florenz einiges an Unüblichem erlebt, und man musste ja gewiss nicht alle anderen nachahmen, die den einfachsten Weg gingen. So sah sie, wenn sie realistisch an ihre Zukunft dachte, als Nächstes das gemeinsame Leben mit Frau Lydia vor sich. Das war eine vertraute Bühne, mit Überraschungen wohl hie und da; Stauffer allerdings, der ihr als Abwesender immer unheimlicher wurde, gehörte nicht dazu. Wo er sich wohl aufhielt? In Biel habe er sich eine Zeitlang bei Mutter und Bruder versteckt, das hatte Lydia erfahren, und dass er sich beim gegenwärtigen Bundespräsidenten über seine unmenschliche Behandlung und den Gesandten Bavier beschwert habe. Mehr wusste Luise nicht, und mehr wollte sie gar nicht wissen, sonst würde ihr der Mann nur wieder im Traum erscheinen und sie erschrecken.

Von Frau Lydia trafen bis Mitte Mai zwei eher unverbindliche Briefe ein. Sie erkundigte sich, wie es Luise bei den Verwandten gefalle, erzählte im ersten Brief, sie sei nun doch in der Schweiz, aber nur vorübergehend, ihr Mann – er sei es wohl bald nicht mehr – habe sie überredet, sich im Hotel Gießbach zu erholen. Unter die Aufsicht des Direktors Schaufelbühl in der Klinik Königsfelden habe sie nicht gewollt, sie sei in keiner Weise mehr gemütskrank und kläre nun ab, wo sie Wohnsitz nehmen werde. So bald wie möglich werde sie Luise, ihre »treue Gefährtin in schwieriger Zeit«, über ihre Wahl unterrichten.

Mehr als vier Wochen wartete Luise auf den zweiten Brief. Er kam aus Heidelberg, wo Frau Lydia mit einer guten Bekannten aus der Belvoir-Zeit einen weiteren Kuraufenthalt verbrachte. Für ihren Wohnsitz zeichne sich eine Lösung ab, schrieb sie, sie wünsche sich die Nähe eines Sees. Im Hotel Beau-Séjour in Genf werde sie Ausschau halten nach einem geeigneten Haus. In Genf? Dort war Luise noch nie gewesen, noch nicht einmal auf Durchreise. Die Stadt gehörte zwar seit ein paar Jahren zur Schweiz, hatte aber den Ruf, eine eigene kleine und reiche Republik zu sein. Also warum nicht Genf? Es war so weit entfernt von Russikon, dass kaum Gefahr bestand, von ihren Brüdern aufgesucht zu werden; sie fürchtete, von ihnen um Geld angegangen zu werden. Bei ihrer Familie galt Luise inzwischen als eingebildet und unzugänglich, das wusste sie von Lina, die ihr immer noch gelegentlich ein paar Zeilen schrieb, aber das kümmerte sie wenig. Immerhin hatte Luise der Schwester gemeldet, dass sie nun einige Zeit in Livorno verbringe, bei Verwandten des Herrn Welti, aber sie hatte verschwiegen, dass sie auf die Entscheidung der Dienstherrin warte, wo sie sich nach der Scheidung niederlassen wolle. Einige Wochen zuvor hatte Luise ja noch gemeint, die Ehe der Weltis werde sich wieder einrenken. Sie hatte sich in so vielem getäuscht; sie habe eben zu wenig Menschenkenntnis, hatte ihr Anna, die ehemalige Freundin, vorgehalten, sie sei zu gutgläubig und zu naiv. Von Anna hatte sie seit ihrer Abreise nicht mehr gehört. Nun ja, erstens schrieb sie schlecht und voller Fehler, und zweitens war sie gewiss erleichtert, dass sie nicht mehr bei vornehmen Leuten, wie sie einmal geschimpft hatte, auf den Zehenspitzen herumschleichen musste.

Wie Frau Lydia wohl die Tage verbrachte? Ob sie überhaupt noch an Stauffer dachte? Gewiss mehr, als sie zu erkennen gab. Da war ja, im nächtlichen Streit mit Welti, plötzlich eine Leidenschaft hervorgebrochen, die Luise bestürzt hatte. Aber Heidelberg sollte sehr schön sein. Reiche Leute mieden das Unansehnliche, und Luise musste sich eingestehen, dass sie durchaus empfänglich war für den Reiz des Vornehmen und Kostspieligen, an dem sie teilhaben konnte.

Der Brief, der dann Mitte Juni eintraf, war der entscheidende. Sie habe, ganz in der Nähe des Hotels, schrieb Frau Lydia, in Champel, nahe am Flüsschen Arve, eine zum Verkauf stehende Villa gefunden, sie gleiche einem Schlösschen mit Turm und eigne sich ideal für einen kleinen Haushalt wie ihren; sie werde in den nächsten Tagen den Kaufvertrag unterschreiben, und sie freue sich, Luise so bald wie möglich in ihrem neuen Zuhause willkommen zu heißen. Sie sei nun übrigens geschieden, seit dem siebten Juni. Das vom Vater geerbte Vermögen falle zu einem Fünftel an sie zurück, der Rest gehe an ihren Mann, was ihr bleibe, reiche allerdings für den Hauskauf und außerdem für die Errichtung ihrer Kunststiftung, die bedeutende Werke schweizerischer Maler ankaufen und sammeln solle. In diesem Abschnitt hatte ihre Schrift unruhige Züge angenommen. Sie hat schneller geschrieben, dachte sich Luise, oder ihre Hand hat zu zittern angefangen. Das setzte sich auch fort im letzten Briefabsatz. Es werde Luise vielleicht interessieren, dass nun, wenige Tage nach ihrer Scheidung, der Maler Stauffer in Florenz, wo er sich wieder aufhalte, von jeglicher Schuld ihr gegenüber freigesprochen worden sei. Vielleicht besänftige das sein Gemüt; auch sie habe ihm nach allem, was geschehen sei, nichts Böses mehr gewünscht. Er widme sich hoffentlich nun wieder mit aller Konzentration der Kunst. Sie habe vernommen, er sei ein paar Tage nach ihrer Abreise in der Villa Barberini aufgetaucht, habe tränenüberströmt nach ihr gefragt. Sie sei froh, dass er sie nicht angetroffen habe, sie wünsche keinen Kontakt mehr mit ihm, diese Geschichte sei vorbei.

Stimmt das wirklich?, fragte sich Luise. Sie hoffte es, aber es konnte ebenso gut sein, dass sich Lydia den Bruch mit Stauffer bloß einredete und ihre wahren Gefühle geheim hielt. Auch vor Luise, die sie ab und zu ihre *Kammerzofe* genannt hatte. Eine Kammerzofe war Luise vor allem für Welti gewesen, und das hatte aus seinem Mund manchmal leicht verächtlich geklungen. Ihr wäre es lieber gewesen, Frau Lydia hätte sie, wie hin und wieder in letzter Zeit, *Gesellschafterin* genannt, aber es war doch nur die halbe Wahrheit, weil allzu viel sie voneinander trennte.

Der Abschied von Livorno, gegen Ende Juni, fiel ihr nicht schwer. Die Signora schenkte ihr, als wolle sie ihre gelegentlichen Zornanfälle gutmachen, einen schmalen goldenen Ring mit einem kleinen Brillanten, zur Erinnerung, wie sie sagte, und der Hausherr drückte ihr ein illustriertes Buch über die Vögel des Mittelmeers in die Hand, zu dem er ein Vorwort geschrieben hatte, und merkte an, darin sei auch die Korallenmöwe abgebildet. Dass sie diesen Namen von ihm wusste, war das Einzige, was sie mit ihm verband. Verstohlen nahm sie von der Köchin, die den Finger auf den Mund legte, ein Paket mit Schinkenbroten an und war später froh darüber.

Es war eine lange und komplizierte Bahnreise, sie führte über Turin nach Annecy und schließlich in einem beengenden Drittklassabteil nach Genf. Am schönsten waren die Strecken, wo das Meer direkt vor den Schienen lag, in unendlicher Geduld ans Ufer schwappte, hier und dort an Klippen hoch aufspritzte. Dann kamen die Hügel, die Getreideäcker, die Berge; Wolken ballten sich zusammen zu grobschlächtigen, dunkel werdenden Skulpturen, draußen war es heiß, im Zug drin wurde es noch heißer, bis sie ins Gewitter hineinfuhren. Der Regen schlug wütend an die Scheiben, Blitze blendeten sie, und der Donner ließ den Wagen erzittern. Ein kleiner Junge heulte vor Angst und ließ sich auch nicht von der Mutter beruhigen. Luise hätte ihm gerne erklärt, dass es im Leben Schlimmeres gab als ein Sommergewitter, aber er hätte ihr nicht geglaubt. Sie selbst hatte als kleines Kind, wenn ein Sturm losbrach, gefürchtet, die ganze vertraute Welt stürze unter gewaltigem Lärm über ihr zusammen, und hatte sich schreiend an die nächstbeste Person geklammert, an eine ältere Schwester meist, das Gesicht an ihre Schürze gepresst. Hinterher war sie auf die Brüder, die sie verspotteten, mit den Fäusten losgegangen, man hatte sie nur mit Mühe vom vorlauten Oskar trennen können, er war ja kleiner als sie, weinte aber, als einmal seine Nase blutete, ebenso schrill wie Luise. Und vielleicht hatte sie doch recht, sich dermaßen zu fürchten, wenn sie an den Vater dachte. Wie konnte es sein, dass das Gesicht des eigenen Vaters in der Erinnerung immer stärker verschwamm, fortgeschwemmt wurde, als hätte es ihn gar nicht gegeben? Nur eine Leere blieb, die manchmal schmerzte und nie ganz von ihr wich. Luise wusste noch, dass sie als Zehn-, Elfjährige bei sommerlichen Regengüssen immer wieder das magische Wort »Papa« vor sich hergesagt hatte, in der Hoffnung, der Vater möge jetzt gerade vor ihr erscheinen, so deutlich, so klar umrissen wie auf einer Fotografie. Luise sagte nichts zum kleinen Jungen im Nachbarabteil, es nützte ja auch nichts, dass die Mutter ihn zu trösten versuchte. Aber das Gewitter klang ab. Auf den letzten Kilometern, während noch Tropfen übers Glas liefen, erschien wieder die Sonne, da beruhigte sich der Junge, und als sie im Bahnhof Genève-Cornavin ankamen, lachte er sogar.

Frau Lydia hatte Wort gehalten und eine Kutsche geschickt, denn bis nach Champel war die Linie der Dampfstraßenbahn noch nicht vorgedrungen. Der Kutscher, ein junger Mann mit einer kleinen Hasenscharte, hob in der von Menschen wimmelnden Bahnhofshalle einen Karton hoch, auf dem, schwarz auf grau, nur LUISE stand, groß, in eckigen Lettern, die wohl Frau Lydia selbst geschrieben hatte. Er nahm Luise mit einer scherzhaften Bemerkung ihr leichtes

Gepäck ab, sie setzte sich neben ihn auf den Bock, und er begann sogleich, freundlich, aber viel zu schnell auf sie einzureden. Französisch sprach sie noch nicht gut genug, und sie beschloss schon auf der Fahrt zur Villa Ashbourne, das bald zu ändern. Sie glaubte aber doch aus seiner Wörterflut herauszuhören, dass es Madame Escher – ja, das war sie jetzt wieder – nicht immer gutgehe, sie sei in diesen ersten drei Wochen oft krank gewesen, ihr Arzt, *le docteur Prévost,* habe sie einige Male aufgesucht. Er selber, der Kutscher, sei eigentlich immer gesund und vor allem nicht so nervös wie Madame Escher. Luise müsse wissen, dass er ihr bloß als Aushilfe diene, er sei nämlich angestellt bei Madame Eschers Nachbarn, dem Professor Vogt, und der habe sich damit einverstanden erklärt, Kutsche und Kutscher bei Bedarf der neuen Nachbarin auszuleihen. Gegen ein freiwilliges Trinkgeld für den Kutscher. Und nun lachte er so herzhaft, als sei dieses Angebot des Professors ein gutes Geschäft für ihn.

Es war schon fast absurd, wie die Villa Ashbourne, die, von allen Seiten sichtbar, auf einem Hügel über der Arve stand, der Pensione Bonciani in Florenz glich: die gleiche Größe ungefähr, zweigeschossig mit einem steilen Mansardendach, auf der Straßenseite drei Fenster pro Stockwerk, auf der Sonnseite eine Terrasse, dazu aber ein Türmchen, was das Gebäude beinahe aussehen ließ wie ein Landschlösschen aus dem Ancien Régime. Dabei war es im Inneren modern eingerichtet, mit Gasleitungen, die sowohl die Beleuchtung als auch Bad und Küche alimentierten. Die Köchin, eine jüngere Frau, die selbst nicht im Hause schlief, führte Luise zu Frau Lydia im ersten Stock. Ohne Köchin konnte eine reiche Frau offenbar nicht existieren. Diese hier, Emmanuelle, breithüftig, mit üppigem Busen, stammte aus der ländlichen Umgebung Genfs und empfing den Neuankömmling mit spürbarem Misstrauen.

Frau Lydia lag im Bett, bei halb heruntergezogenen Storen und geschlossenem Fenster trotz der Sommerhitze, sie bemühte sich um Freundlichkeit, richtete sich sogar zu einem Wangenkuss halb auf, konnte aber nicht verbergen, wie erschöpft sie war. Luise schien es, sie sei in den gut drei Monaten, die sie sich nicht gesehen hatten, um Jahre gealtert, die Falten um den Mund hatten sich vertieft, die Augen blickten traurig.

»Ich mag einfach nicht aufstehen«, sagte sie leise, ohne die gewohnte klare Diktion. »Aber ich bin froh, dass du da bist, du Liebe.« Und sie ergriff Luises Hand und behielt sie lange zwischen ihren, die kalt und leblos wirkten. Keine Frage nach der Reise, nach den Wochen in Livorno; es war wie immer, wenn sie sich krank fühlte: Sie nahm kaum noch wahr, mit wem sie sich unterhielt, richtete ihre ganze Aufmerksamkeit auf sich selbst. »Du siehst ja ganz munter aus«, sagte sie dann doch nach einer längeren Pause. »Du musst mir wohl zuerst die Haare waschen«, fuhr sie etwas lebhafter fort und wickelte ungeschickt eine Locke um den Finger. »Sie sind ja ganz strähnig.«

So kam Luise zu ihrer ersten Dienstleistung in Champel. Aber vorher räumte sie ihre Mansarde ein, sah sich um, wo sie ihre Toilette erledigen konnte (fließendes Wasser gab es nur im Parterre), sie zog ihr Arbeitskleid mit den blauen Bordüren an, das sie auch in Florenz getragen hatte, ließ sich erklären, wie man mit der Gasleitung umging, den Hahn öffnete und schloss und beim Anzünden sehr vorsichtig sein musste. Die Köchin, nun schon etwas weniger kühl, zeigte ihr von der Terrasse aus, wohin Frau Lydia ihre ersten Spaziergänge unternommen hatte, am liebsten das Flüsschen entlang bis zu einem Parkcafé mit dem Namen Bout-du-Monde. Madame Escher werde ja, bei ihrer momentanen Schwäche, Begleitung benötigen, wenn sie an die frische Luft wolle, das sei bestimmt eine wichtige Aufgabe für die *femme de chambre*. Das alles dauerte eine gute Stunde. Dann ging Luise zurück zu Frau Lydia, die sie mit mildem, wenn auch hörbarem Vorwurf empfing: »Wo bist du denn so lange geblieben?«

Luise zählte auf, was sie alles getan und erledigt hatte, aber Frau Lydia hörte gar nicht richtig zu. Sie wollte jetzt unbedingt die Haare gewaschen haben. Das erforderte einen großen Aufwand, denn das Wasser musste heiß gemacht und in verschiedene große Schüsseln gegossen, Seifenflocken mit Kräuterzusätzen mussten aufgelöst, Handtücher vorgewärmt werden. Im gekachelten Bad fand die Prozedur dann statt. Frau Lydia saß im Unterhemd auf einem Schemel vor der Badewanne und beugte den Kopf mit den aufgelösten Haaren darüber; Luise begoss ihn, rieb ihn sanft und kräftiger, schüttete den Schaum weg, wiederholte das Ganze, ließ dann die Haare abtropfen, begann mit dem Trocknen, für das sie drei Handtücher benötigte. Auch da wollte Frau Lydia tüchtig abgerubbelt werden. Mit feuchten Haaren setzte sie sich auf die Terrasse, an deren Rand verschiedene Kakteen in Töpfen standen. Wenn Stauffer hier heraufklettern wollte, dachte Luise, würde er sich wohl stechen, und diese Vorstellung ließ sie vor sich hin lächeln, während die Erinnerung an diesen Mann wie ein Eishauch durch sie wehte. Frau Lydia, die in unerwarteten Momenten genau auf Luise achtete, fragte, was sie so heiter stimme, und Luise erwiderte, sie freue sich über den Sonnenschein, da würden die Haare im Nu ganz trocken. So war es auch. Die Sonne stand schon tief, die Hitze war ein wenig gewichen. Frau Lydia wollte etwas trinken, Luise holte aus der Küche, in der sie sich noch nicht auskannte, einen Krug Wasser, brachte einen Teller mit Zitronenschnitzen hinauf, die sie ins volle Glas gab. Frau Lydia wünschte, dass Luise sich neben sie setze und die beginnende Abendstimmung mit ihr genieße. Und ein zweites Glas sollte sie für sich selbst holen.

So saßen sie eine gute Weile nebeneinander, während von der Küche her der Geruch einer Gemüsesuppe zu ihnen stieg. Sie ertrage kaum noch etwas anderes als Suppe, sagte Frau Lydia, aber sie werde jetzt wohl, in Luises Gesellschaft, wieder Appetit bekommen. Sie schwieg lange. »Ach, Emil«, sagte sie überraschend, fast als stehe er neben ihr, und fuhr in vorwurfsvollem Ton fort, »er ist nicht mehr mein Mann, das weißt du ja. Er schreibt mir feinsinnige Briefe, immerhin, wir müssen uns über vieles verständigen, aber er lehnt es ab, mich zu besuchen, auch in Zukunft nicht, und von seinem Vater höre und lese ich gar nichts. Er hasst mich geradezu, obwohl ich doch eine reuige Sünderin bin und er, wie man hört, ein guter Christ.« Ihre Stimme war beinahe erstorben. Sie griff sich ans Herz und murmelte: »Weißt du, es tut weh hier drin.« Sie richtete sich ruckartig auf, strengte sich an, lauter zu reden. »Kannst du das verstehen? Kannst du verstehen, dass man einen Menschen, der gefehlt hat, einfach so von sich wegschiebt?«

Luise gab keine Antwort, weil sie keine wusste, und während es dunkel wurde, bürstete sie Frau Lydias Haare wie so oft in den fast fünf Jahren, die sie bei ihr gedient hatte, sie bürstete und kämmte und dachte, dass auch sie nächstens die Haare waschen musste, aber ohne Hilfe. Und sagte dann doch, zu ihrem eigenen Erstaunen: »Es dauert halt manchmal seine Zeit, bis Menschen vergeben können.«

Jetzt schwieg Frau Lydia, und Luise wagte nicht, wie sie es gern getan hätte, nach Stauffer zu fragen. So blieb er in den nächsten Tagen, während sich die zwei Frauen wieder annäherten, der Ungenannte und doch stets Anwesende.

Von Frau Lydia erfuhr Luise, als sein Name doch beiläufig fiel, Erschreckendes. Er habe sich Anfang Juni im Botanischen Garten von Bern umzubringen versucht, sich mit einem Revolver in die Brust geschossen und das Herz nur knapp verfehlt. Gartenarbeiter hätten ihn gefunden, verletzt und halb ohnmächtig. Er habe ein paar Tage im Spital gelegen, sich aber schnell erholt. »Eine Fleischwunde«, sagte Frau Lydia, deren Atem nun schneller ging, fast zu einem Keuchen wurde, »nur eine Fleischwunde. Nichts Lebensgefährliches …« Sie stockte und schaute die Zuhörerin hilfesuchend an. »Ich hätte nicht gedacht, dass er dermaßen leidet … Aber es ging nicht anders, ich musste ihn streng behandeln, sehr streng. In seinen Briefen bettelte er um Zuneigung, beschwor die Vergangenheit. Ich habe stets nüchtern und abweisend geantwortet, in wenigen Zeilen, und dann gar nicht mehr, ich musste doch Emil beweisen, dass diese Affäre ein für alle Mal beendet war, das hat er von

mir gefordert. Gewiss zu Recht … Einmal, ein einziges Mal
hat er mich angeschrien, mich geohrfeigt. Männer sind ja
physisch stärker als Frauen …« Sie suchte schuldbewusst
Luises Blick. »Zuletzt hat mein Anwalt an meiner Stelle geantwortet und Stauffer ultimativ aufgefordert, mich künftig in Ruhe zu lassen … Daraufhin kam von ihm nichts
mehr … gar nichts …« Sie nickte, wie zur eigenen Bestätigung, aber sie nickte verlangsamt, mit leichtem Zittern, als
wäre sie eine alte Frau. »Ich kann ja nicht einfach im Leeren
leben, und er auch nicht …«

Luise war wie vor den Kopf geschlagen. Stauffer, der sich
so gerne als Kraftprotz gab, hatte also versucht, sich umzubringen. Sie sah ihn inmitten sommerlicher Blütenpracht,
in einem seiner weißen Hemden, sie sah, wie es sich ver-
färbte, wie er nach dem Schuss zu Boden sank, er drückte
die Hand auf die Wunde, rief vielleicht um Hilfe.

»Er muss sehr unglücklich gewesen sein«, sagte sie.

»Ich habe es nicht gewusst«, flüsterte Frau Lydia, an der
Grenze des Hörbaren. »Die Gerichte haben ihn doch von
aller Schuld freigesprochen. Da kann er neu anfangen …
Ich hatte die Pflicht, eine klare Grenze zu ziehen.« Ihre
Stimme gewann an Deutlichkeit, das Bittende darin kehrte
zurück. »Oder wie siehst du das?«

Wieder wusste Luise keine Antwort, das war alles so
verworren, so undurchsichtig, dass eine junge Frau am besten dazu schwieg. Doch sie erinnerte sich, wie Lydia noch
in Rom, als sie mit Welti stritt, von ihrer Liebe nicht hatte
lassen wollen. Und der duldsame Welti hatte sie im Zorn
sogar geschlagen? Schwer vorstellbar, auch dies.

Sie setzten sich erneut auf die Terrasse, die jetzt ganz im

Schatten lag, man hörte von weitem das Rauschen des Flusses, erhobene Stimmen, die vielleicht von den Balkonen des Hotels Beau-Séjour kamen oder gar vom Café Bout-du-Monde, das halb schon in der Wildnis lag, auf der von der Arve geformten Halbinsel.

»Was hat uns zusammengebracht?«, fragte Lydia. »Die Schicksalsgötter, hätten die Griechen gesagt. Zu unserem Verderben.« Sie schlug plötzlich die Hände vors Gesicht und stieß einen Wehlaut aus, der Luise durch Mark und Bein ging.

»Wir wollten zu hoch hinaus, und wir waren die Falschen dafür … Kannst du das verstehen, Luise?«

Luise schüttelte, ohne es wirklich zu wollen, den Kopf, sie erschauerte im Schatten, sah die aufgestellten Härchen auf ihren nackten Unterarmen.

Lydia nestelte am Gürtel ihres hellen Sommerkleids herum, sie wollte ihn lockern, aber es gelang ihr nicht. »Du bist noch durch keine bodenlose Liebe gegangen. Dann würdest du es wissen: So eine lässt dich deinen Lebensgrund verlieren … Ach, Luise soll ich ihm nicht doch schreiben, ihm zumindest gute Besserung wünschen?«

»Dann macht er sich neue Hoffnungen«, sagte Luise. Sie staunte und ängstigte sich zugleich; da war eine in ihr drin, die sprach, noch ehe sie überlegt hatte, und offenbar kümmerte sich diese zweite Person nicht um die möglichen Folgen solcher vorschnellen Sätze.

Frau Lydia stutzte. »Du hast ja recht, Luise, hundertmal recht. Ich darf mich nicht gehen lassen …« Sie griff nach Luises Hand. »Drück sie, drück sie mit aller Kraft, dann weiß ich, dass ich noch lebendig bin.«

Luise versuchte, ihrem Wunsch nachzukommen, spürte aber selbst keine Kraft in ihrer Hand. So lösten sich nach kurzer Zeit die Hände voneinander. Und ihr schien, die von Lydia baumle an ihrer Seite, als gehöre sie bloß noch einer führungslosen Marionette.

17

Im Juli erreichte Frau Lydia die Nachricht, dass Gottfried Keller in aller Stille – und wohl auch Einsamkeit – gestorben war. Sie konnte nichts anderes tun, als zu seiner Beerdigung einen Kranz schicken zu lassen. Die Reise nach Zürich hätte sie ausgehalten, aber nicht die Konfrontation mit all den Notabeln, die ihren Vater verfolgt und ausgegrenzt hatten. Und noch weniger das Geschwätz rund um sie, die Ehebrecherin. Dass es so war und nicht anders, warf sie aufs Krankenlager, sie fieberte, und Luise, die sie betreute, musste ihr den Schluss von *Romeo und Julia auf dem Dorfe* vorlesen, bei dem das unglückliche Liebespaar aus dem Boot ins Wasser gleitet und darin verschwindet. Beim dritten oder vierten Mal, als die Kranke danach verlangte, weigerte sich Luise, das mache sie ja noch kränker. Frau Lydia bestand zum Glück nicht auf ihrem Wunsch, sie schlief viel und weinte viel. Als sie im Lauf des Augusts wieder etwas erstarkte, saß sie tagsüber oft am Schreibpult, und Luise, die nun ihren eigenen Tagesablauf hatte, war nicht klar, ob sie wirklich Aufsätze über Kunst schrieb, wie sie behauptete, denn sobald ihre Niedergeschlagenheit wieder überhandnahm, sagte sie, eigentlich fehle ihr die Kraft für ein solches Projekt, nicht nur die Kraft, auch das Wissen, das Genie. Und Luise wusste gleich, wer es nach ihrer

Meinung hatte, immer noch, das bewiesen Gedichte, die ihr Stauffer schickte, obwohl sie es ihm verboten hatte, stürmische und tieftraurige Gedichte. Seine Wunde sei verheilt, schrieb er, nun arbeite er in Florenz an einem Entwurf für ein Denkmal des bernischen Helden Adrian von Bubenberg, es war ein Wettbewerb, an dem er unbedingt teilnehmen wollte. Frau Lydia wünschte ihm den ersten Rang, aber es war ihr anzumerken, dass sie nicht daran glaubte. Stauffer war inzwischen geächtet in der Schweiz wie sie selbst, die lasterhafte Escher-Tochter. Das hatten die Weltis und ihre Entourage erreicht, und die fortwährende Demütigung hatte Stauffer ebenso drangsaliert und geschwächt wie der Gefängnisaufenthalt. Die künstlerische Kraft, sagte Lydia, müsse in ihm erst wieder wachsen. »Stell dir vor, man schreibt mir, seine Haare seien weiß geworden, und er ist doch nur ein Jahr älter als ich.«

Auch sie hatte graue Strähnen, aber das war bei weitem nicht das Gleiche. Sie empfing eine Zeitlang Besuch von Rechtsanwälten, die aus Zürich anreisten und ihr Dokumente zum Unterschreiben vorlegten, es ging um die Planung und Gründung ihrer Kunststiftung. Sie durfte aber nicht Welti-Escher-Stiftung heißen, dieser Doppelname, so argumentierte ihr ehemaliger Ehemann, sei inzwischen allzu belastet. Bei solchen Unterhaltungen war Lydia fast wieder die souverän agierende *grande dame* aus dem Belvoir, sie bestand darauf, stattdessen den großen Zürcher Schriftsteller, der ihr Freund gewesen war, zu ehren, und so hieß denn die Stiftung, in die der Großteil ihres restlichen Vermögens fließen sollte, Gottfried-Keller-Stiftung. Das sei, so machte sie sich dezent über die Stiftungsräte und auch Welti junior lustig, natürlich ein Etikettenschwindel, man denke bei diesem Namen an Dichtung, dabei gehe es um Kunst, um Malerei vor allem. Aber sie wollte es so, und Luise schien dieser Anflug ihrer alten Dickköpfigkeit ein gutes Zeichen.

Sie freundete sich mit den Nachbarn an, dem alten Professor Vogt und seiner Frau Anna-Maria. Wenn sie bei ihnen zum Essen eingeladen war, durfte Luise mit am Tisch sitzen. Vogt war immer noch, über achtzig jetzt, ein wichtiger Mann, doch frei von Dünkel. Er war beleibt, mit breitem Gesicht, lachte laut, als ihm ein Gast am Esstisch sagte, er gleiche dem Anarchisten Bakunin aufs Haar. Ja, erwiderte er, Bakunin habe er in jüngeren Jahren sogar getroffen, nämlich als er in Nizza Meeresbiologie studierte, er habe damals in der Tat mit seinen Ideen sympathisiert, sich aber bald von ihnen entfernt. Bakunins Zwilling, da lachte er noch herzlicher, sei er keineswegs, weder körperlich noch geistig.

»Dann denken Sie also nicht wie er, der Staat sei überflüssig«, fragte Frau Lydia, eher neckend als ernst, und Luise, die von Bakunin bloß den Namen kannte, hörte genau hin.

»Oh nein, sonst wäre ich ja kaum Rektor der Universität geworden, die von Staatsgeldern abhängt. Und noch weniger Nationalrat in Bern, wo ich« – er verbeugte sich leicht gegen Lydia hin – »die Ehre hatte, Ihren Herrn Vater kennenzulernen.« Er habe, fuhr er fort, seinen eigenen unruhigen Geist mit der Zeit gezähmt, das Wohl und Wehe der Universität Genf habe ihm vollauf genügt. Bei Alfred Escher hingegen habe man nie gewusst, auf wie vielen

Hochzeiten er noch tanzen wolle. Bei der Gründung von Banken und Versicherungen, beim Polytechnikum, bei den neuen Eisenbahnlinien: überall habe er den Ton angegeben, habe sich verausgabt bis zum Letzten und alle Anfeindungen in Kauf genommen.

»Da haben Sie recht«, sagte Lydia und griff einen Augenblick nach Luises Hand. »Er dachte stets, er handle zum Wohl des Landes.«

»Und vergaß auch das eigene nicht«, bemerkte Vogt. »Was verständlich ist. Er hat Ihnen ein großes Erbe hinterlassen.« Er schaute Lydia durchdringend an. »Schön, dass Sie es nun für Ihre Stiftung nutzen.«

»Ja, das, was mir bleibt.« Lydias Züge zeigten Bitterkeit und Resignation.

Vogt wedelte den Einwand weg. »Es ist immer noch viel, liebe Lydia.« Und wie um von Lydias Scheidung abzulenken, kehrte er in gutmütigem Ton, mit der Färbung des gebürtigen Hessen, zu Escher zurück: »Ach, er war ein Tausendsassa, Ihr Herr Vater. Man konnte nicht anders als ihn bewundern und seine Fähigkeit, sich durchzusetzen, hassen. So ging es jedenfalls vielen. Einen Zweiten wie ihn wird es in der Schweiz, wo der Staat inzwischen alle Fäden zusammenhält, nicht mehr geben.«

»Ich habe ihn auch bewundert«, sagte Lydia leise. »Zu sehr wohl. Ich habe alles getan für ihn. Er mochte hochfahrend wirken, aber ich habe ihn oft nach Rückschlägen weinen sehen. Das war schrecklich für mich.«

Luise merkte, dass Frau Lydia nun selbst mit aller Kraft die Tränen zurückhielt, und fragte sich bereits, was sie später wohl vorkehren müsste, damit die qualvoll wache Frau in den Schlaf fand. Wieder ein Melissentee? Oder doch eher ein Glas Rotwein?

Vogts Ton wurde merklich kühler. »Und doch haben Sie ihm, ganz am Schluss, die Ehe mit Welti abgetrotzt.«

Frau Lydia straffte sich. »Das wird behauptet, ja. Aber wissen Sie was? Ich habe ihn überzeugt, dass diese Heirat für mich richtig war.« Nun hatte sie Mühe weiterzusprechen. »Ich gebe zu, dass ich annahm, dass sie die Feindschaft zwischen ihm und Emils Vater, dem Bundesrat, beenden würde. Dazu fehlte die Zeit …« Sie seufzte. »Mein Vater starb zu früh.«

Vogts Frau, die bisher beharrlich geschwiegen hatte, ergriff zum ersten Mal das Wort: »Das sagen alle Töchter, die eine starke Bindung zu ihrem Vater hatten.«

Lydia schwieg, und Vogt lenkte das Gespräch auf Eschers Großtat, den Bau des Gotthardtunnels.

Sie gewöhnten sich an, einmal wöchentlich, meistens am Donnerstag, der Einladung von Madame Vogt Folge zu leisten und entweder am Mittag oder am Abend bei ihnen zu speisen, während Frau Lydia das alte Ehepaar umgekehrt viel seltener bei sich willkommen hieß. Sie entschuldigte sich mit ihren Schwächeanfällen, mit dem Trübsinn, der sie manchmal überfalle, und die Nachbarn bekundeten Verständnis für den Zustand einer Frau, die aus ihrem alten Leben herausgefallen war. Besonders der Herr Professor hatte etwas Gütiges, und Luise konnte sich nicht vorstellen, dass er einmal ein Feuergeist, ein Revolutionär gewesen war, der vor der politischen Polizei aus Gießen flüchten musste. »Sonst wäre ich damals«, sagte er mit Heiterkeit,

»im Kerker gelandet, oder man hätte mich gar exekutiert. Immer noch erstaunlich, dass man mich im altväterischen Bern geduldet hat.«

Erstaunlich fand Luise auch, dass Menschen wie der Professor sich im Lauf der Zeit derart ändern, in ihren Urteilen mildern, im Verhalten mäßigen konnten. Bei Stauffer war das anders gewesen. Oder stand ihm die Mäßigung noch bevor? Von den Erinnerungen an ihn, den guten und den schlimmen, kam sie nicht los. Sie hörte ihn prahlen, sich aufspielen, und zugleich erinnerte sie sich, wie zart und behutsam er mit Frau Lydia während ihrer Krankheitsphasen umgegangen war. Sie nannte seinen Namen nie, und doch spielte sie fast jeden Tag auf ihn an, mit Strenge oder mit Sehnsucht, so war er auch in der Villa Ashbourne anwesend. Ein Luftgeist, nein, ein Gespenst, das nachts herumtappte und sich nicht vertreiben ließ.

Professor Vogt liebte es, bei Tisch kleine Vorträge zu halten. Besonders gerne kam er auf den Engländer Darwin zu sprechen, einen skandalumwitterten Gelehrten, der allen Ernstes behauptete, der Mensch sei nicht von Gott geschaffen worden, sondern habe sich in Jahrtausenden aus der Tierwelt entwickelt, von niedersten Stufen zu immer höheren. Luise begriff nicht, dass ein vernünftiger Mensch und Christ – oder war Darwin keiner? – eine solche Theorie in die Welt setzen konnte, und sie stellte sich vor, wie ihr ehemaliger Dienstherr, der Pfarrer von Pfäffikon, darauf reagiert hätte: mit Spott und Abscheu. Ja, hatte er nicht einmal erwähnt, es gebe in der Wissenschaft anmaßende und fehlgeleitete Gelehrte, die behaupten würden, der Mensch stamme vom Affen ab? Frau Lydia widersprach dem Professor heftig, aber als er ein Argument nach dem andern, vor allem auch die Beweiskraft von Schädelfunden, ins Feld führte, verstummte sie allmählich.

»Glauben Sie denn«, fragte Vogt, »als intelligente Frau etwa an Adam und Eva und wortwörtlich an den Sündenfall?«

»Das sind Legenden«, wandte sie ein. »Das ist keine wissenschaftliche Literatur.«

»Eben«, nickte der Professor nicht ohne Genugtuung, und Luise sah, dass seine Frau ihm mit dem Ellbogen einen kleinen Stoß versetzte, was offenbar bedeutete, er möge die Sache jetzt auf sich beruhen lassen.

Aber mit dem Professor zu disputieren lenkte Frau Lydia von der Düsternis ab, die sie oft genug umgab, da wirkte sie plötzlich wieder belebt, sogar streitbar. Wenn sie danach mit Luise in die Villa zurückkehrte, war sie noch stundenlang aufgekratzt und redselig, bis es dunkel wurde und sie schwankend durch die Zimmer ging, als ob sie erneut den Boden unter den Füßen verloren hätte. Da musste Luise sie stützen, ihr später das Essen eingeben wie einem Kind; sie bringe, murmelte Frau Lydia, halb im Bett aufsitzend, manchmal den Kiefer kaum mehr auseinander.

Obwohl nach jedem Gespräch im Nachbarhaus ein Rückschlag drohte, bestand sie auf diesen Besuchen. »Der Professor tut mir gut«, sagte sie. »Und seine Frau sitzt so still und aufmerksam daneben und ist im richtigen Moment mit einer treffenden Bemerkung zur Stelle. Und er putzt sie nicht einfach herunter, wie andere Männer das täten.«

Ja, Professor Vogt war ein sanfter und kluger Mann, oder war zu einem solchen geworden, ganz anders wohl als Lydias Vater, den sich Luise herrisch vorstellte, selbstsüchtig der Tochter gegenüber, am Ende dann elend und hilfsbedürftig. Vielleicht war es ja gut, dass sie selbst nie gegen einen Vater hatte kämpfen müssen.

In ihrem Kummer, aus dem auch Luise sie nur sporadisch herausholen konnte, suchte Frau Lydia die Gesellschaft von alten Männern, die sie für erfahren, ja weise hielt. Der Dichter Keller war einer dieser Männer gewesen, ein anderer war jetzt der Nachbar Carl Vogt. Und der dritte war der Maler Salomon Hegi, den Zürcher Freunde zu Lydia in ihr Genfer Exil geschickt hatten, damit er die nunmehr Geschiedene, aber immer noch wohlhabende Escher-Tochter um finanzielle Unterstützung bat. Verschämt tauchte er in der Villa Ashbourne auf, ein ausgemergeltes, dünnbeiniges Männchen, fast ohne Haare auf dem Kopf, er trippelte bloß noch, stolperte oft. Er hatte eine Mappe mit Zeichnungen und Drucken bei sich, die er Lydia zum Kauf anbot, Marktszenen vor allem aus Mexiko, wo er jahrelang gelebt hatte. Allzu viele ehemalige Gönner hatten ihn, den Eigensinnigen, fallengelassen. Er bemühte sich, auf launige Weise die Abenteuer zu schildern, die er in Übersee als Emigrant erlebt hatte. Luise stand an der Wand und sah zu, wie sich das Männlein in Hitze redete und dauernd die langen weißen Strähnen, die ihm an den Schläfen geblieben waren, hinter die Ohren strich. Er erzählte, wie er in Schusswechsel zwischen französischen Truppen und aufständischen Indios geraten war und selbst in der Deckung immer noch weitergezeichnet hatte, und er erzählte es so drollig, dass er die beiden Frauen zum Lachen brachte. Auch über das

Leben der Indios wusste er vieles, er zeigte auf seinen Zeichnungen, was ein Poncho war, was für Hüte sie trugen, er berichtete, wie sie sich auf schlaue Weise den Unterdrückungsmethoden der Kolonisatoren entzogen, und Luise merkte sehr wohl, dass er von den Eingeborenen ein besseres Bild hatte als Professor Vogt, der alle Nicht-Weißen als mehr oder weniger unterlegene Rassen betrachtete.

Am liebsten aber brachte Frau Lydia den Maler auf Gottfried Keller, mit dem er in jungen Jahren befreundet gewesen war. Hegi zog aus seiner Mappe eine Zeichnung hervor, die Keller als jungen Mann im Liegen zeigte. Ein weiches Gesicht mit fraulich langen Wimpern. Da habe Gottfried geschlafen, sagte Hegi, sie seien gemeinsam als Freischärler gegen die verstockten Innerschweizer gezogen, er habe ihn eines Abends ohne sein Wissen rasch skizziert. Wenn der alte Mann dem jungen nicht mehr geglichen habe, fügte er listig hinzu, sei dies die Schuld von Bart und Schnauz und des Lebens insgesamt. Dieses Blatt wollte Lydia kaufen. Sie bot Hegi einen überhöhten Preis, er willigte nach kurzem Zögern ein. Sie werde sich auch sonst um ihn kümmern, versprach sie, da leuchtete sein verrunzeltes Gesicht auf und schien um Jahre verjüngt.

Auch Frau Lydia straffte sich; immer wenn sie eine Aufgabe für sich sah, so kam es Luise vor, gewann sie an Lebenskraft, die sonst Tag um Tag von ihr wegzusickern schien. Denn Tag um Tag wartete sie auf einen Besuch Weltis, er war ja, trotz ihrer Scheidung, der einzige nahe familiäre Kontakt, der ihr geblieben war. Aber er kam nicht, schickte bloß freundlich besorgte Briefe. Und Tag um Tag, das war Luise längst klar, versuchte sie, Stauffer zu verges-

sen, ihn innerlich zum skrupellosen Übeltäter und Geld-
jäger zu machen. Ein Schürzenjäger war er ohnehin stets
gewesen. Sie tat so, als ignoriere sie, Emil zuliebe, seine ver-
zweifelten Bittbriefe, die in Abständen von wenigen Tagen
eintrafen, doch sie las sie, sie ließen ihr keine Ruhe. Eines
Nachts hörte Luise im unteren Geschoss einen lauten Ruf:
»Carlo!« Und einen zweiten, noch verzweifelteren, dem
ein Aufschluchzen folgte, ein langes Wimmern. Luise ging
nachsehen, Frau Lydia hatte die Decke von sich weggestrampelt, lag zusammengekrümmt da und ließ sich kaum
beruhigen, murmelte aber, halb wach, ein ums andere Mal:
»Es ist nichts, es ist nichts.« Erst als Luise sie zugedeckt
hatte und ihre Hand hielt, schlief sie wieder ein. Am nächsten Morgen wollte sie sich an nichts erinnern.

Doktor Prévost, den Luise benachrichtigt hatte, erschien
bald, er verschrieb ein Schlafmittel für die nächsten Nächte,
empfahl mit ernster Miene einen Kuraufenthalt in den Bergen, wegen des erhöhten Sauerstoffgehalts der Luft. Doch
Frau Lydia wollte in Champel bleiben, so wollte es ja auch
Emil, der nun wieder in Bern wohnte, in der Nähe seines
Vaters. Über ihn schrieb er mehr als über sich; sein Papa
denke nach vierundzwanzig Jahren im Bundesrat jetzt
doch an Rücktritt, bloß hindere ihn sein Pflichtbewusstsein
daran, Ernst zu machen. Er hoffe, die Volksabstimmung zu
gewinnen, mit der die Verstaatlichung der Gotthardbahn,
die Escher einst bekämpft hatte, beschlossen werden solle.
»Ach, der arme Papa!«, so schloss Emil einen seiner Briefe,
die Frau Lydia hin und wieder Luise zur Lektüre überließ
oder sogar vorlas. Ja, dachte Luise, in dieser Familie konnten sich alle für arm halten, Emils kranke Mutter, sein an-

gefeindeter Vater und Emil selbst, der Betrogene. Wie es Lydia wirklich ging, schien ihn aber, entgegen seinen immer gleichen guten Wünschen, kaum zu beschäftigen.

Salomon Hegi kam noch mehrere Male zu Besuch, mit immer anderen Blättern, er blieb zum Essen und aß für einen so mageren Mann erstaunlich viel, vor allem vom Kalbsragout an Weißweinsauce, das die Köchin extra für ihn zubereitete. Er erzählte weniger von Mexiko, mehr von der Freundschaft und den späteren Streitigkeiten mit Keller, das hatte eine bessere Wirkung auf Frau Lydia. Sie werde Hegi in ihrem Testament, sagte sie zu Luise, mit einer großzügigen Summe bedenken. Und wenn Luise protestierte, es gebe doch gar keinen Grund, jetzt schon ein Testament aufzusetzen, sah Frau Lydia sie schweigend an und lächelte auf undurchschaubare Weise.

Sie möchte wirklich sterben, dachte Luise dann, aber sie darf mich nicht im Stich lassen. Nun begann sie, vor dem Einschlafen wieder zu beten, was sie viele Jahre nicht mehr getan hatte: »Mach, lieber Gott, dass sie weiterleben will, schick ihr Gutes, gib ihr Kraft.« Mitten im Gebet, noch vor dem Amen, brach sie meist ab. Es war ja dumm, sich vorzustellen, dass ein allmächtiger Gott auf Wunsch hin ins Leben eines Einzelnen eingreife, man war, auch als Christ, verantwortlich für sich selbst. Aber war denn Frau Lydia nicht die Wunscherfüllerin für ihren Vater gewesen, die Gefangene viel zu vieler Pflichten und Aufgaben, die Gefangene ihrer Herkunft, die sie zwang zu tun, was für sie vorgesehen war? Und darum dieser Ausbruch? Darum diese unmögliche Liebe zum liederlichen Stauffer? Und sie selbst, das Dienstmädchen Marie-Louise Gaugler? Wer war sie denn? War sie frei zu entscheiden, zu wem und wohin sie wollte? Sie war an Lydia Escher gebunden, die sie ausgewählt hatte, ihr zu dienen. Das versprach einen sicheren Lohn. Aus der Sicht ihrer Geschwister, die in Kargheit lebten, hatte sie das große Los gezogen. Aber sie mochte keinen Gott darum bitten, dass es so bleiben möge. Das Leben hatte sie in knapp zwanzig Jahren gelehrt, dass nichts so blieb, wie man sich's gewünscht hatte. Und so würde auch die Verbindung zum Hause Welti-Escher irgendwann zu Ende gehen. Ob sie den jungen Welti hassen oder verachten sollte, wusste sie nicht, den alten, den grimmigen Rächer der Familienehre, den manchmal schon, sie sah ihn als bösen Geist, der im Hintergrund die Fäden zu allem Übel zog, das Lydia traf.

Im späten Herbst, als die Blätter über die Straßen wehten, wurde es für Lydia zur Gewohnheit, fast jeden Tag, sofern das Wetter gut genug war, einen langen Spaziergang zu machen. Sie ging hinunter zum Flusstal, folgte der Arve bis zum Café Bout-du-Monde, wo sie einen Melissentee oder ein Glas Wasser aus einer nahen Heilquelle trank, kehrte auf anderen Wegen in die Villa Ashbourne zurück. Meist ging sie allein, mit langsamen, oft zögerlichen Schritten, den Mantel hochgeschürzt bei sumpfigen Stellen. Sie trug ihren langen dunkelblauen Kaschmirschal als Kopftuch, sah darin aus wie eine strenge und bleiche Äbtissin; ungeduldig klaubte sie die verfärbten Blätter aus den Tuchfalten, in denen sie sich verfangen hatten. Am liebsten ging sie allein, von niemandem gestört, von niemandem behelligt. Einen Hund wollte sie nicht, sie hatte Hunde nie gemocht, konnte es nicht ausstehen, wenn ein Hundeschwanz gegen ihre Beine schlug. Und Luise blickte ihr von der Terrasse aus besorgt hinterher, bis sie nach der zweiten Kurve talwärts hinter Bäumen verschwand, die jetzt allerdings von Tag zu Tag lichter wurden und immer deutlicher ihr Astgerippe zeigten. Dass Luise danach die stark verschmutzten Schuhe lange putzen musste, war ihr lästig, aber es gehörte zu ihren Pflichten.

Hin und wieder wünschte Frau Lydia, von Luise begleitet zu werden. Sie redeten auf diesen Gängen wenig miteinander, und Luise musste sich zügeln, das Tempo nicht zu beschleunigen, Frau Lydias Langsamkeit, ihr keuchender Atem machten sie nervös. Ja, Lydia war schwächlich geworden, sie zahlte für die häufige Bettruhe auch tagsüber den Preis, rascher erschöpft zu sein als sonst eine Frau ihres Alters. Aber es hatte auch sein Schönes, dem Fluss gemächlich zu folgen, dem Dahintreiben von Ästen und sich rasch drehenden Ahornblättern auf dem schwärzlichen Wasser zuzusehen. Dem Halt im Café Bout-du-Monde sehnte sich Luise schon nach dem ersten Mal entgegen, sie versuchte, wenn sie sich dem einsamen Gebäude näherten, Frau Lydia, die sich bei ihr eingehängt hatte, mitzuziehen. Das Lokal war zwar klein, aber es wurde von Spaziergängern und Hundebesitzern gut frequentiert, und es war schon im November geheizt. An Sonntagen gab es hier drinnen wie draußen kaum einen freien Platz. Lydia wollte, selbst wenn die Sonne schien, immer drinnen sitzen, und zwar an einem Ecktisch, wo sie sich geschützt genug fühlte. Sie fröstle im Herbst, sagte sie dann entschuldigend. Luise wendete allerlei Listen an, um den Aufenthalt im Café auszudehnen. Von ihrem Tisch aus hatte man nämlich einen guten Blick auf die Theke, hinter der oft ein junger Mann in weißer Kellnerweste stand, der ihr ausnehmend gefiel. Er war groß und schlank, seine Bewegungen waren, wenn er Wein einschenkte, Bier abzapfte, Brot schnitt, von unauffälliger Eleganz, und er hatte ein feingeschnittenes Gesicht, das sie unversehens – es war wie ein kleiner Schock – an Luigi, einen Jungen aus Bergamo, erinnerte, der ihr manchmal bei Hänseleien, die den *svizzeri* galten, beigestanden war. Es gab noch andere Kellner im Bout-du-Monde, aber Luise hatte nur Augen für diesen einen. Henri hieß er, wie sie dem einen oder anderen Zuruf seiner Kollegen entnommen hatte. Er war offensichtlich so etwas wie der Oberkellner, die anderen folgten seinen Anweisungen, ohne zu murren.

Auch er bemerkte die junge Frau, wenn sie am Tisch bei Frau Lydia saß. Sein Blick glitt an der vornehmen Dame vorbei, blieb an Luise haften, die anfangs die Augen niederschlug, dann aber zurückschaute, offen und fragend. Er war es, der sich nach wenigen Sekunden abwandte, weil der grauhaarige Patron, der stets im Hintergrund blieb, etwas von ihm wollte, vielleicht auch, weil er ein wenig verlegen wurde. Das allerdings ließ er sich nicht anmerken, und doch machte er sich an den benachbarten Tischen ein wenig länger als nötig zu schaffen. Eines Tages – es mochte beim dritten oder vierten Besuch sein – redete ihn Frau Lydia auf Französisch an, das Luise nur unbeholfen sprach, sie beschwerte sich auf freundliche, aber unmissverständliche Weise bei ihm über den Schwarztee, den ihr seine Kollegin serviert hatte, die Milch sei sauer, sie wies auf die weißen Flocken, die im Tee schwammen. Henri entschuldigte sich, bedauerte dieses kleine Unglück, *ce petit malheur*, wie er sagte, und lächelte gewinnend. Er holte persönlich frischen Tee mit einem Kännchen Milch, deren Qualität er vor den Augen der Gäste überprüfte, und gönnte Luise dabei den einen oder anderen Seitenblick. Frau Lydia war zufrieden, und Luise trank ohnehin Pfefferminztee. Henris Französisch hatte eine andere Färbung, als sie hier in Genf vorherrschte, und Frau Lydia erkundigte sich, woher Henri komme. Aus dem Elsass, antwortete er, nun auf Deutsch, doch wiederum mit eigenem, beinahe singendem Klang, der Luise unvertraut war. Dort spreche man bekanntlich beide Sprachen, obwohl das Französische, seit das Elsass deutsch geworden sei, in den Schulen nicht mehr unterrichtet werde. Er hatte offenbar herausgehört, was Frau Lydias Muttersprache war, und, wie es sich für einen guten Kellner gehörte, zu ihr gewechselt. Ob es ihm denn hier gefalle, fragte Frau Lydia, die zur Seltenheit in Gesprächslaune war. Henri bejahte, er lerne viel, sei ja seit kurzem der Stellvertreter des Patrons, es gefalle ihm, mehr Verantwortung zu übernehmen. Unerwartet wandte er sich an Luise. Ob denn das Fräulein ebenfalls aus der Deutschschweiz komme? Sie spürte zu ihrem Ärger, wie stark sie errötete, und erwiderte in der Hochsprache, die ihr plötzlich viel zu holprig vorkam, ja, sie habe in Zürich gelebt, bei ihrer Dienstherrin. Das Wort ging ihr nur schwer über die Lippen, aber sie wollte die Namen Escher und Welti vermeiden, und zugleich klarmachen, was ihre Stellung war.

Henris Lächeln, das ihr allein galt, war nicht einfach höflich und routiniert, sie spürte genau, dass sie ihm gefiel, und strich mit einer unwillkürlichen Bewegung, beinahe kokett, ihr dichtes Lockenhaar hinter die Ohren zurück. Er lächelte breiter und verließ, da er von irgendwoher seinen Namen hörte, mit einer scherzhaften Bemerkung den Tisch. Einen Moment lang war Luise beinahe in seinen Augen versunken, blaugrün waren sie, mit helleren Sprenkeln, diese Farbe hatte Luise am Strand von Livorno gesehen, es war die des Meers bei bedecktem Himmel.

»Ein netter Mann«, sagte Frau Lydia, sie schien ein wenig belustigt über Luises Verhalten. Oder gefiel auch ihr Henri so gut wie Luise selbst? Das war ja nicht auszuschließen. Gleich regte sich in ihr eine kleine und ungerechte Eifersucht, denn was sollte eine Escher-Tochter mit einem Kellner aus dem Elsass zu schaffen haben? Bei diesem Gedanken erwachte ein ungewöhnlicher Trotz in ihr: Wenn schon, ist der für mich bestimmt! Und sie staunte über sich selbst, dass sie bereit war, um diesen Mann, von dem sie praktisch nichts wusste, zu kämpfen, wenn nötig mit Zähnen und Klauen.

»Du schaust so ernst«, sagte Frau Lydia.

Luise schüttelte den Kopf. »Es geht schon, ich glaube, ich bin ein wenig erkältet.« Ihre Hände zitterten unmerklich, als sie nach der Teetasse griff, und sie hoffte, dass Frau Lydia nicht auch noch diese Reaktion auffiel, so wie ihr Erröten vorher. Aber sie dachte gleich an Henris Hände, deren Form sie sich, wie alles Übrige, eingeprägt hatte, die schmalen Gelenke, die Finger mit den gepflegten Nägeln. Man schaut genau hin, wenn man sich verliebt, dachte sie und versuchte, die Vorstellung zu verscheuchen, dass diese Finger sie berühren könnten. Nur an den Wangen und auf den Lippen, nur dort.

Frau Lydia wollte aufbrechen, sie zahlte an der Theke, aber Henri war verschwunden, und nicht er nahm das Geld entgegen, sondern die Kellnerin, zu deren Rayon der Tisch gehört hatte, sie gab sich erst mürrisch, fing aber zu strahlen an, als Frau Lydia ihr ein großzügiges Trinkgeld hinschob.

Auf dem Rückweg tauschten sie, wie fast immer, nur wenige Sätze. Luise überlegte, ob sie Henri mit einem neuen Sonntagskleid beeindrucken könnte, einem eng in der Taille geschnittenen, wie sie in Schaufenstern von Modegeschäften zu sehen waren. Das würde ihr gut stehen. Vielleicht eines in Dunkelblau? Oder gar in Weiß?

Sie fragte sich, ob Henri eine Zukunft hatte. Bei seiner sichtbaren Tüchtigkeit bestimmt. Es war jetzt doch schade, dass sie Anna nichts von ihm erzählen konnte. Sie hätte sie bestimmt ein wenig verspottet und wäre dann neidisch gewesen auf das offensichtliche Interesse eines schönen jungen Mannes an ihrer Freundin. »Schön« hätte Anna nicht gesagt, eher »adrett«, das war ein neues Wort für sie gewesen, und sie hatte es oft verwendet. Noch öfter als »flott«.

»Wo steckst du mit deinen Gedanken?«, fragte Frau Lydia leicht unwirsch, als Luise eine Bemerkung überhört hatte.

Sie schwieg verlegen.

»Ich weiß schon, wo und bei wem«, sagte Frau Lydia. »Lass dir nicht den Kopf verdrehen. Bis man einen Mann von Grund auf kennt, dauert es lange. Und auch dann bleibt vieles im Dunkeln.«

Redete sie von sich? Von Welti? Von Stauffer? Sie hatte bei beiden gelegen, aber das Körperliche, hatte sie einmal Luise gestanden, sei ihr ferner als das Geistige. »Ich bin ja doch«, hatte sie hinzugefügt, »eher ein Kaltblüter.« Damals hatte sie noch ab und zu versucht, kleine Späße zu machen.

Luise konnte sich nicht daran hindern, in freien Minuten – aber auch, wenn sie beschäftigt war – an Henri zu denken, sich seine Worte, seine Gesten, sein Lächeln in Erinnerung zu rufen, und ärgerte sich, dass dieser Mann, den sie ein einziges Mal gesprochen hatte, eine solche Macht über sie ausübte. War er doch etwas hochmütig, herablassend ihr gegenüber gewesen? Aber er ließ sich nicht vertreiben, weder am Tag und schon gar nicht in der Nacht. Ähnliches hatte sie noch nie erlebt. In ihren Träumen sah sie Henri stets aus der Distanz, er war unter den jungen Männern am Strand von Livorno, er trug keine kurzen Hosen wie die anderen, sondern lange, und wenn er aus dem Wasser stieg, schmiegten sie sich, tropfnass, an seine schlanken Beine. Einmal begann es im Traum heftig zu regnen, die anderen flüchteten in rotgestrichene Badekabinen, er allein blieb, knietief im Wasser, zum Himmel aufschauend, sie hätte zu ihm gehen können, aber sie tat es nicht.

18

Bei den nächsten Begegnungen im Bout-du-Monde war stets Frau Lydia dabei. Zu mehr als zu einem kurzen Wortwechsel zwischen Luise und Henri kam es nicht, er musste sich höflichkeitshalber ohnehin an Madame Escher wenden, mit diesem Namen wurde sie, seit er sich herumgesprochen hatte, im Café begrüßt. Ja, Escher wollte sie jetzt wieder heißen, nicht mehr Welti und schon gar nicht Stauffer, ein einziges Mal hatte sie in Rom einen ihrer Briefe mit diesem Namen unterzeichnet.

Henri stellte Luise in dieser Situation nur floskelhafte Fragen: Wie es ihr bei diesem Wetter gehe? Ob ihr Husten abgeklungen sei? Und ihre Antworten waren so leise, dass er sie kaum verstand. Immerhin konnten ihre Augen sprechen, und sie verrieten so viel, dass sie zumindest diesen Blicketausch mit allen Mitteln zu verlängern versuchte. Einmal stand sie sogar auf und ging dicht an ihm vorbei, ja, sie streifte ihn beinahe, um an der Theke die Karaffe mit Wasser auffüllen zu lassen. Danach erschrak sie über ihren Mut, und Henri, der mit Madame Escher über das Straßburger Münster gesprochen hatte, entschuldigte sich für seine Unaufmerksamkeit. Es war deutlich genug, dass er auch Frau Lydia gefiel. Luise fürchtete, dass es auf diese unbestimmte Weise noch lange weitergehen würde;

Henri, der sich doch so weltmännisch gab, war wohl schüchterner, als sie gedacht hatte. Aber noch im alten Jahr, als es zu schneien begonnen hatte, suchte Frau Lydia eines Tages im Bout-du-Monde die Toilette auf. Kaum war sie aus Henris Sicht verschwunden, trat er an Luises Tisch, beugte sich ein wenig zu ihr und fragte mit gedämpfter Stimme, ob er das Fräulein nicht an einem Sonntag zum Tanz in die Stadt einladen dürfe, er kenne ein schönes Lokal, und er würde das Fräulein gerne näher kennenlernen. Vielleicht hatte er die Sätze vorher auswendig gelernt, sie gingen ihm so leicht über die Lippen, als spräche er sie jeden Tag, und das war auch gleich Luises Verdacht: dass sie nicht die Erste war, die er für sich gewinnen wollte. Doch diesen Gedanken verwarf sie gleich wieder. Ohne sich lange zu besinnen, fragte sie, ob er denn nicht wissen wolle, wie sie heiße. Doch, natürlich, antwortete er, und sie bemerkte, beinahe mit Genugtuung, sein leichtes Erröten. »Luise«, sagte sie. Und er: »Ein schöner Name für eine schöne Frau.« Das brachte sie ebenfalls zum Erröten, und sie musste einen Lachreiz unterdrücken, denn sie fand plötzlich, dass sie beide sich sehr ungeschickt benahmen. »Also …«, setzte Henri an und wollte offenbar seine Einladung wiederholen. Doch sie kam ihm zuvor: Ja, sie werde ihn gerne begleiten, aber sie müsse Madame Escher um Erlaubnis bitten. Er nickte, da kam sie schon zurück, und es war nicht Luise, die das Wort an sie richtete, sondern Henri selbst. »Madame«, sagte er, nun wieder ohne zu stocken, in vollendeter Höflichkeit, »ich habe Ihre«, er zögerte kurz, »Ihre *femme de chambre* eben eingeladen, mit mir am Sonntag tanzen zu kommen, sie hat freundlicher-

weise zugestimmt, und ich hoffe sehr, dass Sie damit einverstanden sind.«

Frau Lydia gab einen Laut von sich, der Staunen oder
Belustigung ausdrücken mochte, sie rückte ihren Stuhl zurecht und sagte dann nach einer Besinnungszeit, die Luise
viel zu lange dauerte: »So etwas lag ja in der Luft, nicht
wahr?« Nun lächelte sie sogar. »Luise ist volljährig, am
Sonntag hat sie üblicherweise Ausgang, und ich nehme an,
Monsieur, dass Ihre Absichten ehrenhaft sind.«

»Das sind sie.« Er nickte beflissen und doch ein wenig irritiert. »Ich werde Luise um vier Uhr abholen, und spätestens um neun Uhr zurückbringen. Ist das in Ordnung so?«

Auch Frau Lydia nickte nun, und Luise, die zum ersten
Mal ihren Namen aus Henris Mund gehört hatte, wurde
es warm, als habe sie mit Honig gesüßten Tee getrunken.
Zum Glück warteten keine neuen Gäste auf Bedienung,
die Unterhaltung am Ecktisch hatte nun doch schon un-
üblich lange gedauert, und Luise sah, dass der Patron sich
an die Theke gestellt hatte. Er schaute kritisch zu ihnen,
verzichtete aber darauf, Henri zu ermahnen. Der zog sich
von selbst mit einer kleinen Verbeugung zurück und sagte
im Vorübergehen zu Luise: »Bis übermorgen also.« Es war
Freitag, lange musste sie nicht warten. Aber wusste er denn,
wo die Villa Ashbourne lag? Bestimmt, sonst hätte er danach gefragt, und noch um eine Spur glücklicher machte
es sie, dass er sich offenbar erkundigt hatte, wo sie wohnte
und wer sie war, sie, die *femme de chambre,* was doch ganz
gut klang.

Draußen, im Schneegestöber, war es stürmisch, Luises
Schnürschuhe mit den dünnen Sohlen glitten auf der

Schneeschicht immer wieder aus, ihr Gang hatte etwas unsicher Tänzelndes, und die Flocken, die ihr heißes Gesicht kühlten, waren ihr willkommen. Auch die schneebedeckten Zweige der Weiden, die ins Wasser der Arve hingen, fand sie schön und elegant, einer der Bäume sah aus wie eine Skulptur, aber nicht eine von Stauffer. Als wolle Frau Lydia darauf eingehen, sagte sie plötzlich: »Stell dir vor, er interessiert sich für Kunst, das ist doch sehr ungewöhnlich.« Sie meinte Henri und ihr Gespräch über das Straßburger Münster, und Luise hätte gerne gewusst, was sie sonst noch über ihn dachte. Aber danach blieb sie auf dem restlichen Heimweg verschlossen und hatte gegen ihre zunehmende Atemnot zu kämpfen. Auf der letzten steilen Strecke machte sie alle paar Meter halt, dann musste Luise ihr den Arm reichen und sie förmlich mitziehen, so dass auch sie ins Keuchen geriet.

Wie lange zwei Tage sein konnten, hatte Luise gar nicht gewusst, oder höchstens, bevor sie die Stelle im Belvoir antrat. Fast fünf Jahre war das her, und was war alles geschehen in dieser Zeit! Wenn sie in den Spiegel schaute, sah sie eine andere Person als damals, eine Erwachsene, kein Mädchen mehr, das so wenig von der Welt wusste, außer dass der Weg von Bergamo nach Russikon weit und beschwerlich war. Doch sie ahnte, dass ihr nun wieder ein großer Wechsel bevorstand, da war plötzlich eine Sicherheit in ihr, die sie noch keinem Mann gegenüber empfunden hatte. »Ach was«, hörte sie Anna, die ferne Anna spotten. Oder war es Johanna? »Du bist einfach bis über beide Ohren verliebt. Da sieht man alles in den schönsten Farben. Die verlieren leider bald den Glanz.« Aber es konnte auch anders sein, ganz anders. Sie war sicher, dass Professor Vogt, der seine alte Anna-Maria manchmal ganz verliebt anschaute, ihr zustimmen würde.

Sie gingen am Sonntag tanzen, genau wie abgemacht, das Wetter war besser geworden. Auf dem halbstündigen Marsch in die Stadt hatten sie endlich Gelegenheit, einiges übereinander zu erfahren. Henri stammte aus einem kleinen Winzerdorf, Riquewihr, er war der älteste von vieren, lauter Brüdern, er wollte keine Trauben pflücken wie der Vater und keinen Wein keltern, er wollte ihn verkaufen und eines Tages ein eigenes Café besitzen. Während er erzählte, strich er manchmal mit seiner Hand über ihre, und sie ließ ihn gewähren, wenigstens für kurze Momente, denn allzu nachgiebig durfte sie nicht sein, das hatte ihr auch Frau Lydia eingeschärft.

Henri sah im weißen Hemd und dunkelblauen Veston ganz anders aus als bei der Arbeit, sie kannte ihn ja nur in weißer Kellnerkleidung. Es stand ihm gut, er hätte, fand sie, auch in ein Modemagazin gepasst.

Sie kamen zum See. Nun war zwischen tiefhängenden Wolken die Sonne hervorgebrochen, der Schnee schmolz schon wieder. Henri führte sie in den Ballsaal eines gehobenen Hotels, wo ein kleines Salonorchester Walzer und Polkas spielte. Die Schrittfolgen hatte Luise als Jugendliche an der Kirchweih und anderswo gelernt oder Freundinnen abgeschaut. Sie tanze gut, rühmte Henri, er aber auch, sagte sie, und sie schwebten zur Musik so geeint, so harmonisch dahin, als hätten sie das lange geübt. Sie lag, einen hal-

273

ben Kopf kleiner als er, in seinen Armen, kam sich leicht vor, halb von ihm geführt und doch auch ihn führend, sie roch sein Rasierwasser, sie sah die Äderchen an seiner Schläfe. Draußen wurde es schon dämmrig. Im Saal brannten die Lichter an den Wänden und an der Decke, es sei die Elektrizität, sagte Henri, die alles so hell und feierlich mache. Ihre Schatten auf dem Parkett und die der anderen vervielfachten sich in verwirrender Weise. Luise wurde es schwindlig, sie lehnte sich stärker an Henri, und sein fester Griff um sie war beinahe eine Umarmung, die den Schwindel aber bloß verstärkte, sie musste sich setzen. Man konnte an kleinen Tischen, die ringsum an den Wänden standen, den Atem beruhigen, Kaffee und Gebäck bestellen oder sogar ein Glas Wein. Henri hatte gespart für diesen Tag, er bestand darauf, alles zu bezahlen, zeigte sich entrüstet, als Luise auch etwas übernehmen wollte, denn von Frau Lydia hatte sie vor diesem Rendezvous, als Belohnung für gute Dienste, eine Zulage bekommen, fünf Franken, die sie ruhig ausgeben sollte. Aber sie konnte ihn nicht umstimmen. Er begutachtete im Stimmenlärm, in den sich die Musik mischte, den Service, er fand ihn zu langsam, zu mürrisch, keiner der fünf Kellner, die sich zwischen den Tischen bewegten, genügte seinen Ansprüchen, er hob das Kinn und sagte mit Stolz, so etwas werde er im eigenen Café nicht dulden. Sie wagte zu fragen, woher er das Geld nehmen wolle, um etwas Eigenes zu kaufen; er werde sparen, antwortete er, und wohl zuerst ein Lokal mieten, aber er besuche jetzt einen Buchhaltungskurs, der Patron habe ihm die Administration anvertraut. Er wollte bescheiden wirken, aber das gelang ihm nicht, und sie versuchte ihr Lächeln, das dem schlechten Schauspieler galt, zu verbergen.

Es war Nacht, als er sie nach Hause begleitete, zum Glück regnete es nicht, für Schnee war es inzwischen zu warm. Aber die Wolkendecke über ihren Köpfen war so dicht, dass man nur wenige Sterne sah. Die letzte Strecke verlief zwischen Hecken, sie gingen enger nebeneinander als auf dem Hinweg, zeitweise aneinandergeschmiegt, sie stolperte oft, bisweilen mit Absicht, er fing sie auf, und das genoss sie, ohne dass sie es ihn merken ließ. An besonders finsteren Stellen zündete er ein Streichholz an und behielt es so lange zwischen den Fingern, bis er sich beinahe verbrannte. Vor der Villa, in der es dunkel war, umarmte er sie zum Abschied, wie sie es erwartet hatte. Und als sie merkte, dass er sie küssen wollte, überließ sie ihm ihre Lippen, schmeckte die seinen und dann die Zunge, die sich weiter vorwagte und angenehmer anfühlte, als sie gedacht hatte. Bei früheren Küssen hatte sie das nie gewollt, jetzt war es richtig so, und es überlief sie heiß und lustvoll, das hatte Anna prophezeit: »Wenn er der Richtige ist, wird es dir gefallen.«

Sie lösten sich voneinander, aber dann gab es noch einen Kuss und noch einen. Nein, sagte Henri, es mache ihm nichts aus, die Strecke bis zum Café weiterzugehen. Er finde – sie hörte von nahem sein melodisches Lachen – den Weg dorthin auch im Dunkeln. Fast wäre sie mitgegangen, wenigstens ein paar hundert Meter, bis zur Stelle, wo das Sträßchen zwischen den Häusern abfiel und in Abständen von Lampen beleuchtet wurde. Aber dann hielt sie sich zurück, Henri sollte nicht meinen, sie folge ihm nun auf

Schritt und Tritt. Mit dem eigenen Schlüssel, den sie vor kurzem bekommen hatte, betrat sie das Haus. Es war später als neun, viel später, sie wusste es. Alles blieb still. Luise tappte im Dunkeln vorsichtig die Treppe hinauf, vorüber an der geschlossenen Schlafzimmertür von Frau Lydia, bis ins Dachgeschoss, wo sie sich, jedes Knarren vermeidend, so leise wie möglich auszog und in ihr kaltes Bett legte.

Seltsam, dass Frau Lydia am nächsten Morgen nicht fragte, wann Luise heimgekommen sei. Sie wirkte übernächtigt, bleich, hatte rote Flecken auf den Wangen, und Luise machte sich daran, ihre Pflichten zu erfüllen, wozu auch gehörte, Frau Lydias Haare zu bürsten und den Zopf zu flechten, den sie in Champel allen anderen Frisuren vorzog. Es war eine der Phasen, in denen sie wenig sprach, dafür aber in einem fort Briefe und Aufsätze schrieb. Eigentlich war Luise froh über das Schweigen zwischen ihnen, denn so konnte sie dem vorherigen Abend nachträumen und sich vorstellen, was die Zukunft bringen würde, bis hin zu einem weißen Hochzeitskleid, nicht so prächtig und teuer wie das spitzenbesetzte von Frau Lydia, das sie auf einer schon leicht vergilbten Fotografie gesehen hatte, aber schön genug.

Nach diesem Tanzabend wollte sie so oft wie möglich mit Henri zusammen sein, sie wollte erfahren, wer er war, woher er kam, was er dachte. Sie selbst erzählte viel, er weniger, man musste ihm manchmal regelrecht die Würmer aus der Nase ziehen. Zum Glück billigte Frau Lydia die entstehende Beziehung und gestattete Luise den Freiraum, sie zu erproben. Sie hielt Henri für einen seriösen Bewerber; sie sei sicher, sagte sie, dass er eine erfreuliche Zukunft vor sich habe, Luise solle aber nichts überstürzen und bitte noch eine Weile bei ihr bleiben, sie sei auf sie angewiesen, wenn sie ihre tauben Tage habe. Damit meinte sie die Zeiten, in denen sie völlig in sich gekehrt und kaum ansprechbar war, entweder im Bett lag oder wie eine Schlafwandlerin durchs Haus geisterte. Gegen diese Taubheit wusste auch Doktor Prévost kein Mittel außer der nötigen Geduld und der Gewissheit, dass sich der Zustand wieder ändern werde.

Die Köchin spottete manchmal, Luise habe ihren Kopf in den Wolken, der Grund dafür habe einen Namen, mit einem übermütigen Lachen nannte sie ihn: Henri. Und Luise lachte ein wenig mit, obwohl ihr nicht danach war. In Liebesdingen war sie immer noch scheu, die Küsse, die sie mit Henri beim Abschied tauschte, wurden allerdings immer verlangender, und sie fürchtete sich vor diesem neuen, manchmal überwältigenden Gefühl.

Alles in allem erfüllte Luise trotz der Verliebtheit, die sie beflügelte, gewissenhaft ihre Pflichten. Es hinderte sie ja niemand daran, beim Bügeln oder bei der Strumpfwäsche an Henri zu denken, oder wenn sie die schweigende Frau Lydia vorsichtig treppauf oder treppab führte und spürte, wie vertrauensvoll sie sich mit schwerer gewordenem Körper an ihr Hausmädchen lehnte. Ja, sie konnte an Henri denken und zugleich Frau Lydia im Auge behalten, das ging.

Doktor Prévost verschrieb keine Medikamente mehr, die seine Patientin bloß schläfrig machten. Kurz vor Weihnachten hatte sie eine Handvoll Tabletten geschluckt und sie dann erbrochen. Sie habe, erklärte sie danach, ihre qualvolle Schlaflosigkeit endlich einmal hinter sich lassen wollen. Schlafen, traumlos schlafen, das sei manchmal ihr größter Wunsch. »Hätte sie sich nicht übergeben«, sagte der Doktor besorgt, »wäre sie kaum mehr erwacht.« Vielleicht hat sie das ja gewollt, dachte Luise. Der Doktor dachte es wohl auch, aber er sprach es nicht aus, wiederholte bloß, dass Luise in diesen Zeiten der Taubheit die Dienstherrin überwachen solle, gerade so, als wäre sie ihre Pflegerin. Er hätte mittlerweile die Einweisung in eine Genfer Klinik vorgezogen, aber Emil war, aus was für Gründen auch immer, strikte dagegen. Und deswegen verschob Luise, gerade um den Jahreswechsel herum, ihre Treffen mit Henri von einem Wochenende aufs andere, und sie ließ ihm ihre Absagen vom Laufburschen, der solche Dinge erledigte, ins Bout-du-Monde bringen. Henri antwortete mit ein paar betrübten Zeilen, aber er hatte Verständnis für ihr Pflichtbewusstsein, seine kurzen Repliken auf der Rückseite eines Rechnungsformulars endeten stets mit der Beteuerung, dass er sie liebe.

Sie trafen sich gelegentlich auch draußen vor der Villa, vertraten sich die Beine in der Winterkälte. Einander das Neueste mitzuteilen wärmte Luise ein wenig auf. Sie hielten sich schwatzend an den Händen, sie hatten Atemhauch vor dem Mund und sahen sich in die Augen, bloß flogen die Minuten, die sich Luise zugestand, viel zu schnell vorbei. Ihn am Tag zu küssen, getraute sie sich nicht, es gab ja Nachbarn ringsum, und sie wollte ihn auch nicht ins Haus bitten, das hätte Frau Lydia – oder eher sie selbst – als ungebührlich empfunden.

Die Weihnachtstage waren seltsam, auf eine glückliche Weise unglücklich. Luise hatte mit dem Gedanken gespielt, ihre Familie zu besuchen, aber Frau Lydia hatte Tränen in den Augen, als sie um Urlaub bat. »Nicht auch noch du«, sagte sie, darum ließ Luise diesen Wunsch, der ohnehin kein drängender war, fallen. Seltsam eigentlich, dass ihr die eigene Familie so fern gerückt war; manchmal, wenn sie sich die Geschwister vorzustellen versuchte, standen sie, außer Lina, hinter einer trüben Glaswand, ihre Gesichter verschwammen. Lina schien den Skandal rund um die reiche Escher-Tochter und den Maler Stauffer vergessen zu haben. In ihren Briefen, die kürzer waren als früher, erwähnte sie anderes, die Geburt einer Nichte, ihre eigene Verlobung, zu der Luise gratulierte. Eigentlich waren sie nach so langer Zeit füreinander nahezu verschollen. Über die Festtage hatte Luise zwar deswegen hin und wieder den Anflug eines schlechten Gewissens. Das verging aber rasch, nicht einmal das Wissen, dass ihre Mutter schon lange krank war, hatte sie dazu bewegen können, die umständliche Reise nach Russikon auf sich zu nehmen. Eigentlich war es erschreckend, wie untrennbar sie sich inzwischen an Frau Lydia gebunden fühlte; ihr Zufluchtsort war auch ihrer geworden. Und dass nun ganz in der Nähe der Mann wohnte, den sie liebte, machte ihr die Treue zur Dienstherrin noch leichter.

Am Heiligen Abend, nachdem sie die paar Kerzen auf Tannenzweigen ausgeblasen hatte, verschwand Luise dann doch für zwei Stunden; die Köchin Emmanuelle, die in der Woche darauf zu Verwandten reiste, hatte angeboten, die schlummernde Lydia im Auge zu behalten. »Aber nicht länger!«, sagte sie mit scherzhaft erhobenem Drohfinger. So eilte Luise zum Bout-du-Monde, wo Henri bis Silvester Dienst hatte. Ihre Füße fanden den Weg inzwischen fast von allein, und zwar bei jedem Wetter; sie hatte sich zudem eine kleine Laterne besorgt. Das Lokal war auch an diesem Feiertag gut gefüllt. Sie setzte sich an den gewohnten Tisch, neben einen Alten, der sie, den Bierhumpen vor sich, aus rotgeränderten Augen anstarrte. Sie nahm, zum Zeichen, dass sie in Eile war, nicht einmal ihr Halstuch und ihre Strickmütze ab. Henri war überrumpelt von ihrem Erscheinen, hatte zunächst Mühe, seine Freude zu zeigen, doch dann besprach er sich flüsternd mit dem Patron und servierte Luise eine heiße Schokolade. »Offeriert vom Haus«, flüsterte er ihr ins Ohr. Er versuchte zwar, seine Miene unbeteiligt wirken zu lassen, aber das misslang, unerwartet strahlte er Luise an und ließ einen viel zu kurzen Moment seine Hand auf ihrer liegen. »Darfst du das, einfach so weggehen?«, fragte er, ebenso leise, und sie nickte, während sie den ersten Schluck der geschäumten Schokolade aus der Tasse schlürfte. Sie hatte ein Geschenk für Henri in ihrer Manteltasche, Pulswärmer, die sie selbst gestrickt hatte, blaue mit Zopfmuster. Das Stricken war ihr schwergefallen, sie hatte es lange nicht mehr geübt, aber Henri zuliebe hätte sie noch weit Schwierigeres getan. Wenn er die Pulswärmer beim Service unter den Manschetten versteckt tragen würde, blieben ihm die Finger frei. Er war ja einer, der oft fror und sich die Hände rieb, das hatte sie schon lange bemerkt. Sie hatte ihr Geschenk in Silberpapier gewickelt und mit einem roten Band umwunden, so war der Lebkuchen angekommen, den die

Vogts zu Weihnachten herübergeschickt hatten, und sie hatte die Verpackung wiederverwendet, nachdem sie Frau Lydia gefragt und nur ein Murmeln zur Antwort bekommen hatte.

In der Gaststube das Geschenk auszupacken wäre unpassend gewesen, darum sagte Luise, was es war, und er hätte sie jetzt am liebsten zum Dank geküsst. »Wirklich selber gestrickt?«, fragte er ganz benommen und erfühlte den Widerstand des kleinen Pakets.

»Sie sind aus feiner Wolle«, sagte sie.

»Ich habe auch etwas für dich«, erwiderte er. »Du bekommst es später, vor allen Augen geht das nicht.« Aber er brachte noch eine rote Kerze an ihren Tisch und zündete sie an, und einen Augenblick lang schien Henris Gesicht tief zu erröten. Da war es aber genug für den Patron, die zwei anderen Kellner hatten sich beschwert. Henri musste wieder Bestellungen aufnehmen, die Gäste bedienen und vor allem den Frauen in mittlerem Alter zulächeln – ein paar wenige waren mit ihren Männern da –, so bekam er, wie er Luise gestanden hatte, höhere Trinkgelder.

An Silvester durfte sie Henri zum Bahnhof begleiten. Frau Lydia hatte einen seltenen Besuch aus Zürich empfangen, es war ihre ehemalige Italienischlehrerin, ein Fräulein Heim, und sie war mit ihr richtiggehend aufgetaut, Luise hatte sie im Salon sogar lachen gehört, was wochenlang nicht mehr der Fall gewesen war. Das Fräulein hatte Luise burschikos weggeschickt. »Mach etwas für dich! Das hast du verdient.« So stand sie jetzt um neun Uhr nachts am Gleis, um Henri, der nach Basel und dann über Colmar nach Riquewihr fahren würde, zu verabschieden. Schlimm war es schon, aber er würde nach zwei Wochen, in denen auch das Bout-du-Monde geschlossen blieb, zurückkommen. Das versprach er feierlich. Und dann, bei der letzten Umarmung, fragte er: »Willst du mich heiraten?« Luise stockte der Atem, und es dauerte eine Weile, bis sie nickte und dem mehrfachen Nicken ein leises Ja hinterherschickte. Da nahm er aus seiner Brusttasche einen Umschlag, auf den zwei Kronen mit ineinander verschlungenen Zweigen gedruckt waren, er holte daraus zwei feine Ringe und steckte den einen an den Finger ihrer linken Hand, nach der er behutsam gegriffen hatte. Der Ring passte, und sie fragte atemlos: »Und der ist wirklich für mich?« Er nickte, streifte sich seinen über. »Sie sind aus Gold«, sagte er, und in ihre Augen schossen, obwohl sie es überhaupt nicht wollte, die Tränen. So war sie also verlobt und konnte sich nicht einmal für den Ring bedanken, auch der lange Kuss, der jetzt dazugehört hätte, blieb aus, denn der Pfiff des Kondukteurs, der nahe bei ihnen stand, trieb Henri aufs Trittbrett und in den Waggon hinein, er musste die Tür schließen. Sein Gesicht hinter der Scheibe wirkte verzerrt und doch vertraut, dann fauchte die Lokomotive lauter und dringender, der Zug setzte sich in Bewegung, und Luise war so aufgewühlt, dass sie vergaß, ein paar Schritte mitzulaufen und zu winken. Sie blieb einfach stehen, mit hängenden Armen und glücklichem Gesicht. Aber sie wusste, dass Henri ihr verzeihen würde, er hatte einen großzügigen Charakter und wirkte oft strenger, als er wirklich war. Genau einen solchen Mann hatte sie gewollt. Und dann stand sie beinahe allein auf dem Perron, hob die Hand mit dem Ring und schaute ihn im Licht der Gaslampe, die hoch über ihr am Hallendach hing, lange an und freute sich so unbändig, dass sie am liebsten getanzt und gesungen hätte.

Diese Freude ersetzte alle Kerzen, die Frau Lydia nicht in ihrer Nähe duldete, sie wolle, hatte sie gesagt, kein heuchlerisches Fest, weder an Weihnachten noch zum neuen Jahr, und dann hatte sie heftig und laut zu weinen begonnen. Auch ihre Freundin, Fräulein Heim, die ihr zur Seite stand, konnte sie nicht trösten. Luise brachte es nicht über sich, sie in ihre Verlobung einzuweihen, und doch hätten die Glückwünsche von Frau Lydia ihre Freude erst richtig abgerundet.

Emil hatte zu Neujahr geschrieben und einen Topf mit Azaleen geschickt, deren Rot Luise aufdringlich erschien, er selbst ließ sich nicht blicken, und sie war im Grunde froh darüber, nicht seinem bekümmerten Gesicht gegenüberzusitzen. Vom ehemaligen Schwiegervater kam ohnehin kein Wort, er hatte die Beziehung vollständig abgebrochen. Luise sah ihn vor sich mit seiner verhärmten Miene, dem strahnigen Schnurrbart. Wie unnachgiebig streng war doch dieser Mann! Seine Frau, inzwischen aus der Klinik entlassen, sandte immerhin ein paar förmliche Zeilen. Aus der Ferne spielte der Sohn den Mitleidigen und konnte wohl doch seinen Groll auf die untreue Ehefrau nicht überwinden. Er hatte sie weggestoßen wie sie ihn. Himmeltraurig war es, und doch gestand Luise sich ein, dass sie Henri einen Ehebruch, wie ihn Lydia begangen hatte, auch nicht verzeihen würde. Oder vielleicht doch, wenn er ihn genug bereute?

Ihren Ring streifte sie tagsüber ab, sie wollte nicht, dass Frau Lydia ihn bemerkte, nachts steckte sie ihn an den Finger. Sie wartete auf einen günstigen Moment, um der Dienstherrin anzuvertrauen, was Henri und sie planten.

19

Von Mitte Januar an ging es Lydia besser. Die Festtage, die sie bedrückt hatten, waren vorbei, das Fräulein Heim reiste mit Zuversicht ab. Sie hatte Lydia ermuntert, sich hier in Genf ein neues Leben aufzubauen, in Zürich würden über die Escher-Tochter fast nur Böswilligkeiten verbreitet. Lydia hatte ihr zugestimmt: Sie habe sowieso keine Lust, von der guten Zürcher Gesellschaft geschnitten und ausgegrenzt zu werden, obwohl doch diese Leute ihrem Vater so viel zu verdanken hätten. Hier in Champel könne sie ein friedliches Leben führen, unbehelligt von Geschwätz und Missgunst.

Auch Emmanuelle, die Köchin, kehrte aus den Ferien zurück. Ihre Stellvertreterin hatte zwar lieblos gekocht, aber das hatte Frau Lydia, die ohnehin kaum aß, wenig gekümmert. Sie führte das eine oder andere längere Gespräch mit Luise, sprach davon, dass sie nun bewusst ein selbständiges Leben führen, sich vielleicht sogar einen Namen als Sachverständige in Kunstfragen machen wolle. Und Luise fing wieder an, ihr vorzulesen. Erneut war es Gottfried Keller, den Lydia sich anhören wollte, und es war ein gutes Zeichen, dass sie sich über *Die drei gerechten Kammmacher* und ihren Kampf um die Jungfer Bünzlin amüsierte, auch wenn deren Geschicke Luise nicht so stark packten wie der Freitod der zwei unglücklich Liebenden, der Lydia zu Tränen bewegt hatte. Ihr gelegentliches Auflachen schien eine Art innere Heilung anzukündigen, eine allmähliche Vernarbung der Wunden, die sie – so konnte man es sehen – mit ihrem Handeln selbst verschuldet hatte. Nach einem solchen herzhaften, für einmal ungekünstelten Lachen war Luise nahe daran, Frau Lydia von ihrer Verlobung zu erzählen. Aber weil gleich danach wieder ein unerklärlicher Schatten über ihr Gesicht glitt, verschob sie das Geständnis. Sie mussten beide in gefestigter Stimmung sein, um über Luises möglichen Weggang zu reden, davon hing viel ab.

Am 20. Januar kehrte Henri ins Bout-du-Monde zurück, und noch am selben Abend ging Luise auf einen Sprung bei ihm vorbei, bloß um ihn rasch zu umhalsen, seiner Nähe wieder gegenwärtig zu sein. Er habe sie nicht vergessen, sagte er, verlegen lachend über ihr Ungestüm, und versuchte ein wenig hilflos, sie von sich abzuhalten.

»Aber wir sind doch verlobt«, sagte sie. »Wer soll da etwas gegen eine Umarmung haben!« Und sie schwenkte den Finger vor ihm, über den sie den Goldring gestreift hatte.

Er wies ihr, diskreter als sie, seinen vor. »Ich trage ihn ja auch. Aber das müssen nicht gleich alle wissen.«

Luise schaute sich um. »Heute ist doch kaum jemand da.«

Er bewegte fast nur die Lippen, als er fragte: »Weiß sie es?«

Sie wusste gleich, wen er meinte, und schüttelte den

Kopf. »Noch nicht … Ich warte auf den richtigen Moment.«

»Und deine Familie?«

»Ich habe ihr geschrieben. Eine Antwort habe ich noch nicht. Deine?«

Er lächelte, es war sein warmherziges Lächeln, das sein sonst so beherrschtes Gesicht völlig verwandelte. »Sie wollen dich unbedingt kennenlernen. Und sie wünschen sich eine schöne Hochzeit.«

»Wirklich?«

»So bald wie möglich. Also sprich mit ihr.«

Überraschend war der Patron zu ihnen getreten, er war wie immer in seiner ganzen Massigkeit plötzlich aus dem Hintergrund aufgetaucht. Aber er war nicht verärgert über Henris Saumseligkeit, sondern lächelte ebenfalls und griff nach Luises Hand, um sie so fest zu drücken, dass sie beinahe aufschrie.

»Ich gratuliere«, sagte er. »Ich glaube, Sie sind die Richtige für Henri. Sie sehen tüchtig aus, nicht bloß hübsch.« Er kniff Henri scherzhaft in den Arm. »Ihr seid zu zweit ein ansehnliches Paar. Vielleicht wollt ihr später sogar mein Café übernehmen.«

Luise war ganz verwirrt von der plötzlichen Zutraulichkeit des bärbeißigen Manns, der offensichtlich Henris Braut für sich günstig stimmen wollte. Waren das die erhofften Zukunftsaussichten? Sie bedankte sich beim Patron, der wieder ins Halbdunkel schlurfte und verschwand, als gebe es ihn gar nicht. Henri breitete entschuldigend beide Arme aus. »Ja, ich habe es ihm gesagt. Und du wirst dich wundern, er hat dich genau beobachtet, und er mag dich sehr.«

Luise errötete erst jetzt, zur Unzeit, fand sie und sagte, sie müsse nun gehen. Aber sie würden sich am Samstag treffen, Henri würde sie vor der Villa abholen, die freien Stunden hatte Frau Lydia ihr zugestanden.

Vier Tage später, am 24. Januar, brachte der Bote spätabends ein Telegramm für Madame Escher. Sie ging, da sie wieder die Kraft dazu hatte, selber öffnen, aber Luise, die in der Küche mitgeholfen hatte, war fast gleich schnell an der Tür. Sie ließ Frau Lydia den Vortritt und schaute zu, wie sie das Telegramm aufbrach und überflog. Sie stutzte erst, schüttelte ungläubig den Kopf, hielt dann das Blatt näher an ihre Augen und las es nun, die Lippen bewegend, Wort für Wort. Das Blut wich aus ihrem Gesicht, sie ließ das Telegramm fallen, sie schwankte, ihre Hände suchten Halt und fanden keinen. Luise war rechtzeitig neben ihr, um sie am Fallen zu hindern, aber es ging nicht anders, als dass sie ihr half, sich zu setzen und mit dem Rücken totenbleich an die Wand zu lehnen. Die Tür war noch offen, der Postbote, der wohl auf ein Trinkgeld gewartet hatte, starrte entgeistert auf die Szene.

»Was ist denn?«, fragte Luise. »Was steht darin?« Sie bedeutete dem Boten, er solle verschwinden; er ging mit beleidigter Miene davon.

Frau Lydia versuchte sich zu fassen, murmelte einen kurzen Satz, wiederholte ihn einige Male, und endlich verstand Luise: »Er ist tot … Er ist tot …« Es klang wie eine Beschwörung, nein, wie ein angsterregender Kindervers, und sie hörte nicht auf damit: »Er ist tot … tot …«

»Wer denn?«, fragte Luise und ahnte die Antwort.

Frau Lydias Lippen formten einen Namen, ein einziges Wort, das sie in den letzten Wochen konsequent vermieden hatte: »Carlo ...« Sie tastete nach dem Telegramm am Boden, fasste es mit zwei zitternden Fingern, beinahe entglitt es ihr wieder, doch dann gab sie es Luise. »Da ... lies ...«

Luise las und versuchte, den Sinn der Worte zu erfassen. Welti junior, das zeigte die Signatur, hatte sie geschrieben:

Von Bavier Nachricht erhalten, dass St. heute Morgen in Florenz tot aufgefunden. Vergiftung durch Chloral. Vermutlich Suizid. Endlich hat er seinen Frieden gefunden. In Freundschaft Emil

Luise vergaß eine Weile fast zu atmen. Dass dieser stolze Mann tot war, konnte sie kaum glauben. Sie sah ihn so deutlich vor sich wie schon lange nicht mehr, seinen Brustkorb, die muskulösen Oberschenkel, die sich auch unter den fleckigen weiten Hosen abzeichneten, sie sah sein Gesicht, unter dem Schnurrbart den üppigen Mund, in dessen Winkel eine Zigarre klebte, vor allem aber die zusammengekniffenen Augen, die sie manchmal auf verstörende Weise angeschaut hatten. War er wirklich so verzweifelt gewesen, dass er Gift genommen hatte? Die Anklage wegen Vergewaltigung und Entführung einer geisteskranken Frau, das hatte auch Professor Vogt versichert, war ja widerlegt worden, Stauffer freigesprochen, und doch musste den Maler dies alles gebrochen haben. Er hatte wohl kaum noch Aufträge bekommen, außerdem war die Unterstützung durch Welti natürlich ausgeblieben. Und warum hatte er seiner ehemaligen Frau diese Nachricht derart lapidar ins Haus geschickt, ohne einen Funken von Mitgefühl? Er hatte sich doch, angetrieben vom Vater, längst gerächt.

»Ach nein, gnädige Frau«, brachte Luise hervor. »Das ist ja schrecklich.«

Lydia, die zusammengesunken neben ihr saß, griff nach ihrer Hand, ließ sie nicht los. »Ich bin nicht die gnädige Frau«, sagte sie mit Mühe. Sie hatte in letzter Zeit einige Male gewollt, dass Luise sie nur beim Vornamen nannte und die vorangestellte Frau wegließ. Das hatte sie nicht über sich gebracht, obwohl sie es in Gedanken oft tat, und darum die direkte Anrede vermieden, aber jetzt, unter dem Eindruck des schrecklichen Telegramms, war ihr die »gnädige Frau« wieder herausgerutscht.

Lydia regte sich nicht, sie atmete flach und viel zu schnell.

»Sie müssen sich hinlegen«, sagte Luise in dringlichem Ton. »Ich rufe den Arzt.«

Lydia blieb indessen sitzen, sie sah aus wie eine in sich zusammengefallene Gliederpuppe. Luise fasste sie unter den Schultern, versuchte sie hochzustemmen.

»Lass mich«, murmelte sie. »Lass mich, es hat ja doch alles keinen Sinn mehr.«

»Das ist nicht wahr!«, widersprach Luise so laut und beinahe zornig, dass sie selbst zusammenfuhr. »Ich bringe Sie jetzt in Ihr Zimmer.«

Ihre Kraft reichte dazu nicht aus, darum rief sie nach Emmanuelle. Die war weggegangen, dafür erschien nach einer Weile Jules, der Hausbursche. Vor kurzem hatte man ihn für Botengänge und Gartenarbeiten angestellt, aber er war keine gute Wahl, benahm sich mürrisch und widersetzlich, nicht viel anders als damals der sommersprossige Anton, und Lydia hatte sich vorgenommen, ihn zu entlassen. Doch jetzt fasste er mit an, und gemeinsam schafften sie Frau Lydia die Treppe hoch und zu ihrem Bett, auf dem, wie oft in letzter Zeit, beschriebene Seiten lagen. Sie betteten die halb Ohnmächtige auf die Matratze und nahmen keine Rücksicht darauf, dass dabei ein paar Blätter zerknittert wurden. Dann schickte Luise den Burschen nach Doktor Prévost, er solle gleich kommen, es sei dringend. Jules verschwand wortlos.

Frau Lydia lag da, seufzte hin und wieder. An ihrem weitgeschnittenen senffarbenen Hauskleid hatte sich der Gürtel gelöst, das Kleid war zu beiden Seiten bis zur Brust auf die Decke geglitten, »Wasser«, sagte sie, man konnte es verstehen oder besser erraten, obwohl sie die Lippen kaum bewegte. Luise beeilte sich, in der Küche ein Glas zu holen, sie flößte es Frau Lydia ein und gab sich Mühe, nichts zu verschütten. Sie getraute sich nun auch, die Haken im oberen Teil von Lydias Mieder zu öffnen, gleich atmete sie freier. Langsam, mit geschlossenen Augen, sagte sie: »Danke, Luise ... du bist mir eine große Hilfe ...« Und übergangslos, sehr matt: »Er ist also tot ... Ich habe nicht gewusst, dass es ihm so schlechtgeht.« Unter den geschlossenen Lidern drangen Tränen hervor, rannen über ihre Wange. »Ich dachte doch, er arbeite an seinem Bubenberg ... er werde den Wettbewerb gewinnen ...« Und nach einigen Schluchzern: »Ich wollte diese Liebe weghaben ... Es ging nicht anders ... wie kann ich sonst noch leben.« Sie weinte beinahe lautlos, nur mit starkem Heben und Senken der Brust. Luise tupfte ihr mehrmals die nassen Wangen mit ihrem Taschentuch trocken.

Lydia schob Luises Hand weg, die Berührung war ihr unangenehm, oder sie wollte nicht getröstet werden. »Carlo muss gelitten haben, weit mehr, als ich dachte …«

»Sie haben auch gelitten, Frau Lydia«, sagte Luise, unangenehm berührt.

»O ja.« Sie stockte. »Aber ich habe alles verspielt. Und bin allein schuld daran …« Ein leises Wimmern kam von ihr, und Luise fühlte sich so schwach, so hilflos, dass sie am liebsten mit eingestimmt hätte. Zwei kleine, im Stich gelassene Kinder, das waren sie in diesem Augenblick, auch wenn Luise wusste, dass dies für sie gar nicht galt, sie hatte ja Henri, und doch griff Lydias Verlassenheitsqual auf sie über.

Zum Glück traf Doktor Prévost bald ein. Das sei ein Zusammenbruch, eine *crise nerveuse,* sagte er nach einer kurzen Untersuchung, Madame Escher müsse die Krise – es sei ja nicht die erste – überwinden, das brauche Zeit, wie sie wüssten, ansonsten sei Madame Escher ja eigentlich gesund, das Herz arbeite normal. Er redete beruhigend auf Lydia ein, fast wie ein Pfarrer, dachte Luise, aber mit Kirchenleuten wollte Lydia nichts zu tun haben, da schlug sie ihrem Vater nach, der die Pfaffen oft genug verdammt hatte. Der Doktor verschrieb ihr das übliche Schlafmittel, er hatte es gleich selbst in einem Schächtelchen mitgebracht, es waren so wenige Tabletten darin, dass Lydia damit den armen Stauffer – *le pauvre homme,* sagte Prévost – nicht nachahmen konnte. Wobei ja, wie er Luise an der Tür sagte, Madame Escher klug genug sei, sich die Mittel auf eigene Faust zu beschaffen, wenn sie das wolle, und darum solle Luise sie gut überwachen, er werde auch ihren geschiede-

nen Ehemann und den Nachbarn, Professor Vogt, informieren. Nächstens würde man noch von ihr verlangen, dass
sie in Frau Lydias Zimmer schlief, dachte Luise.

Menschen, sagte sie sich hinterher, als sie in ihrem Bett
lag, haben einen freien Willen. Den hat auch Lydia. Trotzdem war sie unsicher, ob es nicht besser wäre, die Kranke
in die Klinik zu bringen oder wenigstens eine erfahrene
Nachtwache anzustellen. Doch das lehnte Lydia bestimmt
ab, so etwas war kostspielig, wenn es wochen- oder mona-
telang dauerte, und sie klagte von Zeit zu Zeit darüber, dass
sie nach der Scheidung nicht mehr über unbegrenzte Mittel verfügte. Umso mehr, als ihr Vermögen zum größten
Teil in die Kunststiftung übergehen sollte, die ihr so wichtig war.

»Danach braucht es mich nicht mehr«, hatte sie zu Luise
gesagt. »Dann habe ich getan, was mir möglich war.«

Jetzt stand es schlimm um sie. Sie blieb tagelang im Bett,
unfähig zu einem wirklichen Gespräch. Trotz des Beistands
des Arztes, der sie täglich besuchte, kam sie über Stauffers
Tod nicht hinweg. Mit Mühe brachte sie es über sich, im
Nachthemd aufzustehen, um, von Luise gestützt, die Toilette aufzusuchen. Dorthin durfte ihr niemand folgen, auch
nicht Luise, die dann sorgenvoll in der Nähe der Tür wartete. War sie jetzt nicht verantwortlich für Lydias Wohlergehen?

Sie schrieb Henri einen kurzen Brief: Die Krankheit
und das Unglück von Madame Escher nötigten sie dazu,
im Haus zu bleiben. Sobald es möglich sei, würden sie sich
wieder treffen, hoffentlich bald! Und sie unterschrieb mit:

»In Liebe, Deine Luise.« Jetzt war es undenkbar geworden, der Kranken endlich zu eröffnen, dass ihr Dienstmädchen – ihre Gesellschafterin? – sich verlobt hatte und mit Henri einen Hausstand gründen wollte, das wäre ja einer Kündigung gleichgekommen.

Jules brachte den Brief ins Bout-du-Monde. Er habe bei einer Tasse Tee auf eine Antwort gewartet, sagte er danach, aber Henri sei sichtlich verärgert gewesen und habe sich geweigert, Luise auch nur eine einzige Zeile zu schreiben. Vielleicht übertrieb Jules, er hatte, wie Luise schien, ein Auge auf sie geworfen, hielt sich bisweilen unnötigerweise in ihrer Nähe auf, unter dem Vorwand, er warte auf Anweisungen. Henri konnte doch nicht so schroff reagieren, hatte er denn kein Verständnis für ihre Lage? Oder kannte sie ihn so schlecht? Sie musste sein Schweigen ertragen, es ging nicht anders, und in Gegenwart der Hausherrin mit ihrer übermächtigen Trauer rückte Henri wie von selbst in den Hintergrund.

Frau Lydia wollte, dass Luise sich tagsüber immer wieder an ihr Bett setzte, niemand sonst. In lichten Momenten wiederholte sie – zum wievielten Male? –, sie sei sicher gewesen, Stauffer habe sich gefangen, nie im Leben hätte sie gedacht, dass er derart verzweifelt sei. Nach seinem Tod besetzte er sie stärker denn je. Man müsse, sagte sie, der Welt beweisen, wie bedeutend er gewesen sei, sie müsse jemanden finden, der seine Briefe an sie veröffentliche, das sei sie ihm schuldig. Luise wisse ja, wo sie gesammelt seien, und sie deutete auf den Schreibtisch am Fenster, wo das ganze Bündel, von einem Samtband zusammengehalten, in einer offenen Schublade lag. Sie bereue, dass sie Stauffer so scheinbar kalt von sich gestoßen habe, sagte sie und presste beide Fäuste an die Schläfen: »Warum habe ich das getan? Warum?« Luise packte Lydias Handgelenke, zog die Fäuste von ihrem Kopf weg und war froh, dass sie sich nicht dagegen wehrte. Danach war Lydia so weit bei Verstand, dass sie an Stauffers Grab in Florenz in ihrem Namen einen Kranz niederlegen lassen wollte, und zwar mit einer Schleife, auf der stehen sollte: »Den Manen meines unvergesslichen Freundes.« Sie kritzelte dies, beinahe unleserlich, auf ein Notizpapier.

Luise hatte die Nachbarn zusätzlich in einer kurzen Notiz über Lydias prekären Zustand unterrichtet, und am nächsten Tag war Madame Vogt erschienen und hatte gefragt, ob sie und ihr Mann helfen könnten. Es war viel Mitleid in ihrer Stimme, aus den Augen sprach auch Neugier. Luise nahm das Angebot ernst, sie ging hinüber zu den Vogts und wollte wissen, ob sich Lydias Wunsch nach dem Kranz auf Stauffers Grab erfüllen lasse. Professor Vogt, der zunächst befremdet schien, versprach, er werde ein Telegramm an einen gelehrten Freund in Florenz schicken, einen Deutschen, der werde für alles sorgen, auch die Inschrift auf der Kranzschlaufe anbringen lassen, das Geld sei im Augenblick Nebensache. Luise bedankte sich für seine Hilfe, und Vogt tätschelte tröstend ihre Hand. Am nächsten Tag erschien auch er zu einem Krankenbesuch, mit einem kleinen Strauß Chrysanthemen, den Luise gleich in eine Vase stellte. Frau Lydia wolle den Professor allerdings nicht an ihr Bett lassen, sie sei nicht präsentabel, sagte sie. In der Tat waren ihre Haare wirr, das Gesicht voller roter Flecken, sie ließ sich zudem, trotz ihrer früheren Reinlichkeit, nur ungern waschen, obwohl Luise sich Mühe gab, ihre Schamhaftigkeit nicht zu verletzen. So sprach Professor Vogt, erstaunlich sonor für sein Alter, durch die halboffene Tür in ihr Zimmer hinein: Er wünsche der verehrten Frau Escher eine baldige Wiederherstellung all ihrer Kräfte, sie solle sich jederzeit an ihn wenden, wenn er, wie jetzt im Fall des Kranzes, etwas für sie tun könne. Frau Lydia antwortete schwach, er hielt eine Hand hinters Ohr, verstand sie nicht. Als er das Haus verließ, hatte er Tränen in den Augen, die Luise durch seine dicken Brillengläser sah, und er sagte zu ihr: »Hoffen wir das Beste. Ich bedaure, dass Herr Welti gegen einen Aufenthalt in einer *maison de santé* ist.« Er zögerte und schloss, indem er ins Freie trat: »Ich werde mich jetzt persönlich an ihn wenden.«

Sobald Luise unter dem Dach in ihrem Bett lag, nahm Henri in ihren Gedanken wieder Gestalt an, sie verstand, dass er sich von ihr im Stich gelassen fühlte, aber dass er nun so beharrlich schwieg, machte sie ganz elend. Sie erinnerte sich fast übergenau an sein Gesicht, seinen schön geschwungenen Mund, dem sie in Gedanken das Lächeln verordnete, das er ihr beim letzten Abschied nicht gegönnt hatte. Sie nahm sich vor, Emmanuelle zu überzeugen, dass sie morgen oder übermorgen Frau Lydia als Luises Stellvertreterin zur Verfügung stehen sollte. Die Köchin hatte ja nicht viel zu tun, eine kurze Zeit würde Frau Lydia, falls sie wach war, ihre Nähe dulden. Luise würde eine dringende Familienangelegenheit vortäuschen und dann ins Bout-du-Monde eilen und Henri beweisen, dass ihre Zuneigung durch die schwierigen Umstände nicht geringer geworden war.

Aber es kam anders. Am nächsten Tag war Frau Lydia gegen Mittag eingeschlafen, und Luise nutzte diese Zeit, um im Bügelzimmer die trockene Wäsche zusammenzulegen; die Aushilfe, die jeweils für zwei Stunden kam, hatte sie im Korb gelassen. Sie übte dabei die Sätze ein, mit denen sie Lydia ihre Abwesenheit erklären wollte. Als sie nach einer Viertelstunde nachschaute, lag die Kranke nicht mehr im Bett. Hatte sie allein die Toilette nebenan aufgesucht? Luise machte die Tür auf, sie war leer. Ihre Beklommenheit wuchs.

»Gnädige Frau«, machte sie sich bemerkbar, erst leise, dann lauter. »Frau Lydia! Wo sind Sie?«

Weit war die Kranke bei ihrem unsicheren Tappen bestimmt nicht gekommen. Wohin hatte sie gewollt? Hinunter ins Erdgeschoss, zur Eingangstür? Hinauf in den kleinen Salon, in dem sie schon seit Tagen nicht mehr gegessen hatten? Luise war nun alarmiert, sie rief nach der Köchin, die unten in der Küche sein musste, nach Jules, den sie draußen vermutete. Keine Antwort. Fing es nicht an, süßlich zu riechen? Luise rannte die Treppe hinauf, die Tür zum Salon war halb offen, sie stieß sie mit dem Fuß ganz auf, Lydia hatte ihr wohl den Schlaf vorgespielt und sie bewusst übertölpelt. Drinnen, im Salon, roch es unverkennbar nach Gas. Frau Lydia saß auf einem der Sessel am Esstisch, halb heruntergerutscht, den Kopf zur Seite geneigt, den Mund halb offen. Luise wusste, wo der Gashahn für den Ofen war, sie stolperte dorthin, sie drehte ihn zu, sie riss die beiden Fenster auf. Frische Luft strömte herein. Dann kniete sie neben Lydia, fühlte ihren Puls, sie atmete, sie lebte noch, die Zeit hatte nicht ausgereicht, ihren Plan zu Ende zu führen. Luise wurde für einen Moment von Zorn überwältigt, Frau Lydia hätte sie beinahe zur Mitschuldigen an ihrem Tod gemacht. Sie packte Lydia an den Schultern, schüttelte sie. »Warum haben Sie das getan? Warum?« Sie kam zur Vernunft, versuchte, die halb Ohnmächtige vom Stuhl zu heben und auf den Teppich zu legen, aber sie war so aufgeregt, dass ihr der schlaffe Körper entglitt und unsanft auf dem Teppich landete. Das genügte, um Lydia zur Besinnung zu bringen, sie stöhnte, sie atmete vernehmlich ein und aus, sie öffnete die Augen, erkannte Luise.

»Ich«, setzte sie an, »es ist so schwer …« Und nach einer Weile versuchte sie sogar zu lächeln: »Verzeih mir, Luise … Ich muss ihm folgen …«

Wen sie meinte, war klar, und das machte Luise noch zorniger. »Das hat er doch gar nicht verdient«, brachte sie hervor.

Endlich war auch die Köchin da, nach der Luise wohl gerufen hatte, ohne es zu merken, sie hielt, als sie Frau Lydia sah, die Hand vor den Mund, um einen Schreckenslaut zu unterdrücken. Gemeinsam schafften sie die Hausherrin hinüber aufs Sofa, deckten sie mit dem Tischtuch zu, denn die Luft von draußen war so kalt, dass sie sich in ihrem Nachthemd erkälten konnte.

»Such Jules«, befahl Luise, »er soll den Doktor holen. Rasch!«

Emmanuelle gehorchte ohne Widerrede. Luise blieb allein mit Frau Lydia und ihren Gedanken, die sich ununterbrochen im Kreis drehten. Zu den Bildern, die kamen und verschwanden, gehörte auch Henri, ihm entging sie so wenig wie der Kranken neben sich. Was konnte sie bloß tun, um weder ihn noch Frau Lydia zu verraten, um sich nicht derart zerrissen zu fühlen? Sie versuchte, ihr etwas Wasser einzuflößen, sie rieb ihre kalte Stirn und die Handgelenke mit Franzbranntwein ein, den sie rasch aus dem Medizinschränkchen im unteren Badezimmer geholt hatte, sie kontrollierte ihre Atmung und stellte fest, dass sie schwach war, aber regelmäßig. Sie war nun sicher, dass die Lebensmüde überleben würde. Und was dann?

Es dauerte fast eine Stunde, bis Doktor Prévost eintraf. Professor Vogt, der seit kurzem über einen Anschluss verfügte, habe ihm telefoniert, berichtete Jules hinterher, nicht ohne Stolz, dass er an dieses neue technische Hilfsmittel gedacht hatte, das ihm den Weg ersparte.

Im Zimmer war nun auch die Köchin, niemand wies sie weg. Der Arzt nahm sich einen Stuhl und setzte sich neben das Sofa. Luise stand dabei, sie hatte inzwischen das Tischtuch durch eine Wolldecke ersetzt. Nach einer kurzen Untersuchung bestätigte Prévost Luises Meinung: Frau Escher brauche ein paar Tage Erholung, sagte er, sie werde aber keine Schädigungen davontragen. Dann wandte er sich tadelnd an Lydia: »Madame, was machen Sie für Geschichten! Das geht doch nicht!«

Sie zwang sich zu einem Lächeln, ihre Stimme war so schwach, dass er sich zu ihr hinunterbeugen musste, um sie zu verstehen. »Ach, Herr Doktor ... Jetzt haben Sie sich schon wieder meinetwegen herbemüht ... Das war dumm von mir, ich weiß.«

Der Doktor stand auf und schloss die Fenster. »Das Gas hat sich verflüchtigt«, sagte er schnüffelnd. »Keine Gefahr mehr. Tun Sie das nicht wieder, Madame. Sie versetzen alle, die Ihnen wohlgesinnt sind, in Schrecken … Ich bin sonst gezwungen …« Er stockte. »Ach, Sie wissen schon, was meine Pflichten sind.«

Lydia nickte wie eine ertappte Schülerin, ihre Hände strichen über die Decke. »Ich weiß es … Ich verspreche Ihnen, brav zu sein … Ich will hierbleiben, das ist jetzt mein Zuhause … Man muss mir aber helfen.« Sie griff sich an die Stirn. »Kopfweh … schlecht ist mir auch …«

»Das geht bald vorbei«, sagte der Doktor. »Trinken Sie genügend Wasser und heute Abend ein Glas Wein, das holt Sie ins Leben zurück.«

Er half mit, Frau Lydia zu Bett zu bringen, schaute zu, wie Luise die leichte Daunendecke über sie breitete. Er wandte sich mit strenger Miene an sie: »Sie sind dafür verantwortlich, dass so etwas nicht wieder passiert.«

Luise fühlte den Ärger, der in ihr wuchs. »Dafür brauchen wir mehr Personal, Herr Doktor«, wehrte sie sich. »Man kann die gnädige Frau doch nicht lückenlos überwachen.«

»Tu, was dir möglich ist«, sagte Prévost. Dass er auf einmal zum Du übergegangen war, reizte sie noch mehr. »Du kannst dich ablösen lassen.«

»Schlafen werde ich nicht bei ihr«, entgegnete Luise mit Nachdruck, »das gehört sich nicht. Ich lasse oben die Tür halb offen, da höre ich jedes Geräusch.«

»Es wäre doch viel besser«, sagte Emmanuelle, »wenn sie in der Klinik betreut würde.«

»Monsieur Welti«, sagte Doktor Prévost mit zunehmender Nervosität, »besteht aber darauf, sie hier zu lassen. Er fürchtet, dass Madame Welti an einem öffentlichen Ort

Aufsehen erregen würde. Das will er nicht, das muss man doch verstehen.«

Frau Lydia meldete sich überraschend mit einem Hüsteln und bildete mühsam nahezu gewisperte Worte. »Seien Sie beruhigt, Herr Doktor ... auch du, Luise ... ich werde das nicht mehr tun.«

Prévost verabschiedete sich, kündigte an, er werde morgen wiederkommen, und Luise sagte er ins Ohr, er werde Herrn Welti über Lydias schlechte Verfassung informieren, die beiden seien zwar keine Eheleute mehr, aber der Mann müsse Bescheid wissen.

Vielleicht besucht er sie dann endlich, dachte Luise.

Statt Wein wollte Frau Lydia eine Bouillon, doch als die Köchin sie ihr brachte, hatte sie nach ein paar Löffeln genug. Sie saß, gestützt von drei Kissen, beinahe aufrecht da und sank nun, die Kissen wegschiebend, zurück. Luise versuchte der Kranken, indem sie ihr den Kopf hob, noch mehr einzulöffeln. Als aber die Bouillon aus Lydias Mundwinkeln rann, hörte sie damit auf. »Wenn Sie Hunger haben«, sagte sie, »melden Sie sich bitte. Sie brauchen doch Kraft.«

Frau Lydia antwortete nicht, es schien Luise, um ihren Mund spiele ein kaum merkliches Lächeln, und sie fragte sich, ob die Hausherrin die Sorgen, die man sich um sie machte, ganz verstohlen ein wenig genoss. Das konnte aber nicht sein, die Tränen, die immer wieder in ihren Augen glänzten, waren echt.

Während der nächsten Tage verließ Lydia das Bett nicht, man musste ihr sogar den Nachttopf bringen, was Luise doch ein wenig anwiderte. Allerdings war es nur Urin, den sie wegzuschütten hatte, die Kranke aß jeweils bloß ein paar Bissen Zwieback. Ihr Puls sei zu schwach, erklärte Doktor Prévost bei einem weiteren Besuch, sie müsse jede körperliche Anstrengung meiden, sonst verliere sie unter Umständen das Bewusstsein.

In der dritten Woche, die Lydia in diesem Zustand verbrachte, bekam Luise ein Telegramm, das erste überhaupt, das ihr je geschickt worden war, es stammte von Friedrich Emil Welti, so hieß er ja mit vollem Namen, genauso wie sein Vater, und abgeschickt worden war es in Thun, wo er derzeit mit seiner Mutter zusammenwohnte. Jules hatte es dem Boten an der Tür abgenommen und Luise – es war an Mlle Louise Gaugler, c/o Escher, Villa Asbourne, Champel adressiert – mit fragender Miene übergeben. Sie zog sich zurück, um es aufzureißen und zu lesen. Er sei am nächsten Tag in Genf, schrieb Welti, er möchte Mademoiselle Gaugler gerne wegen dringender Angelegenheiten im Bahnhofsbuffet erster Klasse treffen und bitte sie, sich um fünfzehn Uhr dort einzufinden; gegenüber Mme Escher solle sie Stillschweigen bewahren. Luise war konsterniert. Was wollte der Mann ausgerechnet von ihr? Wenn er sich um Lydias Gesundheit sorgte, hätte er ja in eigener Person erscheinen und sich an Ort und Stelle erkundigen können. Und hatte er denn nach der Scheidung noch ein Recht, das Dienstmädchen der ehemaligen Gattin zu sich zu bestellen? Dennoch beschloss sie hinzugehen und erfand für die anderen im Haus die Notlüge, ihre Schwester – sie nannte keinen Namen – sei morgen auf der Durchreise in Genf, sie trete eine Stelle in Nizza an und wolle sie treffen.

Jules und Emmanuelle versprachen, sich um Frau Lydia, die nachmittags ohnehin meistens schlief, zu kümmern, drei, vier Stunden könne Luise ohne weiteres außer Haus bleiben. Das Angebot nahm sie an, mit schlechtem Gewissen, denn sie log nicht gerne, und eigentlich hätte sie ja ebenso gut einmal Henri aufsuchen können, den sie in ihrer gegenwärtigen Situation nur noch selten sah. Aber sie hatte jetzt alles nach Weltis Wunsch eingefädelt, und so ging sie am nächsten Nachmittag aus dem Haus und schlug die Straße zum Bahnhof ein. Sie stemmte sich gegen den Wind, der ihr entgegenblies, band ihr Kopftuch fester. Eine Abzweigung verpasste sie, fand dann aber, ohne sich erkundigen zu müssen, den richtigen Weg. Kutschen überholten sie, Tramwagen. Von der Brücke aus, die sie überqueren musste, sah sie den hoch aufschießenden Springbrunnen im See, den *jet d'eau,* das neue Wahrzeichen von Genf, das erst vor kurzem eingeweiht worden war. Das Rauschen des Wassers, lauter als die Brandung in Livorno, war bis zur Brücke zu hören und übertönte zeitweise alle übrigen Geräusche.

Das Bahnhofbuffet von Cornavin fand sie leicht, die erste Klasse war durch eine Glastür vom übrigen Bereich abgetrennt. Ein Kellner musterte argwöhnisch Luises einfache Kleidung. Als sie sagte, sie werde erwartet, führte er sie hinüber, wo Marmortische und mit rotem Plüsch überzogene Sessel ein gehobenes Ambiente schaffen sollten. Aber Welti war noch nicht da, und der Kellner ließ Luise, die ihr Kopftuch abgenommen hatte, an der Tür warten. Sie erinnerte sich daran, wie Welti sie in Rom in der Stazione Termini abgeholt hatte, wie energisch er auf sie zu wirken versucht hatte. Die wenigen Gäste saßen vor Teegeschirr oder Weingläsern und plauderten diskret miteinander. Nach ein paar Minuten, die kaum vergehen wollten, kam Welti in einem weit geschnittenen grauen Anzug durch die Glastür, er war außer Atem, mimte aber Gelassenheit, er nickte Luise zu, als habe er sie erst vor kurzem gesehen, ließ sich vom Kellner, der nun zufrieden schien, zu einem freien Tisch führen, bestellte sogleich einen Tee Rum, einen möglichst heißen, und für Luise, die sich ihm gegenübersetzte, auf ihren Wunsch hin eine warme Schokolade. Sie erschrak, als sie Welti genauer ansah. Er wirkte bleich, abgemagert und vergrämt, und er begann mit seiner hohen Stimme unverzüglich zu reden, so überstürzt, als habe er vorher geübt, und ohne danach zu fragen, wie es Luise unter den gegebenen Umständen gehe. Aber sie fragte ihn ja auch nicht nach seinem Befinden, erstens war das für ein Dienstmädchen nicht üblich, und zweitens war Welti deutlich genug anzumerken, dass er litt.

Sowohl Herr Doktor Prévost wie Professor Vogt, sagte er auf seine weitschweifige Weise, hätten ihm berichtet, dass der nervliche Zustand von Lydia ausgesprochen prekär sei und sie sich in einer schweren Gemütsverstimmung befinde, was man ja wohl auch auf das Hinscheiden des unseligen Malers Stauffer zurückführen müsse. Er räusperte sich beim Reden mehrmals, setzte neu an, zwinkerte heftig, wenn er den Blick der Zuhörerin suchte. Die Meinung der beiden Herren sei gleichlautend, dass die Kranke im jetzigen Zustand dringend hospitalisiert werden sollte, um die Risiken einer Kurzschlusshandlung einzudämmen. Er schlürfte ein wenig vom Tee, legte dann seine Fingerspitzen aneinander. »Du bist ihr ja«, fuhr er fort, »in diesen Tagen am nächsten. Ich frage dich sehr ernsthaft: Siehst du ähnliche Gefahren wie die beiden Herren?« Er stockte, raffte sich, beinahe gequält, zum nächsten Satz auf. »Mit anderen Worten: Wäre sie wirklich fähig, sich etwas anzutun? Oder war die Sache mit dem offenen Gashahn bloß ein Alarmsignal?«

Luise überlegte. Was wollte Welti von ihr hören? Sollte sie sagen, was sie wirklich dachte? Dass sie ihn herzlos fand? »Frau Escher ist manchmal verzweifelt«, sagte sie mit Vorsicht. »Sie glaubt, sie habe ihr Leben verspielt. Dann sieht sie alles schwarz. Aber ich weiß nicht, ob sie wirklich zum Äußersten gehen würde …«

»Aber«, unterbrach Welti sie, »ich will sie ja gar nicht wieder einsperren lassen wie in Rom. Obwohl das für sie erträglich war, oder nicht?« Er wartete auf ein zustimmendes Zeichen von Luise, und als keines kam, verhärtete sich seine Miene, er sprach weiter, nahe am Zischen. »Nach dem, was sie getan hat, hätte sie ja wahrhaftig auch strengere Maßnahmen verdient gehabt.« Als Luise weiter schwieg, beruhigte er sich wieder. »Bei uns sind die Kliniken weniger komfortabel. Sie ist doch offenbar so weit wiederhergestellt, dass eine erneute Internierung, wie die beiden Herren es vorschlagen, schädlich für sie wäre. Ich will nicht, dass man sie unter Medikamente setzt. Und noch weniger, dass sie bei starker Unruhe, wie man das hier tut, mit Riemen ans Bett gefesselt wird. Das ist unwürdig und bei einer Frau ihres Charakters nutzlos.« Er atmete schwer und so laut, dass Luise sich fragte, ob die Vorstellung, die Ehebrecherin auf solche Weise ruhigzustellen, ihm am Ende nicht doch gefiel. Aber Welti zwang sich zu einem beinahe feierlichen Ton. »Sie braucht eine umfassende Betreuung, man muss auf sie eingehen, ihre Lage verstehen … Und du bist dafür die Schlüsselfigur, zu dir hat sie Vertrauen …« Er wurde unsicher, seine Lider flatterten.

Luise schwieg, schaute zu, wie Welti mit zwei Fingern auf der Marmorplatte zu trommeln begann, lange Finger hatte er, überlange, das fiel ihr von neuem auf, und die Spitzen seines Schnurrbarts zitterten leicht.

»Man muss ihr«, fuhr er fort, »unbedingt Gesellschaft leisten. Ihr könnt einander doch zu zweit oder zu dritt ablösen … Ich gewähre euch eine Lohnaufbesserung, sofern die Patientin mit euch zufrieden ist …«

Die Frage, die Luise stellte, war wohl ungehörig, aber ihre Zunge formte sie, bevor sie lange gezögert hatte. »Wieso kommen Sie denn nicht zu Besuch in die Villa? Wieso muss ich Sie hier treffen? Frau Lydia tut Ihnen ja nichts. Ich bin sicher, ein Besuch würde sie aufmuntern.«

Welti rutschte auf seinem Polsterstuhl zurück, es wirkte geradezu panisch, die Stuhlbeine quietschten über den Boden. »Nein, nein! Das geht nicht!« Er geriet ins Stottern. »Vergessen Sie nicht« – er wechselte auf einmal ins förmliche Sie – »wir sind geschieden … und es ziemt sich nicht, bei der geschiedenen Ehefrau wieder aufzutauchen … Sie könnte sich Hoffnungen machen, und das will ich keinesfalls …« Er schöpfte Atem, die Stimme geriet unter Druck. »Sie hat mich auf schlimmste Weise gedemütigt, auch wenn sie jetzt zu bereuen scheint … Außerdem rät mein Vater, der ein gutes Urteil hat, strikte von persönlichen Kontakten ab, er besteht darauf, dass ich eine klare Grenze ziehe.

Briefe: ja, Gespräche: nein ...« Er redete immer leiser, wie im Selbstgespräch, seine Augen waren feucht geworden. »Ich glaube, ich würde zu weich ihr gegenüber ... Mein Vater meint, in einem solchen schwerwiegenden Fall müsse man Selbstachtung bewahren und Härte zeigen ... ja, Härte ... Ich bin da nicht zu hundert Prozent seiner Meinung ... ich schwanke ...« Seine Worte schienen irgendwo in unsicherem Terrain zu versickern, nun bewegte er bloß noch die Lippen. Es war verstörend, Zeuge seiner inneren Qual zu werden, und Luise fühlte sich beschämt und war zugleich böse auf diesen Sohn, der seinem Vater wie ein Kind aufs Wort gehorchte.

Inzwischen hatte sich Welti halbwegs gefasst. »Man muss in einer Familie wie der unsrigen Rücksicht aufeinander nehmen. Und Rücksicht auf die Öffentlichkeit. Was da getratscht wird, kann eine Karriere beenden. Mein Vater wird noch krank wegen dieser Affäre ... Und im Amt hat er's schwer wie nie, Gegner überall, ganz abgesehen vom lamentablen Gesundheitszustand meiner Mutter ... Kurz und gut, so gerne ich Lydia sehen würde, ich darf es mir nicht erlauben ...« Er stutzte, schaute Luise um Verständnis werbend, mit dem Versuch eines Lächelns, an. »Kannst du mir überhaupt folgen?«

Sie nickte, wusste aber immer noch nicht, wovon Welti sie überzeugen wollte. Von seinen guten Absichten? Von der Gefahr, dass die Familie durch den Dreck gezogen wurde? Sie sah den strengen Mann vor sich, den Bundesrat mit seinen eingekerbten Wangenfalten, der Glatze, den glattgebürsteten weißen Schläfenhaaren. Die wenigen Male, die sie ihn im Belvoir bedient hatte, war er ihr ein wenig unheimlich gewesen; in seinen Augen hatte, wie in denen des Sohns, eine unbestimmte Angst geflackert.

Aber ihr gegenüber saß Welti junior und fragte etwas, das sie zunächst nicht verstand. Mit bittendem Ausdruck wiederholte er: »Du stehst doch auf meiner Seite, Luise? Ja?«

Er ging also davon aus, dass sie dafür war, Frau Lydia weiterhin im Haus zu betreuen. Wollte er ihr damit auch die Verantwortung für Lydias Wohlergehen überbinden? Das war zu viel, das konnte sie nicht. Sie führte ihre Tasse zum Mund, verschluckte sich am Rest der Schokolade. »Ich … ich …«, brachte sie hervor, dann bekam sie einen Hustenanfall, der nicht aufhören wollte. Welti war erschrocken aufgestanden, ging halb um den Tisch herum. »Aber was ist denn? Was ist denn?«, stotterte er und klopfte ihr hilflos auf den Rücken. Als der Reiz endlich nachließ, ging er verlegen zum Stuhl zurück und setzte sich wieder. Er begann etwas zu sagen, doch mitten im Satz hielt er inne, blickte auf seine Uhr und nahm übergangslos einen sachlichen, beinahe kalten Ton an: Er müsse jetzt gehen, er habe eine Besprechung mit einem Bankier, deswegen sei er ja nach Genf gekommen. Er stand auf, so wie Luise auch, er kramte aus seiner Westentasche zwei Geldstücke hervor. »Ein Zustupf«, sagte er und drückte sie Luise, die sich sträubte, fast gewaltsam in die Hand. Sie war so verwirrt, dass sie vergaß, sich zu bedanken. An der Glastür sagte er: »Du lässt sie doch nicht im Stich, ja?« Und nun war Luise geistesgegenwärtig genug, den Kopf zu schütteln und die beiden Fünffrankenstücke ins Taschentuch einzuknüpfen, das sie dann unter den Gürtel schob. Welti sah ihr zu, leicht belustigt, wie ihr schien, er versuchte, seine Selbstsicherheit zurückzugewinnen, und strich Luise, in einer überraschenden Geste, zum Abschied über ihre Locken. Sie errötete, er öffnete die Glastür und ging mit einem Adieu hinaus.

Luise kämpfte mit sich. Welti, der ja nicht mehr ihr Dienstherr war, hatte sie bestochen, zehn Franken waren viel Geld, und sie stellte sich vor, was sie Henri in einem der Kaufhäuser alles dafür kaufen könnte. Zugleich hatte Welti sie mit dem Elend, das aus seinen Augen sprach, gefügig gemacht. Ja, sie würde bei Frau Lydia bleiben, sie behüten, notfalls wie ein kleines Kind. Aber auf der andern Seite wollte sie doch Henri nicht verlieren!

Sie ging zurück über die Brücke, und das Sprudeln und Schäumen der Fontäne zu ihrer Linken schien gerade zum Durcheinander in ihrem Kopf zu passen. Drei schön gemusterte Taschentücher kaufte sie für Henri, er besaß nur weiße, blau gesäumte, die ihr langweilig vorkamen. Und ihr war klar, dass sie ihm ihr Geschenk noch heute übergeben würde. So ging sie den langen Weg bis zum Bout-du-Monde. Das Aprilwetter war ihr günstig gesinnt, es regnete nur leicht. Sie genoss das Erstaunen von Henri, als sie so plötzlich vor ihm stand. Im ersten Moment konnte sie sich nicht zurückhalten, ihn stürmisch zu umarmen, und Henri umarmte sie auch. Dann aber schien er zu erstarren, er gab sich kühl und distanziert, fragte, warum Luise ihm in dieser ganzen Zeit so wenig geschrieben habe, »Ich muss es dir erklären«, verteidigte sie sich, »du wirst mich verstehen.«

Der Patron gewährte ihnen eine Viertelstunde in einem Nebenzimmer. Luise gab Henri das Geschenk in der flachen Schachtel, über das er sich gar nicht richtig zu freuen schien. Sie versuchte zu beschreiben, weshalb es so schwierig war, von Lydia wegzukommen, sie denke Tag und Nacht an Henri, aber es wäre grausam, Frau Lydia jetzt im Stich zu lassen. Sie werde Mittel und Wege finden, Henri trotzdem zu treffen, er brauche aber Geduld. Sie redete so fieberhaft auf ihn ein, streichelte dazu seine Hand, seine Wangen, dass sich seine Verhärtung löste; das Gespräch endete in einem langen Kuss, der Luise glücklich und zuversichtlich machte. Der Patron nickte ihr, als sie sich verabschiedete, freundlich zu, aber Henri, der sie erst eine Strecke begleiten wollte, musste den Service wieder übernehmen, da gab es kein Pardon. Beim Weggehen schien ihr die Zukunft mit ihm wieder so hell zu leuchten wie sein weißes Veston, und der kleine, kreisrunde Fettfleck darauf störte sie nicht, der ließ sich auswaschen. Weltis Hände hatten nach teurem Rasierwasser gerochen, Henris Veston roch nach den Menschen im Café, doch das war ihr lieber, und sie wusste ja, dass die Haut unter dem Stoff einen besonderen Duft hatte, einen nach Baumnuss und ein wenig nach Honigseife.

Sie kam verspätet zurück in die Villa. Aufgeregt empfing Emmanuelle sie schon auf der Treppe: Frau Lydia sei längst erwacht, sie habe immer wieder nach Luise gefragt und befohlen, sie solle sich gleich bei ihr melden. Kleinlaut trat sie über die Schwelle des Krankenzimmers. Lydia saß, gestützt von mehreren Kissen, im Bett und schaute Luise anklagend entgegen. »Endlich«, tadelte sie, und ihre Stimme war so klar wie schon lange nicht mehr. »Wo bist du denn gewesen? Ich habe hundertmal nach dir gerufen.«

Luise blieb vor dem Bett mit dem hochgewölbten Duvet stehen. »Emmanuelle war doch da«, entgegnete sie. »Für Sie wurde gesorgt, gnädige Frau. Hat es Ihnen an etwas gefehlt?«

»Ich wollte dich in meiner Nähe, dich, Luise.« Sie versuchte, sich noch gerader aufzurichten, sank dann aber mit einem Seufzer zurück in die Kissen. »Warum hast du dich weggeschlichen, ohne es mir zu sagen? Du hast ja nasse Haare. Und gewöhn dir endlich die gnädige Frau ab.«

Luise griff sich ins Haar, merkte, dass es in der Tat feucht war, sie hatte vergessen, das Kopftuch wieder umzubinden. Es ging nicht anders, als dass sie ihre Notlüge erneuerte. »Entschuldigen Sie, ich habe eine meiner Schwestern getroffen, Lina, sie tritt in Nizza eine Stelle an, in einer Bäckerei. Ich habe sie lange nicht mehr gesehen …«

Sie wollte ihre Tränen zurückhalten, aber sie kamen trotzdem, und sie wischte sie ungeschickt mit dem Ärmel weg.

»Ich hätte dir doch erlaubt, sie zu sehen«, sagte Lydia tadelnd. »Du hättest bloß fragen müssen.«

»Ich war eben nicht sicher. Sie wollen doch, dass ich Ihnen jederzeit zur Verfügung stehe …« Luise stockte, und gegen ihren Willen brach es plötzlich aus ihr heraus: »Dann bin ich noch bei Henri gewesen, im Bout-du-Monde, er will mich ja auch mal sehen …« Trotzig doppelte sie nach: »Ich gehöre ja nicht einfach Ihnen …«

»Henri? Wer ist das?«

»Henri Lobstein, wir haben uns verlobt … Er ist Oberkellner … Sie kennen ihn doch, der Schlanke, Große.«

»Der? Ein hübscher Junge, richtig adrett, zuvorkommend.« Dass es gerade dieser Mann war, schien sie günstig zu stimmen, sie lächelte sogar. »Zeig mir deine Hände, Luise.«

Luise gehorchte verwirrt, streckte die Hände aus wie zu einer Sauberkeitsinspektion.

»Warum trägst du denn keinen Ring?«

»Ich ... ich trage ihn am Tag nicht ...«

»Du hast mir deine Verlobung verheimlicht?«

Luise nickte. »Ich dachte ... Sie wären dagegen ...«

Frau Lydia winkte so vehement ab, dass die Ärmel ihres Nachthemds flatterten. »Ach was, du bist ein freier Mensch. Die Frage ist bloß, wann du heiraten und von mir weggehen willst.«

»Nicht, solange Sie so krank sind. Ich sehe ja, wie sehr Sie mich brauchen.«

Lydias Lächeln verstärkte sich. »Komm näher, du Liebe.«

Luise gehorchte, Lydia nahm ihre Hände und drückte sie. »Meine Güte, die sind ja kalt. Die muss man aufwärmen. Hör gut zu, du kannst deinen Henri einmal, zweimal in der Woche besuchen. Oder er kann hierherkommen, und ihr plaudert drüben im Salon, in allem Anstand, versteht sich. Aber du bleibst in meinem Dienst, solange es mir nicht wirklich bessergeht. Damit bist du wohl doch einverstanden.« Sie sah Luise forschend an, und die war so erleichtert, dass sie zunächst kein Wort hervorbrachte. Das war die alte Lydia, die da zu ihr sprach, die entschlossene.

»Ja«, antwortete sie endlich, »ich bin ja gerne bei Ihnen ... Aber heiraten will ich auch ...«

»Ich glaube, es geht mit mir aufwärts, Luise, ich komme über die Krise hinweg ... Und es ist mir doch klar, dass du dein eigenes Leben führen willst, eine Familie gründen, Kinder haben ... Ich schätze, schon in ein paar Monaten werden wir uns trennen.« Lydia verstummte und ließ Luises Hände los. »Kinder waren Emil und mir verwehrt. Aber das ist ja vielleicht ganz gut so ...« Ein kurzes Lachen in einer anderen Stimmlage kam plötzlich von ihr, es glich beinahe einem Bellen. Oder war es doch eher ein Wehlaut? »Nicht auszudenken, wenn ich das Kind eines anderen empfangen hätte ...« Sie brach ab. Luise wusste nicht, ob sie von dieser beinahe brutalen Offenheit beschämt sein sollte oder ob sie ein Vertrauensbeweis war. Aber sie fühlte sich leichter, fast beschwingt, als sie hinunter in die Küche ging, wo Emmanuelle Gemüse für die Suppe kleinschnitt, nach der Lydia fast jeden Tag, vor allem zum Abendessen, verlangte. Die Köchin wusste von der Verlobung, und Luise erzählte ihr, dass sie jetzt auch die Dienstherrin ins Bild gesetzt habe und die befürchtete negative Reaktion ausgeblieben sei.

»Du strahlst ja richtig vor Glück!«, rief Emmanuelle und umarmte Luise. Sie bekomme von Frau Lydia bestimmt noch ein Geschenk, die sei zwar krank, aber großherzig.

Und sie hatte recht: Auf Luises Anziehtisch lag am übernächsten Tag ein gefüttertes Couvert mit der Aufschrift: »Zur Verlobung!«, und darin fand sich ein feines Silberkettchen. Frau Lydia hatte es durch Emmanuelle besorgen und hinlegen lassen. Luise bedankte sich mit großer Freude, legte das Kettchen sogleich um den Hals und trug von nun an auch tagsüber den Verlobungsring.

Treppauf, treppab ging Frau Lydia jetzt wieder, stand an lauen Abenden im Mai am offenen Fenster und atmete in tiefen Zügen den Fliederduft von draußen ein. Ihr Gesundheitszustand, auch jener des Gemüts, schien sich von Tag zu Tag zu verbessern. Es kam der Morgen, an dem sie, begleitet von Luise, erstmals wieder einen Spaziergang hinunter zur Arve wagte. Beim Wiederaufstieg musste sie allerdings gestützt werden und geriet stark ins Keuchen. Aber ein paar Tage später schaffte sie es tatsächlich, wenn auch sehr gemächlich, bis zum Bout-du-Monde. Sie sprach eine Weile mit Henri über seine Zukunftspläne und erfuhr, dass er ein eigenes Café führen wollte, mit Luise an seiner Seite und drei, vier Angestellten, und sie schloss nicht aus, ihn bei einem eventuellen Kauf zu unterstützen; ihr Vermögen sei zwar stark geschrumpft, aber für ein Darlehen reiche es aus.

»Nett ist er, dein Henri«, sagte sie auf dem Rückweg zu Luise, »sehr nett, ein nobler Mensch.« Und Luise errötete vor Freude.

20

Mit dem Beginn des Sommers schien sich alles – oder das meiste – zum Guten zu wenden. Lydia aß wieder mehr, ihre Muskeln kräftigten sich, sie unternahm nun jeden Tag, zusammen mit Luise, längere Spaziergänge, nicht nur zur Arve und zum Bout-du-Monde, sondern auch in der anderen Richtung bis zum See und in die Nähe des *jet d'eau*, denn diese lebendige Wassersäule, in der sich tausendfältig das Sonnenlicht brach, schauten beide gerne an, und je nach Wind ließen sie sich von den feinen Tropfen besprühen, die bis zum Ufer flogen.

Lydia nahm auch wieder die Gewohnheit auf, sich bei den Vogts zu einem Nachmittagstee einzufinden, sie lud sie umgekehrt hin und wieder zu einem Imbiss ein, ein ganzes Essen mit mehreren Gängen war ihr zu beschwerlich. »Aber was nicht ist, kann noch werden«, sagte sie mit ungewohnter Heiterkeit zu Luise. Am liebsten hörte sie zu, wenn der Professor von seinen Nordlandexpeditionen erzählte, von den unendlichen Eisflächen, die er durchquert hatte, den vielen Farbtönen, die es in all dem dominierenden Weiß doch gegeben habe. Luise hätte gerne noch mehr von den Eisbären vernommen, oder von den Walen, die der Forscher in offenem Gewässer beobachtet hatte, sie konnte es kaum glauben, dass so große Tiere, wie Herr

Vogt berichtete, übermütig miteinander spielten, da hätte sie stundenlang zugeschaut und das Frieren bestimmt ganz vergessen.

Frau Lydia setzte nun auch ihre Aufzeichnungen zur Kunst fort, es war ihr Vorsatz, jeden Tag mindestens einen Abschnitt zu schreiben. Mit dem Tod von Stauffer hatte sie sich offenbar abgefunden, sie erwähnte ihn nie mit Namen, wich aus, wenn Professor Vogt das eine oder andere Mal auf ihn anspielte. Hingegen wurde nun auf den Spaziergängen ihr Vater das beherrschende Thema.

Am Ufer der Arve stand seit kurzem eine Ruhebank, dort setzten sich Lydia und Luise, meist unter einem wolkendurchzogenen Sommerhimmel, fast jeden Tag eine Zeitlang hin, und mit Blick aufs vorüberströmende Wasser erzählte die Tochter, wie es ihr gerade einfiel, vom mächtigen Mann, der ihr Vater gewesen war.

»Bei vielen galt er als streng und unnahbar«, sagte sie, »aber mir gegenüber konnte er unendlich liebevoll sein, fand neben seinen vielen Pflichten doch immer Zeit für mich. Er war ja kräftig, stemmte mich noch mit beiden Händen in die Höhe, als ich schon acht oder neun war, und ich musste laut jauchzen und strampeln, das hat er geliebt ... Oder er schwang mich an den Armen im Kreis herum, bis mir schwindlig war. Ach ja, das findet ein Mädchen wie ich schnell heraus, was dem Papa Freude macht. Aber weißt du, was mir an ihm nie wirklich gefiel?«

Luise schüttelte den Kopf.

»Der Bart! Dieses Haargewucher, das mich kitzelte und stach, wenn er mich herzte. Er stand ihm überhaupt nicht, fand ich. Aber alle meine Bitten, ihn stärker zu stutzen, lehnte er lachend ab. Jeder gute Vater, sagte er, ist doch ein bisschen der Weihnachtsmann. Es gibt Bilder aus seiner Jugendzeit, da sieht er ganz anders aus, bartlos, zugänglich, nicht so, wie soll ich sagen, herb. Und sein offenes Gesicht wirkt unglaublich intelligent und anziehend.« Sie seufzte, lachte ein wenig. »So ist es eben mit den erwachsenen Männern, sie wollen sich verstecken. Alle sind so, alle!«

Henri nicht, dachte Luise. Sein Gesicht war glatt, nicht einmal einen Schnurrbart hatte er, und sie wollte auch nicht, dass er sich einen wachsen ließ. Neulich hatte er sie sogar gefragt, und sie hatte mit den Fingerspitzen über seine Wangen gestrichen: »Lass sie, wie sie sind!«

Inzwischen war Lydia, wie beinahe jedes Mal, auf Eschers letzte Zeit gekommen, sie sprach gleichsam ins Wasser hinein, das gleichmütig weiterzog und weiterstrudelte. »Seine Feinde haben ihn derart gedemütigt, es war nicht auszuhalten ... Sie haben ihn gezwungen, als Direktionspräsident der Gotthardbahn zurückzutreten. Dabei war sie doch im Wesentlichen sein Werk, sein größtes. Am Schuldenberg war nicht er schuld, und doch hieß es, er habe die Übersicht verloren, sei zu nachlässig gewesen ... Das traf ihn tief. Zur Feier des Durchstichs haben sie ihn nicht einmal eingeladen. Für ihn ein Schlag ins Gesicht. Und für mich auch, damals, ich habe mich wohl zu sehr mit ihm identifiziert ... Das Verrückte war ja, dass ausgerechnet Bundesrat Welti sein größter Gegner wurde ... Sie haben sich dann wieder halbwegs versöhnt, die zwei Leithammel ... und zwar meinetwegen, weil ich doch den Sohn heiraten wollte ...« Sie drehte sich um zu Luise, suchte ihren Blick. »Weißt du eigentlich, dass mein Vater mir den Umgang mit Emil zuerst verbieten wollte? Und als ich mir das nicht gefallen ließ, versuchte er, die Heirat zu verhindern. Aus Gekränktheit, vielleicht auch, um mich nicht in den Machtkampf mit dem Bundesrat hineinzuziehen … Darüber haben wir uns nie ausgesprochen. Aber wir beide, Emil und ich, brachten es dann zustande, dass die Väter sich zusammensetzten, miteinander verhandelten und sich einigten, zumindest was unsere Heirat betraf … und natürlich die Vermögensfragen, die damit zusammenhingen. Vielleicht war Papa so versöhnlich, weil seine Krankheiten ihn plagten und er ahnte, dass er nicht mehr lange leben würde. Ja, ich glaube, er wusste es, obwohl ich es nicht wahrhaben wollte …«

Luise hörte zu, ihre Gedanken drifteten zwischendurch zu anderem ab, zu ihrer Zukunft, sie hatte ja Lydia diese Episoden schon einige Male schildern hören, und sie war unsicher, wie sie ihr Mitgefühl zeigen sollte oder ob es genügte, dass da jemand saß und stummen Anteil nahm. Denn wo hätte sie einhaken, nachfragen sollen?

»Seine letzten Tage«, sagte Lydia, »ach, die waren schlimm … Das Gesicht entstellt, mit unmäßig geschwollenen Lippen … der Rücken voller Karbunkel, alles vereitert, und wie übel das roch! Er konnte nur noch auf dem Bauch liegen, ich sah, wie er sich zwang, Schmerzenslaute zu unterdrücken, und ich konnte nichts mehr tun für ihn, außer die offenen Wunden mit Kamillensud ein wenig kühlen.« Die Erinnerung trieb Tränen in ihre Augen. »Hat ein Mensch wie er, der sich fürs öffentliche Wohl derart eingesetzt hat, ein solches Ende verdient?«

Luise schüttelte den Kopf, doch Lydia sah es nicht, sie

schaute wieder ins Wasser, als ob sie dort Antworten finden würde.

»Als er endlich gehen konnte, an diesem Wintermorgen, vor acht Jahren jetzt, war es eine Erlösung für ihn und für alle, die bei ihm ausgeharrt hatten. Auch für mich. Dabei war er noch gar nicht alt, dreiundsechzig erst, aber er hatte in all den Kämpfen seine Lebenskraft aufgebraucht. Am Ende war er so erschöpft, wie ich noch nie einen Menschen gesehen habe ... und dann doch würdig auf dem Totenbett ...« Sie tastete nach Luises Hand, ließ sie lange nicht los. Mit ihrem Taschentuch tupfte sie dann Augen und Wangen ab, setzte sich gerade hin und reckte das Kinn. »Diese Heuchelei bei der Totenfeier, das kannst du dir gar nicht vorstellen! Gerade jene, die am heftigsten auf ihn geschimpft hatten, fanden nun die salbungsvollsten Worte für den großen Mann. Und ich hatte gute Miene zum bösen Spiel zu machen, fand mich selbst widerlich dabei und konnte nichts dagegen tun.« Sie schlug sich mit der flachen Hand auf den Unterarm, wie um diese Erinnerung zu verscheuchen.

»So«, sagte sie nach einer langen Pause, in der nur Vogelrufe und fernes Hundegebell zu hören waren. »Gehen wir weiter?« Und nach den ersten Schritten fragte sie spitzbübisch: »Zu Henri? Auf einen Kaffee?«

Luise hatte darauf gehofft und bejahte.

Das Café war an diesem heiteren Tag, drinnen und draußen, voller Gäste. Henri, der inzwischen drei Kellnern und zwei Kellnerinnen vorgesetzt war, hatte kaum Zeit für sie. Er grüßte knapp und lächelte übers ganze, vor Anstrengung gerötete Gesicht. Unter all den neugierigen Blicken verzichtete er auf eine Umarmung, deutete aber bei Lydia einen Handkuss an. Seit es Lydia besserging, neckten sich die beiden manchmal bei ihren kurzen Begegnungen, aber die Blicke gingen doch hauptsächlich zwischen ihm und Luise hin und her, und sie sah ihm gerne zu, wie elegant er sich zwischen den Tischen bewegte, wie gekonnt er ein Tablett mit Gläsern und Tassen auf vier Fingern balancierte. Ob sie das auch so gut lernen würde? Denn das wollte sie: ihm ebenbürtig sein. Es gab noch so vieles, was sie nicht über ihn wusste; sie hatten stets zu wenig Zeit füreinander, und beim Küssen verloren sich alle Worte im einen Gefühl: dass es dauern möge. Aber immerhin trafen sie sich jetzt mit dem Wissen Lydias und des Patrons, im Café zu den flauen Zeiten, im Salon der Villa Ashbourne, wenn Lydia ihren Mittagsschlaf hielt, aber nie länger als eine Stunde, mehr hätte, so sagte es Frau Lydia freundlich, aber entschieden, die Anstandsregeln verletzt. Dass sie selbst diese Regeln außer Kraft gesetzt hatte, beirrte sie dabei nicht, vielleicht war ihr auch umso bewusster, was ein solch krasser Verstoß gegen die guten Sitten für Folgen hatte.

Luise schrieb der Mutter noch einmal, mit wem sie sich verlobt habe, ausführlicher jetzt, und schilderte Henris Qualitäten in leuchtenden Farben. Sie bat um Antwort, und endlich kam sie: Luise werde ihr doch den künftigen Ehegatten bald vorstellen, alle im Haus wollten ihn unbedingt kennenlernen. Davon hing wohl das Einverständnis der Mutter ab. Henri war mit dieser Reise in die Ostschweiz einverstanden, aber nur wenn Luise bereit sei, mit ihm auch nach Riquewihr zur Rebbauernfamilie Lobstein zu fahren. Aber wann? Sie lachten und versprachen sich, dass sie, als

Volljahrige mit allen bürgerlichen Rechten und Pflichten, auch ohne ausdrücklichen Segen der Eltern heiraten würden. Den könne man immer noch einholen, und vielleicht gelinge es ja, beide Familien zum Hochzeitsfest zusammenzubringen. Das planten sie, da es nun mit der Genesenden stetig aufwärtsging, spätestens für Ende Jahr, diese Frist war absehbar, und Frau Lydia, die Luise darauf ansprach, hatte nichts dagegen. Sie wolle, sagte sie, einer so treuen Seele wie Luise nicht die Zukunft verbauen, sie werde gewiss einen geeigneten Ersatz finden. Es müsse nur jemand Willigeres sein als die gute Anna, die sich in Florenz allzu rasch aus dem Staub gemacht habe. Luise sah Frau Lydia an, dass sie gleich bereute, Florenz genannt zu haben, der Name holte vieles zurück, was sie bannen wollte. Sie verstummte und zog sich in ihr Schlafzimmer zurück. Auch wenn sie sich heiter gab, war unter der Oberfläche etwas anderes spürbar, etwas Schweres, Undurchdringliches, eine Trostlosigkeit, die niemand vertreiben konnte.

Luise hingegen stellte sich vor, wie ihre Familie sie beglückwünschen würde, und das erfüllte sie plötzlich mit unerwarteter Zärtlichkeit, ja, sie sehnte sich danach, alle Geschwister wieder einmal zu sehen, Barbara, Anna-Sophie, Lina, Edmund, Katharina, Oskar, Paul. Wie klein waren sie doch damals gewesen, als sie bei Schneegestöber über den Splügen gegangen waren! Wie sahen sie jetzt wohl aus, nach mehr als fünf Jahren? Würde sie sie noch erkennen? Wie ging es ihnen? So wenig Lebenszeichen hatten sie in letzter Zeit ausgetauscht, nur Lina hatte noch geschrieben, sie wegen der Skandalberichte über Lydia und Stauffer gewarnt, und Luise hatte darauf nicht geantwortet, bloß den üblichen Neujahrsgruß geschickt, der sich an alle richtete. Man verliert einander, wenn man so weit voneinander entfernt ist, dachte Luise. Aber zur Hochzeit würde sie alle einladen, auch die angeheirateten Schwägerinnen, die sie noch gar nie gesehen hatte, und sie würde Frau Lydia um ein Darlehen bitten, damit das Brautpaar ihnen, wo auch immer, etwas Rechtes auftischen konnte.

Der Sommer ging vorbei in der Schwebe zwischen Unbeschwertheit und plötzlichem wortlosem Kummer, in den Lydia, wenn auch nur für ein paar Stunden, einzusinken schien wie in den Morast, der ab und zu nach einem schweren Gewitter das Ufer der Arve säumte; es war dann ein paar Tage unpassierbar, das Bout-du-Monde nur auf Umwegen erreichbar. Aber Luise liebte die Gewitter, die über die Stadt zogen, das dahinjagende Gewölk, die von Blitzen durchzuckte Fahlheit der Welt, das Prasseln des Regens. Sie verfolgte das Schauspiel vom großen Salonfenster aus, sie hätte gerne die Fensterflügel weit aufgesperrt, den Regen auf der Haut gespürt. Aber das wollte Lydia nicht, die näher kommenden Donnerschläge ängstigten sie, man solle, sagte sie, die Natur nicht unnötig herausfordern. Wenn dann Luise an ihren Vater dachte, verlor sie die Lust, ins Freie zu laufen und nass herumzutanzen, wie sie es als kleines Kind getan hatte. Und doch stellte sie sich vor, wie es wäre, Frau Lydia an der Hand zu nehmen und sich draußen mit ihr dem Gewitter auszusetzen, allen Gefahren zum Trotz. Bei solchen Gelegenheiten spürte sie eine Wildheit in sich, die sie mit aller Macht bezähmen musste; sich so zu verhalten stand ihr nicht zu. Aber sie und Henri, dachte sie, würden vielleicht einmal Hand in Hand in ein Gewitter hinauslaufen und sich hinterher mit weichen Tüchern trockenreiben.

Im September, als es schon ein wenig kühler wurde, wollte Frau Lydia plötzlich fort, ans Meer, und sie überredete Luise – oder befahl sie es? –, mit ihr nach Nizza zu fahren, für zwei Wochen bloß, das würde genügen, um für die Wintermonate einen Notvorrat an Wärme und Licht anzulegen. Was blieb ihr anderes übrig, als einzuwilligen und die Gesellschafterin zu sein, die Lydia sich wünschte, denn im Hotel hatte Luise nur wenige Pflichten zu erfüllen, sie sollte vor allem zur Verfügung stehen, wenn Lydia sich zu unterhalten wünschte oder ihr in gemessenem Tonfall ihre Kunstbetrachtungen vorlas, von denen die Zuhörerin längst nicht alles begriff. Aber Lydia freute es, wenn Luise Fragen stellte, sie antwortete ausführlich darauf, legte dar, weshalb die Tempelmaße der Griechen allgemeingültig waren, vorbildlich auch für die heutige Architektur, breitete sich aus über die Götterwelt und ihre Symbolik. Sie saßen gerne auf dem besonnten Balkon mit Blick auf Strand und Meer, und trotz der völlig anderen Umgebung musste Luise an den Aufenthalt im Hotel Gießbach denken, wo plötzlich Stauffer in seiner einschüchternden physischen Präsenz aufgetaucht war. Fast hätte sie etwas darüber gesagt, erschrak dann aber und hielt die Erinnerung zurück. Nicht auszudenken, wie Lydia auf seinen Namen reagiert hätte.

Frau Lydia wich neuen Bekanntschaften aus, wollte sich nicht in längere Gespräche mit Fremden vertiefen, auch Luise zog es vor, dem *thé dansant* nach vier Uhr nachmittags fernzubleiben, trotz des schicken Kleids, das Frau Lydia ihr geschenkt hatte. Cognacfarben war es, mit breitem rotem Gürtel, sie war schlank genug, es zu tragen. Die jungen Männer schauten ihr auf der Terrasse und in den Gängen nach, aber sie interessierten Luise nicht. Ein Einziger blieb im Zentrum ihrer Gedanken, nach ihm sehnte sie sich, nach seiner schlanken Figur, seinen vollen Lippen, dem melancholischen Zug um sie herum, den sie nie ganz verstand. Wie er es ihr aufgetragen hatte, hielt sie an der Strandpromenade Ausschau nach einem kleinen Café, in das er sich, mit Hilfe Lydias, unter Umständen einkaufen könnte, denn das war Henris Absicht: sich mit Luise irgendwo am Meer, in einem Fremdenkurort, niederzulassen, drei Kinder auf die Welt zu stellen und wohlhabend zu werden. Sie zögerte, ob sie Frau Lydia etwas davon sagen sollte, ließ es dann bleiben. Dafür wäre es noch früh genug, wenn Luise von ihr wegging.

Gegen Ende des Aufenthalts in Nizza geschah etwas Befremdliches mit Lydia. Für Luise sah es aus, als senke sich ein Schleier über ihr Gesicht, als verliere es die Klarheit, die ein paar Wochen lang aus seinen Zügen gesprochen hatte. Hatte sie unangenehme Post – sie ließ sie sich nachschicken – bekommen? Sie fand sich plötzlich wieder hässlich wie schon lange nicht mehr. Sie saß vor dem Toilettenspiegel und schnitt, sogar in Anwesenheit Luises, verächtliche Grimassen. »So hat er mich ja einmal gezeichnet«, sagte sie, »wie eine alte Holländerin, grobschlächtig und fett. Siehst du, das ist wohl die Wahrheit.«

Luise erinnerte sich an das Porträt Stauffers, eine kleine Radierung, die ihr Lydia ein einziges Mal kurz gezeigt und dann mit einem unwilligen Laut umgedreht hatte. Damals hatte Stauffer noch gelebt. In solchen Momenten, dachte Luise, lebte er immer noch in verborgener Weise. Sie widersprach. Habe man schlechte Laune, sagte sie, sehe man sich in unvorteilhaftem Licht, das gehe ihr selbst auch so.

Lydia schlug sich heftig gegen die Stirn und riss plötzlich an ihren Haaren, es war nicht das erste Mal, dass der Schnitt ihr missfiel. »Manchmal fällt eben alles in sich zusammen«, sagte sie. »ich kann nichts dagegen tun.« Sie schaute Luise, die hinter ihr stand, im Spiegel an. »Mach mir meine Haare schöner. Da lässt sich etwas ändern, am Gesicht selber nicht.«

Luise griff nach Bürste und Kamm, dann auch nach der Schere, um die Stirnfransen zurückzuschneiden, wie Lydia es wünschte, und die Schläfenhaare zu kürzen. Immer noch etwas wollte sie verbessert haben, sie starrte sich missmutig an und war unzufrieden. Dann riss sie Luise mit einer unerwarteten Bewegung die Schere aus der Hand, so ungeschickt, dass sie sich leicht verletzte, und warf sie auf den Boden: »Hören wir auf damit, es nützt ja doch nichts.« Sie blutete am Daumenballen, wollte aber kein Pflaster, sondern drückte ein sauberes Taschentuch darauf. »Was soll ich bloß?«, rief sie plötzlich sehr laut. »Was soll ich noch mit meinem Leben?«

Luise erschrak und wusste nicht, wie sie reagieren sollte. Sie schwieg, begann, den Blick in den Spiegel vermeidend, die Gegenstände auf dem Frisiertisch zu ordnen.

»Sag etwas!«, herrschte Lydia sie an. »Gib eine Antwort.«

»Sie können sich doch an kleinen Dingen freuen«, sagte Luise mit Vorsicht.

»Ach so!« Lydia lachte abfällig. »Ich will mich aber nicht mit kleinen Dingen begnügen. Weißt du noch? Ich wollte einmal mit meinem vielen Geld einen Kunsttempel bauen, ein Wunderwerk …« Sie brach ab, unterdrückte ein Schluchzen. »Jetzt ist alles vorbei …« Wieder wechselte sie den Tonfall. »Verzeih, Luise, du tust ja, was du kannst. Geh jetzt lieber zu dir hinüber, lass mich zu mir kommen … Keine Angst, ich tu mir nichts an. Ich muss aber jetzt allein sein.« Sie machte eine fortscheuchende Bewegung mit der Hand. Luise ging verwirrt hinaus. Gekränkt war sie auch. Hatte sie es verdient, wie ein Hund behandelt zu werden? Gerufen und weggeschickt nach Belieben. Sie setzte sich eine Weile aufs Bett, ließ ihren Gedanken freien Lauf, fand, es sei eben doch Zeit, das Dienstverhältnis zu beenden, machte sich dann wieder allergrößte Sorgen um Lydia, die ihr so einsam und untröstlich vorkam. Sie trat zum Fenster, einen Balkon hatte ihr kleines Bediensteten-Zimmer nicht, aber das Meer sah man doch. Ob diese grenzenlose Fläche, über die der Wind strich, nicht auch ein Trost sein konnte? Sie hob und senkte sich in Flut und Ebbe, es gab die Gewissheit, dass nach dem einen das andere folgte, in gleichbleibendem Rhythmus. Frau Lydia in ihrem Elend sah dies wohl nicht; einmal hatte sie Luise gestanden, es falle ihr schwer, an Gott zu glauben.

Schon am selben Abend zeigte sich Lydia gefasster. Keine Ausbrüche mehr, keine abrupten Stimmungswechsel. Sie sprach zu Luise in freundlichem, leicht belehrendem Ton, aber irgendwie an ihr vorbei, wie zu jemand anderem. Da war er wieder, der Schleier über ihrem Gesicht, der das Wesentliche verbarg. Luise sah ein, dass ihr alles zuzutrauen war und dass ihr die Aufgabe zufiel, über sie zu wachen, so gut sie es vermochte. Sie war dreizehn Jahre jünger als Lydia, aber es kam ihr zuweilen vor, als müsse sie die Mutterstelle an ihr vertreten oder zumindest die einer älteren Schwester. Sie fragte sich nicht, wer ihr dies aufgetragen hatte, es war einfach so, eine innere Stimme sprach zu ihr, und ausweichen konnte sie ihr nicht.

21

Früher als vorgesehen fuhren sie zurück. Von da an ging es mit Lydia erneut bergab, tiefer und verstörender als zuvor. Ganze Tage blieb sie im Bett, antwortete nicht oder nur einsilbig auf die Fragen des Doktors, den Luise avisiert hatte. Sie habe keine Schmerzen, sagte sie, es sei nur leer in ihr, leer, und das Wort wiederholte sie so oft, bis es ihr auf den Lippen erstarb. Sie aß beinahe nichts, döste vor sich hin. Luise saß manchmal lange neben ihr, sah sie im Wachzustand, reglos auf dem Rücken liegend, zur Decke blicken, es war erschreckend, wie ausdruckslos ihre Augen schienen. Zwischendurch hatte sie aber auch Phasen von Getriebenheit, dann zeigte sie sich mitteilsam, wollte plötzlich viele Dinge erledigen, es galt ja, jetzt endlich die Stiftung zu beurkunden, die, nach Gottfried Keller benannt, Kunstschätze für die Eidgenossenschaft kaufen und sammeln sollte; und was noch übrigblieb, wollte sie in ihrem Testament sorgsam verteilen. Da war sie plötzlich in der Lage, sachgerechte Briefe zu schreiben oder zu diktieren, Dokumente zu unterzeichnen, mit Luise und Professor Vogt vernünftige Gespräche zu führen – bis sie von einem Moment auf den andern im Bett zurücksank und beteuerte, sie könne nicht mehr, man solle sie jetzt allein lassen. Es wäre doch besser, sagte sie dann einmal zu

Luise, sie könnte sterben, und gegen deren Protest wiederholte sie mit schwacher Stimme, aber mit einem Lächeln: Doch, das wäre für alle das Beste. Was noch sinnvoll sei, habe sie geregelt, es gebe für sie nichts Weiteres mehr zu tun, als zu warten. Ja, worauf? Aufs Ende, auf die Stille, das Nichts. Luise und Emmanuelle als ihre Stellvertreterin ertrugen es kaum, Lydia in diesem Zustand zu sehen, aber aufrichten ließ sie sich nicht, Lebensmut, sagte sie, sei in ihrem Fall ein überflüssiger Luxus. Immerhin forderte sie Luise dazu auf, Henri zu besuchen, erstaunlich, dass sie ihn nicht vergessen hatte. Und eines Nachmittags fand sie die Energie, Stauffers Briefe aus ihrem Schreibtisch zu holen, sie zusammenzupacken und an Otto Brahm in Berlin zu adressieren, einen Journalisten, der Stauffer aus alten Zeiten kannte und ihn in deutschen Blättern vehement verteidigt, die Angriffe auf den »zügellosen Maler« als Hexenjagd, als schweizerische Kleingeisterei bezeichnet hatte. Er plante offenbar, Stauffer eine Biographie zu widmen, und Lydia bat ihn, er solle doch auch Stauffers Briefe herausgeben und dem Künstler damit ein Denkmal setzen. In den fiebrigen Phasen ihrer Geschäftigkeit gegen Ende September, als sich der Herbst ankündigte, bestand sie darauf, draußen an der frischen Luft wenigstens ein paar Schritte zu machen. Und zwar allein, ganz allein! Dr. Prévost riet ihr davon ab, sie sei zu schwach für Spaziergänge, könne plötzlich zusammenbrechen. Davon ließ sich aber Lydia nicht beirren, und der Arzt forderte Luise auf, sie im Auge zu behalten, ihr auf ihren Wegen zu folgen und im Notfall einzugreifen. Lydias Sterbewunsch, sagte er, sei bei allen Schwankungen durchaus ernst zu nehmen. Er bringe es aber nicht über sich, sie zu hospitalisieren, sie würde sich ja gewiss dagegen wehren, und letztlich billige er gerade einer Frau wie Lydia das Recht zu, über sich selbst zu bestimmen. Luise wusste nicht, ob sie diese Haltung, die ja von Welti geteilt wurde, richtig oder grausam finden sollte. Auch Henri neigte dazu, einem tief unglücklichen Menschen dieses Recht zuzugestehen. Luise dagegen glaubte, dass es doch immer wieder aus solchem Unglück einen Ausweg gebe, dass der Umnachtung unerwartet ein heiterer Tag folgen könne. Aber diese Diskussionen wühlten sie auf, ein Trost war es ihr, wenn Henri ihre Wangen streichelte, sie im Nebenraum, den sie eine Viertelstunde für sich hatten, an sich zog und küsste und sie das Pulsieren ihrer eigenen Lebendigkeit spürte. Sie merkten beide: Es war ein Leben in der Schwebe; lange konnte es nicht so weitergehen.

Wenn nun Frau Lydia, bereits im Wintermantel und in Schnürstiefeln, einen kurzen Spaziergang machte, kehrte sie jeweils um, bevor der Fußweg steiler wurde und in einer langen Kurve zur Arve hinunterführte. Luise hatte sich angewöhnt, sie von der Terrasse aus zu beobachten, und war sich nach mehreren Wiederholungen sicher, dass es bei dieser Route bleiben würde und Lydia zu geschwächt war, sie Richtung Fluss fortzusetzen.

Das Wetter war wechselhaft in diesen späten Septembertagen, aber leichte Schauer hielten Lydia nicht von ihrem Spaziergang ab. Sie verzichtete auf einen Schirm, band sich nur ihr Kopftuch um. Einmal war sie nach der Rückkehr so durchnässt und erschöpft, dass Luise, die sie am Eingang empfing, sie ins Bad begleiten und mit warmen Tüchern trockenreiben musste. Danach half sie ihr ins Bett, wo sie eine oder zwei Stunden, manchmal den ganzen Rest des Tages blieb.

»Sie muten sich zu viel zu«, wagte Luise ihr zu sagen.

»Nein«, antwortete Lydia schroff, »es ist gut, dass ich mich anstrenge, ich werde mich noch genug ausruhen können.«

Luise fragte nicht nach. Dass sie auf der Terrasse stand, um die einsame Spaziergängerin zu überwachen, verschwieg sie, und sollte Lydia es bemerkt haben, tat sie so, als wisse sie von nichts.

Nach ein paar Regentagen, an denen sie zu Hause geblieben war, klarte der Himmel auf, sogar die Sonne brach hinter rauchgrauen Wolken hervor, und Frau Lydia entschloss sich, den gewohnten Spaziergang zu unternehmen, wie immer ohne Ankündigung. Als sie, wieder im Mantel, aber mit flacheren Schuhen, aus dem Haus ging, stand Luise schon an der Balustrade, um ihr nachzuschauen. Dieses Mal schien ihr, Frau Lydia sehe sich, bevor sie zur steilen Stelle kam, kurz nach der Beobachterin um, aber vielleicht täuschte sie sich, und ein Vogel oder etwas anderes hatte ihre Aufmerksamkeit auf sich gelenkt. Dann aber kehrte Frau Lydia nicht um, sondern ging weiter, sie beschleunigte sogar ihre Schritte, wenn auch auf unsichere Weise, glitt beinahe aus, schwankte kurz, verschwand hinter der ersten Biegung, wo Haselsträucher weit in den Weg hineingewachsen waren. Luise erschrak, damit hatte sie nicht gerechnet. Wohin wollte Lydia denn? Sie lief die Treppe hinunter, und ohne sich etwas überzuziehen, dazu in den

Hausschuhen, rannte sie ins Freie und schlug, Lydia folgend, den Weg zum Fluss ein. Eine Stützmauer, zwei, drei Häuser behinderten die Sicht, dann aber sah sie Lydia vor sich, sie rannte nun beinahe, ein Wunder, dass sie bei ihrem ständigen Stolpern nicht hinfiel. Panik stieg in Luise auf. Sie rief: »Warten Sie doch, warten Sie!« Und dann, so laut sie konnte: »Lydia, was ist denn?« Doch nun zog Lydia ihren Mantel aus, warf ihn einfach weg, schon war sie am steinigen Ufer. Einen kleinen Moment nur zögerte sie, dann ging sie ins Wasser, watete, über die Steine hinweg, mühsam hinein, sie fiel um, rappelte sich auf, das Wasser zerrte an ihr, strudelte um sie herum.

»Nein!«, schrie Luise. »Tun Sie das nicht!«

Am gegenüberliegenden Ufer wurden Spaziergänger aufmerksam. Auch sie riefen und gestikulierten. Ein Fischer, der nur ein paar Dutzend Schritte entfernt gestanden hatte, legte seine Rute ab, stapfte in schweren Stiefeln zu Lydia, die, halb liegend, gegen das Wasser kämpfte, dem sie sich doch ergeben wollte. Nun war auch Luise am Ufer, nahe bei ihr, sie dachte nicht daran, dass sie kaum schwimmen konnte, ging einfach in den Fluss, das Wasser reichte ihr schon bis zu den Knien und darüber, sie streckte die Arme nach Lydia aus, wurde von der Strömung erfasst, widerstand ihr, vermochte Lydias Rock zu packen, hielt ihn mit beiden Händen fest. »Tun Sie das nicht!«, wiederholte sie ein ums andere Mal. Sie zog Lydia mit aller Kraft ans Ufer zurück, die aber wehrte sich, entwand sich Luises Griff. »Lass mich!« Sie versuchte, sich flach ins Wasser zu werfen, riss Luise mit, beide tauchten unter, während gegenüber das Geschrei lauter wurde. Plötzlich war der Fischer in seinem schwarzen Kapuzenumhang da, er packte Lydia an den Armen, schleppte sie ans Ufer, legte sie hin. Luise vermochte ihm aus eigener Kraft zu folgen, beugte sich weinend über Lydia, die auf dem Rücken lag und atmete. »Sie lebt«, sagte der Fischer. »Und jetzt muss sie schleunigst in trockene Kleider und sich aufwärmen. Du übrigens auch.« Luise dankte ihm für die Rettung, bat ihn, Lydia mit ihr zusammen in die Villa Ashbourne zu schaffen.

»Warum habt ihr mich nicht gelassen«, murmelte sie und begann, mit den Zähnen zu klappern.

Erst jetzt merkte Luise, wie stark sie selbst fror. Der Fischer, der auch nass geworden war, zeigte sich freundlich. Wie sie es zu zweit schafften, die halb ohnmächtige Lydia den Hang hinaufzuschleppen, wusste sie hinterher nicht mehr, sie dachte, als ihr die Kräfte zu versagten drohten, es wäre besser gewesen, Henri und andere aus dem Bout-du-Monde zu Hilfe zu rufen, aber dafür hatte die Zeit nicht gereicht. Auf halbem Weg kamen ihnen Emmanuelle und Jules entgegen, sie hatten gemerkt, dass Lydia und Luise verschwunden waren. Zu viert trugen sie Lydia zur Villa hinauf; die letzten Meter wollte sie sogar selbst gehen, musste aber, während sie abwehrende und klagende Laute von sich gab, gestützt werden. Drinnen holte Emmanuelle mehrere Decken von oben, sie wickelten Lydia darin ein, betteten sie aufs Parkett. Sie atmete, ja, sie atmete, wenn auch mit geschlossenen Augen, hustete dann, spuckte Wasser. Der Fischer wollte keinen weiteren Dank, er sei auch nass bis zum Gürtel, er hole bloß sein Angelzeug und gehe dann schleunigst nach Hause. Nicht einmal Namen und

Adresse hinterließ er, Edmond heiße er, das genüge, sie würden ihn immer wieder beim Angeln antreffen.

»Hättet ihr mich doch gelassen«, murmelte Lydia, als sie ganz zu sich kam.

Die beiden jungen Frauen schickten Jules weg, er sollte Wasser für Tee und Wärmflaschen aufsetzen. Sie zogen, noch unten im Foyer, Lydia aus, rieben sie trocken, bis die Haut rot war. Die triefenden Haare trockneten sie mit Tüchern, streiften ihr dann ein Nachthemd über, und als sie angezogen war, riefen sie Jules wieder herbei, damit sie Lydia gemeinsam in ihr Zimmer und ins Bett schaffen konnten. Da lag sie, atmete schwer, seufzte. Emmanuelle war der Meinung, man müsse Doktor Prévost herbeirufen, Frau Lydia sei doch fast ertrunken, er müsse sie untersuchen. Sie schickten Jules zu den Vogts hinüber, damit sie dem Doktor telefonierten. Luise zitterte vor Kälte. Endlich fand auch sie Zeit, die nassen Kleider gegen trockene zu tauschen, die Haare zu striegeln, die Fußsohlen, die von den spitzen Steinen im Flussbett wund waren, mit Branntwein abzureiben, das Blut wegzutupfen. Der Doktor war eine gute Stunde später da, er zeigte sich besorgt, stellte aber, außer der Unterkühlung, nichts Gefährliches fest. Er tadelte Luise, dass sie Madame Escher unbeaufsichtigt gelassen hatte. Sie brach in Tränen aus und widersprach, das stimme nicht, sie habe sie ja beobachtet und sei ihr gefolgt. Doktor Prévost wollte ihr, wie seine Miene verriet, nicht ganz glauben, lobte dann doch, dass sie so entschlossen reagiert hatte, nachdem ihr die Gefahr klargeworden war. Unter seiner Aufsicht trank Lydia ein paar Schlucke vom Grog, den Emmanuelle gemacht hatte.

»Behaltet sie gut im Auge«, sagte er, bevor er wegging. Und mit einem Seufzer: »Wenn sie es unbedingt will, wird sie es zustande bringen. Niemand kann sie davon abhalten.«

Alle drei, die ihm zuhörten, wussten, was er meinte, und schwiegen bestürzt. Gab es denn kein Rezept gegen den übermächtigen Wunsch, nicht mehr leben zu wollen? Nachträglich begann in Luise ein Zorn auf Lydia zu brennen, der ihr den Schlaf raubte und auch tagsüber ihr Mitgefühl vertrieb. Wie hatte Lydia sie bloß in diese Lage bringen können? Lydia sah bloß ihr eigenes Elend, ihr eigenes Versagen, und es war ihr gleichgültig, ihre Nächsten zu Schuldigen zu machen.

Ein starkes Fieber, das am nächsten Tag ausbrach, fesselte Lydia ans Bett. Sie schwitzte und fror abwechselnd, warf in der einen Stunde alle Decken weg, wollte in der nächsten einen ganzen Berg über sich getürmt haben. Sie redete zeitweilig vor sich hin, in beinahe unverständlichen Wortfolgen, dann wieder blieb sie lange stumm, und wenn sie so dalag, sah sie durchsichtig aus, beinahe kindlich. Doktor Prévost erschien jeden Tag, er verschrieb Medikamente, die Lydia nicht schlucken wollte oder wieder von sich gab. Eine Lungenentzündung sei es nicht, sagte er und schüttelte ratlos den Kopf, am ehesten eine Art Zusammenbruch, ein Schwächerwerden der Lebensgeister. Er schien verlegen, sein Wissen reichte offenbar nicht aus, um eine klare Diagnose zu stellen.

Luise blieb fast die ganze Zeit bei der Patientin, ließ sich nur selten von Emmanuelle ablösen. Sie kühlte, je nachdem, Lydias Stirn mit kalten Umschlägen oder wärmte sie mit einem wollenen Halstuch, wie der Doktor es empfahl. Nein, sie wollte, gegen seinen Rat, keine Pflegerin anstellen, sie traute sich diese Aufgabe zu. Sie flößte ihr Tee ein, sprach ihr gut zu wie einem kleinen Kind und freute sich, wenn Lydia ihre Hand ergriff und sie drückte. Nach Schweißausbrüchen wechselte sie die Bettwäsche, zog ihr – was oft schwierig war – ein frisches Nachthemd an. Sie bestellte eine Wäscherin ins Haus, sie wusste, wo Lydia das Bargeld verwahrte, bezahlte sie daraus, als sie den Korb mit frisch gebügelten Leintüchern vor die Tür stellte. Und sie beherrschte, mit Emmanuelles Hilfe, das Hantieren mit dem Nachttopf immer besser. Sie schickte Henri eine Notiz: dass Frau Lydia beinahe ertrunken sei und jetzt umsichtige Pflege und Aufsicht benötige. Er schrieb nicht zurück, sondern stand am nächsten Tag gegen Abend vor der Tür, fahrig und aufgeregt. Sie sprach ein paar Minuten mit ihm, bat ihn nicht herein, sie tröstete ihn damit, dass Lydias Zustand bestimmt vorübergehend sei, und glaubte selbst nicht daran. Es bedrückte sie, dass sie Henri derart vernachlässigte, aber es ging nicht anders. Halbwegs schien er sie doch zu verstehen, er wollte ja nicht daran schuld sein, wenn die Dinge sich verschlimmerten. Oder nahm sie zu starken Anteil an Lydias Schicksal? Sah sie sich selbst manchmal an ihrer Stelle?

Gegen Abend, wenn es dämmerte und die Schatten sich im Krankenzimmer vertieften, geriet Lydia hin und wieder ins Phantasieren. Sie war das kleine Mädchen, das mit dem Vater haderte, sie weinte, schlug vor Zorn mit den Fäusten aufs Kissen, und Luise hielt sie fest, damit sie nicht aus dem Bett fiel. Sie redete auf jemanden ein, der Stauffer sein musste, beschwor ihn, der Kunst treu zu sein, eher noch als ihr, sie schimpfte über die Zeitungen, die den Vater angriffen, und plötzlich rief sie nach der Mutter, die sie so früh verloren hatte. Sie setzte sich mit einer unerwarteten Kraftanstrengung gerade hin, verlangte Gerechtigkeit für sich und Stauffer, sie flehte Emil an, sie weiterhin zu achten, ihr beizustehen, beschuldigte ihn plötzlich, hartherzig zu sein, geldgierig, schrie laut auf, sank dann zurück aufs Kissen, beide Fäuste auf die Augen gepresst, um die Tränen zu stoppen. Gegen solche Ausbrüche konnte Luise nichts tun, sie hörte zu, hinderte Lydia daran, sich selbst zu verletzen. Ihr zu widersprechen, vernünftig mit ihr zu reden, war sinnlos. Auch Emmanuelle fühlte sich von solchen Situationen überfordert; ihr Beitrag zur Betreuung der Kranken bestand darin, möglichst leichte Speisen zu kochen, vor allem Suppen mit Haferflocken oder Reis, oder sie saß hin und wieder, anstelle von Luise, die eine halbe Stunde auf der Terrasse oder außer Haus sein wollte, am Krankenbett. Während dieser Wochen aß aber Lydia beinahe nichts, es war erschreckend, wie schnell ihr Gesicht einfiel und zu altern schien. Auch dagegen konnte Doktor Prévost nichts ausrichten. Er versuchte nun doch, Lydia, wenn sie zugänglich war, vom Aufenthalt in einem Spital zu überzeugen. Doch sie wehrte sich mit Heftigkeit dagegen, rief in großer Aufregung: »Nein, nein, ich bleibe hier.«

»Man muss ihr den Willen lassen«, sagte Prévost.

Professor Vogt, der sich hin und wieder blicken ließ und dann bedrückt wegging, schrieb Welti, dass es um Madame Escher schlecht stehe und dass außerdem ihre Finanzen bald aufgebraucht seien. Welti reagierte mit floskelhaften Besserungswünschen, doch er überwies, auf Dr. Vogts Namen, eine namhafte Summe an ein Bankhaus, so dass die Geldsorgen fürs Erste verschwunden waren. Als Luise davon erfuhr, dachte sie voller Groll, dass dies ja wohl Geld aus Lydias Mitgift war. Ja, der Zorn auf Lydia flackerte immer wieder auf, aber nun übertraf ihn bei weitem der Unmut gegenüber Welti, der seine ehemalige Frau, abgesehen vom Geld, dahinserbeln ließ.

Es war wie die anderen Male. Als es aussah, als würden Lydias Kräfte unwiderruflich schwinden, gewann sie einen Teil ihrer Energie zurück. Von einem Tag auf den andern unterhielt sie sich vernünftig mit denen, die an ihrem Bett saßen, sie nahm wieder feste Nahrung zu sich, sagte plötzlich, sie habe viel zu erledigen, stand sogar auf, lehnte jede Hilfe ab und setzte sich im Morgenrock an den Schreibtisch, während draußen der erste Herbststurm an den Bäumen rüttelte und die Wolken vor sich hertrieb. Sie beschäftigte sich mit ihrer Stiftung, die nun definitiv nach Gottfried Keller benannt war, schrieb deswegen mit ihrer steilen Schrift an Emil, dazu an Salomon Hegi, sogar an den Nachbarn Vogt, von dem sie wusste, wie sehr er sich um sie gekümmert hatte. Diese Auferstehung hatte etwas Wundersames an sich; niemand im Haus konnte sie sich erklären.

Lydia bestand darauf, allein an ihrem Pult zu essen. Als Luise ihr den Mittagstee und ein kleines belegtes Brot brachte, wandte sie sich zu ihr um und sagte mit einem Lächeln, das Luise schon lange nicht mehr gesehen hatte:

»Ich mache dir Sorgen, ja? Das weiß ich, und es tut mir leid. Da ist etwas in mir, dem ich machtlos ausgesetzt bin ... Ich kann dich nur darum bitten, mich auszuhalten und auf Besserung zu warten ... Sie kommt ja, sie ist da, wie du siehst.«

Luise nickte und wusste nicht, was sie antworten sollte.

»Komm«, sagte Lydia. »Ich will dir danken. Du hast mich gerettet, das weiß ich doch.« Lydia öffnete die Arme. Verlegen trat Luise näher und ließ sich umarmen, kurz nur, dennoch war sie von dieser Geste gerührt und musste ihre Tränen zurückhalten. Lydia roch säuerlich, aber keineswegs widerwärtig, Luise hätte die Umarmung gerne erwidert, wagte es jedoch nicht. Sie löste sich sanft von ihr.

»Soll ich Sie kämmen?«, fragte sie mit einem Blick auf Lydias ungebändigte Frisur.

Lydia schüttelte den Kopf. »Das ist wohl in meiner Lage nicht mehr nötig.«

Was sie damit meinte, ahnte Luise, aber sie verschloss sich gegen die schmerzhafte Einsicht.

Die nächsten Tage vergingen auf ähnliche Weise. Man wusste nie im Voraus, wann und wie lange Frau Lydia ansprechbar war und sich so gab, als wäre alles in bester Ordnung. In solchen Phasen traf sie vernünftige Entscheidungen, ordnete das eine oder andere an, aber schon kurze Zeit später war sie wieder von der Verdüsterung erfasst, in der sie Pflege benötigte wie eine Schwerkranke oder wie ein kleines Kind. Das machte es schwierig, fast unmöglich, mit ihr von Gleich zu Gleich umzugehen.

Stauffers Biograph, Otto Brahm in Berlin, hatte Lydia für die Dokumente gedankt, die sie ihm geschickt hatte. Er würde gerne, hatte er ihr geschrieben, nach Genf reisen und sie persönlich über ihre Erfahrungen mit Stauffer befragen; sie habe sich ja in tiefgründiger Weise mit seiner Kunstauffassung auseinandergesetzt, ihn wohl auch mit weiblicher Klugheit beeinflusst, das müsse unbedingt in sein Werk einfließen. Luise spürte sehr wohl, dass solche Formulierungen Lydia schmeicheln sollten. Noch vor ihrem Ertränkungsversuch hatte sie Brahm eingeladen, in einem Genfer Hotel Logis zu beziehen, sie werde sich dann, sobald ihre Kräfte es zuließen, gerne mit ihm ausführlich unterhalten und dabei Aspekte von Stauffers Persönlichkeit beleuchten, die ihm vielleicht unvertraut seien. Diesen Brief hatte sie Luise vorgelesen und gefragt, ob der Ton einem Fremden gegenüber stimme. Luise hatte keine Einwände gehabt; sie fand zwar, dass sich Lydia ein wenig wichtigzumachen versuchte, aber das sagte sie nicht.

Brahm kam in Genf an, schickte eine Nachricht an die Villa Ashbourne und fragte, wann Madame Welti-Escher ihn liebenswürdigerweise zu empfangen geruhe. Lydia war, nach zwei lebhaften Tagen, gerade wieder in einen Zustand tiefer Erschöpfung gesunken. Sie lag im Bett, als Luise ihr Brahms Botschaft überbrachte, und wollte sie nicht selber lesen. Als sie dank Luises Geduld verstanden hatte, worum es ging, wehrte sie mit überraschender Vehemenz ab: »Nein, er soll nicht kommen ... Er soll mich nicht so sehen ...«

Er sei ja, sagte Luise, nur ihretwegen nach Genf gereist. Ob sie wirklich außerstande sei, ein Gespräch zu führen.

»Hier? Am Bett?«, fuhr Lydia ihr über den Mund. »Was denkst du denn? Mein Geist ist zu wenig wach, versteh das doch ... Geh du zu Herrn Brahm, entschuldige dich bei ihm in meinem Namen. Auch mein letztes Tagebuch kannst du ihm übergeben, dann war seine Reise nicht umsonst. Und erkläre ihm meinen Zustand.«

Der ist nicht so leicht zu erklären, dachte Luise. Wie erklärte man das Verschwinden aller Lebenskraft? Aber sie suchte, wie Frau Lydia es wollte, das Hotel des Bergues auf, in dem Brahm logierte, sie hatte Lydias Tagebuch, eigentlich bloß ein blaues Notizheft, bei sich, das offen auf ihrem Schreibtisch gelegen war. Sie hatte der Versuchung widerstanden, darin zu blättern und zu lesen, immerhin hatte sie gesehen, dass es erst halb voll war, und sich deshalb gefragt, ob Lydia es nicht mehr fortsetzen wollte.

Otto Brahm, ein distinguierter Herr, noch jung, kam in die Empfangshalle herunter, er begrüßte Luise freundlich und rechnete mit einer Einladung. Als sie ihm sagte, das gehe nicht, besser gesagt: Frau Lydia wolle es nicht, zeigte er sich irritiert und gekränkt, fragte nach dem Grund für die Absage. Sie saßen in zwei dunkelroten Sesseln, nahe am großen Fenster, in dem die Rhone und am Rand der stark belebte Pont du Mont-Blanc zu sehen waren, und hatten eine Kanne Kaffee mit zwei Tässchen vor sich. Luise wollte Brahm die Wahrheit sagen, Frau Lydia hatte es ihr nicht untersagt, und außerdem musste sie es sich von der Seele reden. So erzählte sie Brahm, der sie immer entsetzter anschaute, was an der Arve geschehen war und wie Frau Lydia, ohne ihre Hilfe und die des Fischers, wohl ertrunken wäre. Und jetzt wolle sie keinen Außenstehenden mehr sehen, auch Herrn Brahm nicht.

»Wie unglücklich sie sein muss«, sagte er nach langem

Schweigen und fingerte an seinem engen Kragen herum. »Kann man ihr denn nicht helfen?«

»Zwischendurch geht es ihr besser«, erwiderte Luise. »Aber man weiß nie, wie es am nächsten Tag aussieht.« Sie nahm das Tagebuch aus ihrer Umhängetasche, gab es Brahm. »Sie schickt Ihnen mit besten Grüßen diese Aufzeichnungen und bittet um Ihr Verständnis.«

Brahm nahm das blaue Heft entgegen, schlug es irgendwo auf und schloss es gleich wieder. »Ich hoffe, es gibt darin erhellende Passagen zu Stauffer ... Ich werde das Heft nach der Lektüre und eventuellen Abschriften selbstverständlich zurückschicken.« Er stutzte, fasste Luise ins Auge, sein Blick war zunächst scharf und forschend, bekam aber, als er Luises Verlegenheit wahrnahm, etwas Gütiges. »Für Sie«, sagte er, »ist das alles sicher auch nicht leicht. Sie müssen viel aushalten.«

Auf diese Anteilnahme war Luise nicht gefasst, sie weichte ihre Verhärtung auf, und plötzlich flossen Tränen über ihre Wangen, und sie begann zu schluchzen, immer haltloser, immer jämmerlicher.

»Aber was ist denn?«, versuchte Brahm sie, in der Art eines gutherzigen Onkels, zu beruhigen. »Ist es so schlimm?«

Luise wandte sich, das Gesicht hinter den Händen versteckt, von ihm ab, versuchte, die Jammerlaute, die von ihr kamen, zu unterdrücken, und doch unterbrachen die Leute in den Sitzgruppen rundum ihre Gespräche und starrten zu Luise hinüber.

Brahm stand auf, trat zu Luise und legte ihr tröstend die Hand auf die Schulter. Das Schluchzen schüttelte ihren ganzen Körper, als breche sich das zurückgestaute Elend von vielen Wochen endlich Bahn. Sie beugte sich so weit vor, dass ihr Kopf auf den Knien lag, benetzte nun ihr braunsamtenes Stadtkleid, das sie auf Lydias Geheiß angezogen hatte.

Eine junge Kellnerin fragte Brahm mitleidig, ob sie etwas tun könne, der Hotelarzt sei jeden Morgen im Haus, er könnte dem Gast ein Beruhigungsmittel verabreichen. Doch Brahm winkte ab. »Es wird schon wieder«, sagte er. Und in der Tat verebbte Luises Schluchzen allmählich, nur die Schultern zuckten noch eine Weile. Brahm blieb neben ihr stehen, bis sie sich aufrichtete und ihn anzulächeln versuchte. »Es ist eine schwierige Situation …«, murmelte sie und trocknete mit ihrem Taschentuch die Augen.

»Und Sie sind noch jung«, sagte Brahm. »Sie müssen sich schützen. Ich hoffe, Sie haben Beistand von irgendeiner Seite.«

»Ja, es gibt einen Nachbarn, die Köchin im Haus. Und meinen Verlobten …« Es war das erste Mal, dass sie Henri so nannte, und sie merkte, wie sehr sie das tröstete.

»Sie sollten vielleicht den Dienst bei Madame Welti-Escher verlassen«, sagte Brahm, »deren Freunde müssten jemand Erfahrenen an Ihrer Stelle suchen.«

Luise schüttelte heftig den Kopf. »Ich bleibe bei ihr«, sagte sie und staunte selbst über den Satz, der folgte: »Ich habe mir das geschworen.«

»Ihnen, nicht ihr?«, fragte Brahm.

»Vielleicht beiden.«

»Das nennt man wohl Loyalität«, bemerkte Brahm wie zu sich selbst.

Einen Moment lang ärgerte sich Luise über dieses Wort,

das sie sehr wohl verstand, aber selbst nie verwendet hätte. Der Ärger half, ihre Schwäche zu überwinden. Sie verabschiedete sich kurz angebunden von Brahm, der ihre Hand länger festhielt als nötig, sie versprach, der Patientin seine Genesungswünsche auszurichten, und dann stand sie draußen im Wind und hatte den langen Rückweg vor sich.

Frau Lydia wollte von Brahm gar nichts wissen, andere Menschen schienen ihr von Tag zu Tag gleichgültiger zu werden. Sie unterbrach Luises Bericht mit einem »Schon gut, schon gut« und schloss die Augen.

Am übernächsten Tag war sie plötzlich wieder hellwach. Emmanuelle berichtete ihr, dass Jules, der Hausbursche, mit Geld ziemlich fahrlässig umgehe, wohl die eine oder andere Münze für sich selbst abzweige. Er leugne dies zwar, aber sie traue ihm nicht über den Weg. Luise stand dabei; zu ihrem Erstaunen brauste Frau Lydia auf, als gebe ihr der vermutete Diebstahl neue Kraft, sie ließ Jules zu sich kommen, stellte ihn zur Rede, und als er alles abstritt, sich sogar theatralisch Tränen aus den Augen wischte, entließ sie ihn auf der Stelle und schickte ihn mit einem letzten Wochenlohn weg. Die Auseinandersetzung hatte sie so entkräftet, dass sie danach gleich einschlief und erst am Abend wieder ansprechbar war. Da schien sie die Episode mit Jules bereits vergessen zu haben. Luise allerdings dachte an den sommersprossigen Anton aus dem Belvoir. Wie lange war das her, dass auch er hatte gehen müssen? Wirklich erst zwei Jahre?

Ob es nun noch schlimmer wurde oder doch wieder besser, war schwer zu sagen. Ein verwirrendes Auf und Ab in Lydias Zuständen zwischen Wachsein und Dösen, zwischen Träumen und Redseligkeit, zwischen Überspanntheit und tiefem Schlaf. Wohin entglitt sie?

Ihre Absicht zu sterben, in ihren Worten: nicht mehr zu existieren, äußerte sie unverblümt, so klar wie noch nie. Und es verwunderte Luise nicht, dass sie in einer längeren Phase der Klarheit zum zweiten Mal ihr Testament niederschrieb; darin wurde sie, Luise Gaugler, mit 1000 Franken bedacht, dazu sollte Lydias ganze Garderobe an sie übergehen, sie hatten ja beinahe dieselbe Größe und dieselbe Statur, und weil Luise doch ein wenig schlanker war, passte sie ohne weiteres in jedes der teuren Kleider, ob aus Samt oder Seide, die für Lydia in den letzten Jahren geschneidert worden waren. Ja, sie hatte sich manchmal erträumt, solche noblen Kleider zu tragen, es war auch vorgekommen, in Zeiten, da Frau Lydia guter Laune war, dass sie Luise das eine oder andere Stück zum Anprobieren gab, und beide hatten dann gelacht über die Wahrheit des Sprichworts »Kleider machen Leute«, zu dem Gottfried Keller eine heitere Novelle geschrieben hatte. Umso mehr staunte Luise, dass ihr Lydia im Testament die ganze Garderobe vermachte. Sie protestierte entschieden dagegen, sie wolle doch nicht darauf hoffen, dass sie Lydia irgendwann beerben könne. Diese lachte kurz und trocken; es war eines der seltenen Male, da sie noch zu einer solchen Regung fähig war: »Du musst dich damit abfinden, liebe Luise, ins Testament schreibe ich, was ich will. Wann es in Kraft gesetzt wird, ist noch unklar …« Da stockte sie, verstummte, und Luise ahnte sehr wohl, dass Lydia in diesen trüben Herbsttagen immer wieder darum rang, die Entscheidung selbst zu treffen, und niemand sie davon abhalten konnte, es sei denn, man fesselte sie und sperrte sie ein.

Als Luise später, wie fast jeden Abend, an ihrem Bett saß, brachte Lydia die Rede nochmals auf ihr Testament. Es tue ihr gut, sagte sie, ihre restlichen Besitztümer an jene zu verteilen, die ihr etwas bedeuteten. Siebenundzwanzig seien es im Ganzen, auch die Mutter von Karl Stauffer wolle sie beschenken, obwohl sie die Geliebte ihres Sohns verteufelt habe. Man müsse verzeihen können. Hauptprofiteurin sei aber die Schweizerische Eidgenossenschaft, davon rücke sie nicht ab; die Bilder, die von ihrem Vermögen erworben werden sollten, müssten in einem Museum ausgestellt werden. »Ach, weißt du«, fuhr sie fort, »es ist nicht leicht ohne leibliche Nachkommen. Das Schicksal wollte es so. Ob ich eine gute Mutter gewesen wäre, weiß ich allerdings nicht. Ich glaube, mir hätte die Geduld gefehlt ...«

»Das weiß ich ja von mir selbst auch nicht«, sagte Luise und dachte, ein wenig bang, an Henri.

»Du wirst hübsche und kluge Kinder haben«, meinte Lydia. »Da bin ich sicher. Aber ich bin nicht neidisch ...« Sie drehte sich im Bett halb zur Seite. »Jetzt will ich allein sein. Schlafen, das ist das Schönste für mich: tief schlafen, alles, was falsch ist, vergessen ... Und es ist vieles falsch, viel zu viel.«

Luise blies das Licht aus, sie wartete noch eine Weile, ging dann auf den Zehenspitzen hinaus und oben, in ihrer Kammer, legte sie sich in Gedanken zu Henri.

Es war nicht möglich, Lydia dauernd im Auge zu haben, alle ihre Bewegungen zu überwachen, und sie selbst schickte ja Luise und Emmanuelle oft genug mit barschen Worten weg: Sie ertrage es nicht, wie ein Kind behandelt zu werden, aus dem Fenster werde sie sich schon nicht stürzen. Aber hundert andere Möglichkeiten gab es, sich zu schaden, das wusste Luise nur zu gut, es ließ sie manchmal nachts wachliegen und durch die halboffene Tür nach unten horchen. Meistens war gar nichts zu hören, keine Atemzüge, kein Rascheln, als ob das herrschaftliche Zimmer leergeräumt wäre.

Sie bekam Post aus Russikon. Der Mutter gehe es schlecht, schrieb Lina, die ja nun verlobt war, aber noch zu Hause lebte, sie sei ganz aufgeschwollen, habe starke Schmerzen, ob Luise nicht einen Besuch bei ihr machen wolle, es werde vielleicht der letzte sei. Luise entschied sich mit schlechtem Gewissen dagegen. Ihre Mutter war bei den Schwestern in guten Händen, Frau Lydia hatte niemanden, der sich so um sie kümmerte wie Luise. Es war nicht bloß Pflicht, die sie in der Villa Ashbourne hielt, es war etwas anderes, das sie an Lydia band, fast als wären sie Seelenverwandte, gar Zwillinge, so abwegig das klang. War es Zuneigung? Liebe? Abhängigkeit? Luise wollte, um endlich einschlafen zu können, gar nicht nach der richtigen Antwort suchen.

22

Obwohl sie im Haushalt nur noch zu dritt waren, sammelte sich im Lauf von zwei, drei Wochen eine Menge Schmutzwäsche an. Lydia schwitzte oft stark in der Nacht, man musste ihre Leintücher und Kopfkissenbezüge häufig wechseln. So holte Luise an einem Dezembertag wieder die Wäscherin ins Haus, Anne, eine fröhliche Frau mit Damenbart und lauter Stimme, die ganz in der Nähe wohnte und auch eine tüchtige Büglerin war. Am ersten Tag wusch sie in der Waschküche, mit Hilfe von Emmanuelle, die eingeweichte Wäsche, hängte sie abends, ausgewrungen, mit Holzklammern auf die Leinen im Trocknungsraum, dort wurde mit Gas geheizt, damit die Tücher, die Röcke, die Unterwäsche und die Strümpfe schneller trockneten. Am übernächsten Tag kam sie wieder. Zu dritt trugen sie die Körbe mit der feuchten Wäsche hinauf ins Bügelzimmer. Man erhitzte die Bügeleisen mit Hilfe von Gasflammen Luise und Emmanuelle legten die Wäschestücke aufs Bügelbrett, besprühten sie nötigenfalls mit ein wenig Wasser, schauten zu, wie kunstfertig Anne auch Röcke und Blusen wieder in Form brachte, legten sie anschließend sorgsam zusammen. Es war eine nützliche und erfreuliche Arbeit, man sah, was man gemacht hatte. Anne schien den ganzen Tag lang nicht zu ermüden, ihre Arme, bis weit zu den Oberarmen entblößt, waren umfangreich und muskulös, ihr Mundwerk blieb nicht stumm dabei, sie erzählte, während das Eisen hin und her fuhr, Anekdoten aus ihrem Leben und aus der Nachbarschaft, kleine Geschichten meist von glücklicher und unglücklicher Liebe. Luise hörte gerne zu, wusste aber nicht, was sie selber hätte beisteuern können, ihre eigenen Geschichten waren lang und traurig, außer der mit Henri, die hatte ja erst angefangen.

Immer wieder erschallte lautes Gelächter im Bügelzimmer; so fröhlich, so unbeschwert hatte sich Luise schon lange nicht mehr gefühlt. Es tat gut, alles Schwierige zumindest für ein paar Stunden zu verdrängen. Und der leichte Gasgeruch, der ihr zwischendurch in die Nase stieg, gehörte bei dieser Tätigkeit dazu.

Gegen vier Uhr hatten sie Durst, im Raum war es heiß, sie ließen ja bloß einen Fensterspalt offen. Luise ging hinunter in die Küche, um einen Krug mit Wasser zu füllen und drei Gläser auf einem Tablett mitzubringen. Sie fühlte sich leicht benommen. Plötzlich sprang eine Panik sie an wie vor ein paar Wochen am Ufer der Arve. Wo war Lydia? Viel zu lange hatte sie nicht mehr an sie gedacht. Sie suchte sie in ihrem Zimmer, vergebens, das Bett war gemacht, Duvet und Kissen waren glattgestrichen, der Morgenrock, der sonst um diese Tageszeit am Bügel hing, verschwunden. Luise begann zu rufen, so laut, wie sie es von sich gar nicht kannte: »Lydia! Lydia, wo sind Sie?« Der penetrante Geruch, der von unten kam, benebelte sie immer stärker. Sie eilte ins große Badezimmer, wo niemand war, dann, zwei Stufen auf einmal nehmend, ins untere, kleinere, dessen Tür halb offen stand. Dort war Lydia, sie

saß, das Kinn auf die Brust gesunken, reglos auf dem gekachelten Boden. Luise riss das Fenster auf, war dankbar für
die frische Luft, die hereinströmte, sie sah, dass die zwei
Gashähne unter dem Boiler offen waren, schloss sie mit
Nachdruck, dann trat sie ans Fenster und atmete tief ein
und aus. So war es gut. Aber sie musste doch an Lydia denken. Und zuerst noch alle Fenster im Erdgeschoss öffnen.
Das ging schnell, sie kehrte zurück zur reglosen Gestalt am
Boden, Lydia hatte die Beine angezogen, von ihren Schultern war der Morgenrock geglitten, darunter trug sie ein
seidenes Nachthemd. Luise kniete sich neben sie, packte
sie, der Körper war noch warm, aber die Augen blieben geschlossen, sie schien nicht mehr zu atmen. Da begann Luise
laut zu rufen, ja zu schreien, ohne dass sie es selber merkte:
»Hilfe! Kommt doch, kommt endlich!« Ein Poltern auf der
Treppe, Emmanuelle und Anne drängten sich in den kleinen Raum. »Um Gottes willen!« Anne fühlte der Reglosen
den Puls, schüttelte ungläubig den Kopf. »Man muss den
Doktor rufen«, sagte Emmanuelle, stürzte hinaus, wohl
um bei den Nachbarn zu telefonieren. Luise und Anne
machten hilflose Versuche, bei Lydia, deren Mund nun
halb offen stand, eine körperliche Reaktion auszulösen.
Es wurde kalt, Luise begann zu frieren, aber die Fenster
mussten offen bleiben. Plötzlich war Emmanuelle wieder
da, wenig später folgte ihr Professor Vogt, er war außer sich
und hinkte, weil er wohl gestolpert war. Doktor Prévost
antworte nicht, sagte er und beugte sich tief über Lydia, er
habe jemand anderen erreicht, Doktor Ganz in den Bädern
von Champel, der werde kommen, aber es dauere eine
halbe Stunde oder länger.

Sie trugen Lydia gemeinsam in ihr Zimmer, legten sie aufs Bett, breiteten die Decke über sie. »Ist sie tot?«, fragte Luise, denn in der Tat war kein Lebenszeichen mehr an ihr zu erkennen. »Ich weiß es nicht«, sagte Professor Vogt, der vergessen hatte, Schuhe anzuziehen, und seine alten Filzpantoffeln trug. Emmanuelle wollte Lydias Herzschlag spüren, schüttelte den Kopf, Luise versuchte, ihr Atem einzuhauchen, Anne flüsterte ihr ins Ohr: »Kommen Sie zu sich, gnädige Frau, das kann doch nicht sein.«

Es war aber so, auch der Professor musste es bestätigen. Ein lähmender Schreck senkte sich auf alle, die die Tote umgaben. Sie hat es also geschafft, dachte Luise, und niemand hat sie daran hindern können. Ein Vorwurf flackerte auf: dass es nicht geschehen wäre, wenn sie besser aufgepasst hätte. Im Bügelzimmer hatte es auch nach Gas gerochen, und das hatte Lydia offenbar ausgenützt, um im kleinen Bad das Leuchtgas ausströmen zu lassen. Luise kauerte neben ihr, schaute ihr ins Gesicht, das mit den geschlossenen Augen sanft und immer noch lebendig wirkte, sie hob die Hand und streichelte ihre Wangen. Das hätte sie nie getan, wenn Lydia es wahrgenommen hätte. Etwas unglaublich Zartes war an dieser Haut, die nun langsam erkalten würde. Luise konnte noch nicht weinen, der Schmerz beengte bloß ihre Brust, irgendwann würde er hervorbrechen. Emmanuelle holte aus der Vorratskammer drei Kerzen und zündete sie am Kopfende der Toten an. So war die beginnende Dämmerung gemildert. Sie schlossen die Fenster, denn der Gasgeruch hatte sich verflüchtigt, und es war kalt geworden im Haus. Sie hielten Totenwache, aber niemand betete, denn sie wussten, dass Lydia nicht fromm gewesen war.

Gegen sechs kam endlich Doktor Ganz. Seine Wiederbelebungsversuche waren erfolglos, er stellte offiziell den Tod von Lydia fest, auf den Totenschein setzte er den Namen, den Professor Vogt ihm angab: Lydia Welti-Escher. Auch wenn sie den Namen ihres Mannes nach der Scheidung abgelegt hatte, mochte Luise das nicht korrigieren. Ein einziges Mal hatte Lydia im Hochgefühl ihrer Liebe mit Lydia Stauffer unterschrieben, schwungvoll und stolz, das hatte Luise erst später gehört.

Man müsse die Behörden benachrichtigen, sagte der Arzt, dann wohl auch die Verwandten und möglichst bald einen Notar, um den Nachlass zu inventarisieren und das Testament zu eröffnen, das zweifellos vorhanden sei. Die Leiche dürfe drei Tage hier aufgebahrt bleiben, länger nicht, er empfehle aber, sie vorher zu waschen und ins Totenhemd zu kleiden. Danach solle man sie aus hygienischen Gründen gleich in die Leichenhalle des Friedhofs überführen. Er sagte noch mehr, Luise hörte ihm nicht mehr zu, war in Erinnerungen gefangen, sie sehnte sich danach, umarmt und getröstet zu werden. Verspätet erschien auch Dr. Prévost in der Villa, er war entsetzt, doch er bestätigte dem Kollegen, man habe damit rechnen müssen, seit Wochen habe Madame Escher nur noch sterben wollen, Hilfe habe es für sie wohl nicht mehr gegeben. Und trotzdem … Es war der Moment, wo Luise erneut in Tränen ausbrach und genau, wie sie gefürchtet hatte, nicht mehr aufhören konnte zu weinen, obwohl Emmanuelle und die Wäscherin sie zu beruhigen versuchten.

Es war so dunkel geworden, der Weg war so nass, dass sie nicht mehr ins Bout-du-Monde gehen mochte. Am nächsten Morgen, dachte sie, würden fremde Leute im Haus sein und die Beerdigung vorbereiten, sie konnte da gut eine Weile wegbleiben. Eine große Dankbarkeit war plötzlich in ihr, sie musste wieder weinen, leise, ins Kissen hinein, sie würde Lydia vermissen und sich zugleich ohne sie freier fühlen. Wusste sie überhaupt, wer diese Frau gewesen war? Mit so vielen Gesichtern Lydias hatte sie es zu tun gehabt und gelernt, in ihnen zu lesen, aber manchmal hatte sie wohl auch das Falsche gesehen. Der Gesichtsausdruck der Toten hatte sich ihr in der einen Stunde, die sie bei ihr gewacht hatte, immer stärker entzogen.

Es schneite leicht in dieser Dezembernacht. Luise schlief schlecht, sie hatte aber in ihren Traumfragmenten nicht Lydia vor Augen, sondern das Pferdegespann auf dem Gemälde im Belvoir, die offenen Pferdemäuler, den Kutscher mit der Peitsche, und dann sah sie ihren Vater, er hatte kein Gesicht, und doch war er es, tot, ertrunken, wie beinahe auch Lydia, aber er winkte ihr zu.

Sie bat frühmorgens niemanden um die Erlaubnis wegzugehen. Sie tat es einfach. Dem Fluss folgte sie wie so oft, das Wasser strömte gleichgültig dahin, schlammbraun von den Niederschlägen der letzten Tage. Henri zog sie an sich, als sie ihm erzählte, was geschehen war, und ließ sie lange nicht los. An seiner Schulter, die nach Küche roch, schluchzte sie laut. Und als der Patron fragte, was geschehen sei, und Henri ihm berichtet hatte, klopfte er Luise von hinten auf den Rücken. »Du bist jederzeit willkommen hier«, sagte er. »Du wirst uns gute Dienste leisten.«

So viel Freundlichkeit hatte sie nicht erwartet. Aber Henri und sie wollten weg vom Bout-du-Monde, sie wollten etwas Eigenes, ja, nach dem Eigenen hatte Luise immer gesucht. Jetzt war es in Reichweite. Den Weltis schuldete sie nichts, sie konnte gehen, wohin sie wollte, mit einem Koffer voller Kleider, die nun ihr gehörten.

Sie ging am Fluss entlang zurück in die Villa Ashbourne, wo die Vorbereitungen zu Lydias Beerdigung bald beginnen würden, sie ging der Strömung entgegen, den dahintreibenden Ästen, sie sah, wie sich auf der Wasseroberfläche immer neue Muster und Spiegelungen bildeten und wieder verschwanden.

Nachbemerkung

Der Skandal rund um Lydia Welti-Escher und Karl Stauffer-Bern ist in Sachbüchern einige Male dargestellt worden. Am ausführlichsten und am genausten geht der Historiker Joseph Jung in zwei Büchern auf die Ereignisse ein:

JOSEPH JUNG: Lydia Welti-Escher (1858–1891). Biographie, Quellen, Materialien und Beiträge, NZZ Verlag, Zürich, und Alfred-Escher-Stiftung, 2009
JOSEPH JUNG: Alfred Escher (1819–1882), Aufstieg, Macht, Tragik, NZZ Verlag, 2007

Jungs Bücher haben Wesentliches zum Faktengerüst meines Romans beigetragen. Außerdem habe ich von ihm weitere wertvolle Auskünfte erhalten. Ich danke ihm sehr für sein kollegiales Entgegenkommen und für die Zeit, die er mir gewidmet hat.

Zwei andere Bücher haben mich ebenfalls inspiriert:

WILLI WOTTRENG: Lydia Welti-Escher, Eine Frau in der Belle Epoque, Elster Verlag, Zürich 2014
BERNHARD VON ARX: Karl Stauffer und Lydia Welti-Escher, Chronik eines Skandals, Zytglogge Verlag, Bern 1991

Einblick in Akten gewährt hat mir das Archive d'Etat von Genf. Dort habe ich nähere Angaben über Marie Louise Gaugler, *femme de chambre*, gefunden, ebenso bei der Einwohnergemeinde von Nuglar-Sankt Pantaleon.

Auch über Karl Stauffer-Bern gibt es einige Publikationen, die mir nützlich waren:

OTTO BRAHM: Karl Stauffer-Bern, Sein Leben, seine Briefe, seine Gedichte, Stuttgart 1892

WILHELM SCHÄFER: Karl Stauffers Lebensgang, Eine Chronik der Leidenschaft, München und Leipzig 1912

MATTHIAS FREHNER, BRIGITTA VOGLER-ZIMMERLI: »Verfluchter Kerl!« Karl Stauffer-Bern: Maler, Radierer, Plastiker, NZZ Verlag, Zürich 2007

Immer wieder von neuem angeregt hat mich die umfassende Homepage der Alfred-Escher-Stiftung Zürich (www.alfred-escher.ch) und dort im Besonderen die digitale Briefedition, bei der über 5000 Briefe von und an Alfred Escher abrufbar sind.

Ich danke für anregende Diskussionen, Textkritik und nützliche Hinweise:
Tobias Kästli, Christine Wyss, Marc-Joachim Wasmer, Louis Dupras, der kreativen Erstleserin Simonetta Sommaruga.

Ich danke auch meiner Lektorin Margaux de Weck, die das Entstehen des Romans wieder mit großem Engagement und kritischem Scharfblick begleitet hat.

Bitte beachten Sie
auch die folgenden Seiten

Lukas Hartmann
im Diogenes Verlag

Pestalozzis Berg
Roman

Johann Heinrich Pestalozzi, der große Pädagoge, an einem Wendepunkt seines Lebens.

1798 baut Pestalozzi in Stans im Schweizer Kanton Nidwalden, das von der französischen Revolutionsarmee verwüstet worden ist, eine Anstalt für Kriegswaisen auf. In einem baufälligen Flügel des Kapuzinerinnen-Klosters hat er zeitweise bis zu achtzig Kinder zu versorgen: ein nicht enden wollender Kampf gegen Kälte, Hunger und Verwahrlosung.

Da muss er das Kloster räumen: Es wird in ein Militärlazarett umgewandelt, Pestalozzi wird Unfähigkeit als Erzieher vorgeworfen. Er bricht zusammen.

Lukas Hartmann schildert den großen Erzieher als leidenschaftlichen, widersprüchlichen Menschen: seine Überzeugung, dass Bildung das Volk aus sozialem Elend befreien wird, seinen aufopfernden Einsatz für Arme und Schwache; aber auch sein heftiges Gemüt, seine Nöte, seine Schwächen.

»Gerade in der Darstellung der Ambivalenz von Pestalozzis Persönlichkeit liegt die Qualität dieses vorzüglichen Romans.« *Stuttgarter Zeitung*

Die Seuche
Roman

Ein Dorf im 14. Jahrhundert. Seit Wochen kursieren Gerüchte über eine schreckliche Krankheit. Dann erreicht sie das Dorf. Mit Glauben, Aberglauben und Magie versuchen die hilflosen Menschen dem Sterben Einhalt zu gebieten. Niemand weiß, warum so viele sterben und einige wenige überleben. Die junge Hanna und ihr Bruder Mathis begraben ihre Großmutter und fliehen verbotenerweise in den Wald. Unterwegs treffen sie einen ›Geißlerzug‹, Mathis schließt sich den religiösen Fanatikern an, Hanna flieht weiter. Sie kommt bei einem alten stummen Fischer unter, für den sie Fische auf dem Markt verkauft. Dort sieht sie immer wieder ein Kind, das ihr zulächelt. Schon bald hat sie das Gefühl, diesem geheimnisvollen Kind folgen zu müssen…

»Die Pest im 14. Jahrhundert. Eine scheinbar entlegene Zeit gerät ›zum fernen Spiegel‹: Ein großes, ein hinreißendes Buch ist anzuzeigen.«
Charles Linsmayer / Der Bund, Bern

Bis ans Ende der Meere
Roman

London 1781. Der Maler John Webber überbringt der Witwe von James Cook im Auftrag der Admiralität ein Porträt ihres Mannes. Doch die Witwe weist das Geschenk empört zurück: Sie erkenne ihren Mann darauf nicht. Webber ist schockiert, doch kann er die Frau verstehen. Schon bei der Rückkehr des Schiffes ›Resolution‹ verhängte die Admiralität ein absolutes Redeverbot über die näheren Umstände des tragischen Todes von Cook. Und auch das Porträt verfolgt nur einen Zweck: Das Andenken des großen Kapitäns muss ein heroisches bleiben, als nobler Entdecker für England sollte er in die Geschichte eingehen. Doch Webber kennt die Wahrheit dieser vierjährigen dritten und letzten Weltumsegelung Cooks, und all die quälenden Bilder, die er nicht zeichnen durfte, werden ihn zeit seines Lebens verfolgen.

»Die Sprache federleicht, aber auch mit einer großen philosophischen und menschlichen Tiefe. *Bis ans Ende der Meere* ist ein so gewaltiger wie leiser und intimer

Roman, schlicht gesagt ein Meisterstück – ein Roman,
in den man sich verliebt.«
Lutz Bunk / Deutschlandradio Kultur, Berlin

Finsteres Glück
Roman

Das Leben des achtjährigen Yves wird in einer einzigen
Sekunde brutal entzweigerissen, in ein Vorher und
Nachher. Die Psychologin Eliane Hess, die ihm über
den Verlust der Eltern hinwegzuhelfen versucht, ist
gleichzeitig erschüttert und fasziniert von dem trau-
matisierten Jungen. Sein Schicksal geht ihr nahe – es
leuchtet hinein in ihre eigene Vergangenheit. Nach der
Begegnung mit Yves kann auch Elianes Leben und das
ihrer beiden Töchter nicht mehr dasselbe sein.
Ein berührender Roman über Geborgenheit und Verlust; über die Familienbande, die wir nicht lösen können, und diejenigen, die wir selbst knüpfen.

»Wenn unser Dasein aus vergänglichen Stoffen wie
Sehnsucht, Liebe, Angst besteht, bietet dieser Fami-
lienthriller unvergängliche Bilder dazu.«
Evelyn Finger / Die Zeit, Hamburg

»*Finsteres Glück* ist ein starker Roman. Er packt den
Leser mit voller Wucht.«
Andreas Tobler / Tages-Anzeiger, Zürich

Räuberleben
Roman

*Gesucht: Hannikel, Zigeuner, ungefähr 40 Jahre alt,
etwa 5 Schuh und 2 Zoll groß, von Gesicht schwarz-
braun, gibt sich als Jäger aus.*
Geächtet, verteufelt, gejagt – das ist 1786 das Schicksal
des Räuberhauptmanns Hannikel und seiner Familie.
Ein lebenspraller historischer Roman, der von den Zi-
geunerlagern in den Tiefen des Schwarzwalds bis in die

Privatgemächer von Herzog Karl Eugen und seiner Franziska führt.

»Mit großer psychologischer Meisterschaft wechselt Hartmann die Blickwinkel in diesem historischen Roman.« *Alexander Sury / Tages-Anzeiger, Zürich*

Der Konvoi
Roman

Im November 1918, kurz nach dem Ende des Ersten Weltkriegs, befindet sich Europa im Umbruch. Während in der Schweiz der Generalstreik beginnt, führt der Zufall einen jungen Soldaten und eine Russin zusammen. Elena Gogobaridse gehört zur Gesandtschaft der jungen Sowjetunion in Bern. Samuel Brülhart, im zivilen Leben Dorflehrer, hat den Auftrag, sie und die anderen kommunistischen Diplomaten in einem Autokonvoi außer Landes zu bringen. Nach Herkunft und politischer Überzeugung könnten die beiden einander kaum fremder sein. Doch in den drei Tagen einer turbulenten Reise quer durch die Schweiz kommen sie einander nahe.
Ein fesselnder Roman über das unvermutete Aufflackern der Liebe, über wankende Gewissheiten und zerstörte Ideale.

»Eine ausgefallene Liebesgeschichte, die den Leser in ihren Bann zieht, und bisher fast unbekannte Zeitgeschichte, vom Autor blendend recherchiert, sind in diesem Roman subtil ineinander verwoben.« *Hannoversche Allgemeine*

Abschied von Sansibar
Roman

Eine Prinzessin von Sansibar, die mit einem Hamburger Kaufmann durchbrennt. Mit dieser verbotenen Liebe beginnt Ende des 19. Jahrhunderts die Saga einer west-östlichen Familie zwischen Europa und der arabischen Welt. Ein historischer Roman nach der wahren Geschichte von Emily Ruete.

»Behutsam und mit viel Respekt hat Hartmann die einzelnen Lebenswege zu einer bewegenden, mehrere Generationen umfassenden Familiengeschichte zwischen Orient und Okzident zusammengefügt.«
Matthias Gretzschel /
Die Welt, Regionalausgabe Hamburg

»Lukas Hartmann macht aus dem Schicksal einer arabischen Prinzessin und deren Nachkommen eine berührende Familiensaga.«
Charles Linsmayer / NZZ am Sonntag, Zürich

Auf beiden Seiten
Roman

Im Leben des Journalisten Mario hat Dr. Armand Gruber immer eine imposante Rolle gespielt. Gruber ist ein Mann von altem Schrot und Korn. Ein brillanter Deutschlehrer, Hauptmann der Schweizer Armee, glühender Antikommunist. Und jahrzehntelang hat er ein Doppelleben geführt.
Keiner hat etwas geahnt. Nicht seine Frau, nicht seine Tochter Bettina, die ihr Leben lang gegen den Vater aufbegehrt. Nicht sein einstiger Lieblingsschüler und Schwiegersohn Mario, der mit Gruber brechen musste, um zum linken Journalisten zu werden. Auch nicht Bettinas beste Freundin Karina, die als Tochter des Hausmeisters beim Schweizer Geheimdienst ganz dicht an Grubers Geheimnis aufgewachsen ist. Denn er war Mitglied der geheimen Widerstandsorganisation P-26. Jetzt, zwei Jahrzehnte nach dem Ende des Kalten Krieges, darf Gruber sein Schweigen brechen.

»Ein Generationendrama, das immer politischer wird – ideale Urlaubslektüre, Liebe und Historie geschickt verwoben.« *Ursula Ott / chrismon plus, Frankfurt*

Ein passender Mieter
Roman

Als ihr Sohn auszieht, bleiben Margret und Gerhard Sandmaier allein in ihrem großen Haus zurück. Sie beschließen, das ehemalige Zimmer ihres Sohnes zu vermieten. Der passende Mieter ist bald gefunden: ein junger Fahrradmechaniker, unauffällig, höflich, wortkarg. Doch als sich die Schlagzeilen über einen Messerstecher häufen, der in der Stadt junge Frauen überfällt, regt sich in Margret ein schrecklicher Verdacht.

»Lukas Hartmann, der Zweifler mit dem wachen Ohr für die Musikalität des Herzens.«
Beatrice Eichmann-Leutenergger /
Neue Zürcher Zeitung

Außerdem erschienen:

Anna annA
Roman für Kinder

So eine lange Nase
Roman für Kinder

All die verschwundenen Dinge
Eine Geschichte von Lukas Hartmann
Mit Bildern von Tatjana Hauptmann

Mein Dschinn
Abenteuerroman

Die wilde Sophie
Roman. Mit Illustrationen von
Susann Opel-Götz

Martin Suter
im Diogenes Verlag

»Martin Suter erreicht mit seinen Romanen
ein Riesenpublikum.«
Wolfgang Höbel / Der Spiegel, Hamburg

Die Romane:

Small World
Auch als Diogenes Hörbuch

*Die dunkle Seite des
Mondes*
Auch als Diogenes Hörbuch

Ein perfekter Freund

Lila, Lila
Auch als Diogenes Hörbuch

Der Teufel von Mailand
Auch als Diogenes Hörbuch

Der letzte Weynfeldt
Auch als Diogenes Hörbuch

Der Koch
Auch als Diogenes Hörbuch

Die Zeit, die Zeit
Auch als Diogenes Hörbuch

Montecristo
Auch als Diogenes Hörbuch

Elefant
Auch als Diogenes Hörbuch

Die *Allmen*-Krimiserie:

Allmen und die Libellen
Roman
Auch als Diogenes Hörbuch

*Allmen und der rosa
Diamant*
Roman
Auch als Diogenes Hörbuch

Allmen und die Dahlien
Roman
Auch als Diogenes Hörbuch

*Allmen und die
verschwundene María*
Roman
Auch als Diogenes Hörbuch

Außerdem erschienen:

*Richtig leben mit Geri
Weibel*
Sämtliche Folgen

Business Class
Geschichten aus der Welt des Managements

Business Class
Neue Geschichten aus der Welt des
Managements

Huber spannt aus
und andere Geschichten aus der Business Class

Unter Freunden
und andere Geschichten aus der Business Class

Das Bonus-Geheimnis
und andere Geschichten aus der Business Class

Abschalten
Die Business Class macht Ferien

Alles im Griff
Eine Business Soap
Auch als Diogenes Hörbuch

Cheers
Ferien mit der Business Class
Auch als Diogenes Hörbuch

Business Class
Geschichten aus der Welt des Managements
Diogenes Hörbuch, 1 CD, live gelesen
von Martin Suter

Hansjörg Schneider
im Diogenes Verlag

Hansjörg Schneider, geboren 1938 in Aarau, arbeitete nach dem Studium der Germanistik und einer Dissertation unter anderem als Lehrer und Journalist. Seine *Hunkeler*-Krimis führen regelmäßig die Schweizer Bestsellerliste an und sind mit Mathias Gnädinger in der Hauptrolle verfilmt worden. 2005 wurde er mit dem Friedrich-Glauser-Preis ausgezeichnet. Er lebt als freier Schriftsteller in Basel und im Schwarzwald.

»Es ist ein wunderbarer Protagonist, den Hansjörg Schneider geschaffen hat: knorrig, kantig und sympathisch.« *Volker Albers / Hamburger Abendblatt*

Das Wasserzeichen
Roman

Nachtbuch für Astrid
Von der Liebe, vom Sterben, vom Tod und von der
Trauer darüber, den geliebten Menschen verloren zu haben

Nilpferde unter dem Haus
Erinnerungen, Träume

Lieber Leo
Roman

Die *Hunkeler*-Romane:

Silberkiesel
Hunkelers erster Fall. Roman

Flattermann
Hunkelers zweiter Fall. Roman

Das Paar im Kahn
Hunkelers dritter Fall. Roman

Tod einer Ärztin
Hunkelers vierter Fall. Roman

Hunkeler macht Sachen
Der fünfte Fall. Roman

Hunkeler und der Fall Livius
Der sechste Fall. Roman

Hunkeler und die goldene Hand
Der siebte Fall. Roman

Hunkeler und die Augen des Ödipus
Der achte Fall. Roman

Hunkelers Geheimnis
Der neunte Fall. Roman

Urs Widmer
im Diogenes Verlag